The Garland Library of War and Peace

The
Garland Library
of
War and Peace

Under the General Editorship of

Histoire de la doctrine pacifique et de son influence sur le développement du droit international

by

Christian L. Lange

with a new introduction
for the Garland Edition by

Sandi E. Cooper

Garland Publishing, Inc., New York & London
1973

Library of Congress Cataloging in Publication Data

Lange, Christian Lous, 1869-1938.
Historie de la doctrine pacifique et de son influence sur le développement du droit international.

(The Garland library of war and peace)
Reprinted from Hague. Academy of International Law. Recueil des cours, 1926, III, v. 13, p. 171-426.
Includes bibliographical references.
1. Peace--History. 2. International law--History. 3. International relations--History. I. Title. II. Series.
JX1938.L28 1973 327'.172 76-147600
ISBN 0-8240-0361-6

Printed in the United States of America

Introduction

The horror and destruction of World War I created a postwar yearning for peace which manifested itself in a variety of ways. In the early 1920s pacifism and internationalism received serious attention and consideration in circles which never would have given these ideals a hearing before the war. The publication of this work by the respected Norwegian peace activist, Christian Lange, testifies to the expectations of that postwar era. Lange's purpose was a lengthy, historical survey that demonstrated how ideas about international law were basically created from a tradition of peace thinking, which, itself, was barely known.

For this exposition, the author was particularly well equipped. In 1921, he was awarded the Nobel Peace Prize (shared with the Swedish Premier), in recognition of his years of effort on behalf of organizing a legal system among the states to prevent war. Born in Stavanger, Norway, in 1869, Lange received a solid education in history and languages, preparing for a teaching career. As a young man, he took active part in the then radical movement to separate Norway from Sweden. In 1899, he was elected secretary of the ninth annual meeting of the Inter-Parliamentary Union in Oslo. His ability and *interest in the work that the Union was pursuing, the search for a legal system which might contain war in Europe, brought him immediate recognition. After Alfred Nobel created the famous prize bearing his name, Lange was appointed to the Institute that was created to conduct research and administer the award. From 1901-09, he served as director of the Nobel Institute. Thereafter, he was elected to succeed the permanent secretary-general of the Bureau of the Inter-Parliamentary Union, Albert Gobat, who retired in 1909. During the war, Lange and the Bureau left Brussels for Oslo, where Lange kept the organization alive for four years. By the opening of the second decade of the twentieth century, Lange had become associated with the Carnegie Endowment for International Peace and was in close touch with Nicholas Murray Butler.*

Lange succeeded in making several trips to the capitals of belligerent states during the war, always in search of peace initiatives. Early in 1917 he departed Norway on one such visit to St. Petersburg, unaware of what was developing in Russia. Lange arrived during the March revolution and remained several months, despite uncomfortable living conditions, to observe and evaluate the events of the revolution. A remarkably interesting first-hand account of this visit was written up for the Carnegie Endowment and published in The New York Times *on May 27, 1917. In general, Lange's piece reinforced the impression communicated in earlier* Times' *news stories, that the*

Kerensky government would be democratic and would fulfill Russia's treaty obligations. At one point, Lange utterly dismissed Lenin as a serious candidate for power in Russia, noting that he was suspect in the "public eye" for having accepted German aid to return to Russia.

Besides Lange's activities for the Inter-Parliamentary Union and the Carnegie Endowment, he had served on his nation's delegation to the 1907 Hague Peace Conference. Furthermore, he devoted a considerable amount of time researching and writing about the history and techniques of international organization. In 1914, L'Arbitrage international obligatoire *was published and in 1919,* L'Histoire de l'internationalisme. *Clearly the award of the Nobel Peace Prize in 1921, which he shared with the Swedish premier, was well deserved. Prior to his death (1938), Lange was appointed a delegate to the League of Nations where he served from 1935-1937.*

In Histoire de la doctrine pacifique et de son influence sur le développement du droit international, *Lange described the evolution of pacifist ideas from antiquity to the League of Nations. Throughout history, he maintained, pacifism gained adherents as a philosophy or a movement in proportion to the increasing devastation and destruction of warfare. While pacifists could not prevent wars, they exerted a certain influence on governmental leaders to create international organizations to prevent wars. Thus did*

Lange broadly explain the birth, for example, of the League of Nations.

Lange's book reflects the positivist outlook of most nineteenth century liberal internationalists. To the contemporary reader of the third-quarter of the twentieth century, his ideas might appear almost "quaint" if one did not understand the setting and environment in which they were conceived. Lange, for instance, assumes that the general public is fundamentally pacific and opposed to war. He also appears to accept the declarations of government leaders that they are fundamentally interested in preserving peace but they must be "realistic" about how this is to be done.

This book discusses international law and world peace but is entirely devoted to Europe. Lange, sharing the world-outlook of his generation, perceived Europe as the heartland of the world. His omission of Asian and even Soviet Russian ideas about peace and international order, not to mention Islamic works, reflects the Euro-centered concerns of nineteenth century peace activists.

By and large, then, Lange's book focused on the contributions towards international law that grew in Western Europe in the very centuries that also produced the absolute monarch, the nation-state, then nationalism and imperialism. His study dissects the complex relationship between peace ideas and international law as well as the forces which opposed the political and legal organization of Europe.

INTRODUCTION

Students of modern ideas of peace and students of history in general can derive benefit by building upon Lange's commentary.

Sandi E. Cooper
Division of Social Sciences
Richmond College – C.U.N.Y.

HISTOIRE

DE LA

DOCTRINE PACIFIQUE

ET DE SON INFLUENCE SUR LE DÉVELOPPEMENT DU DROIT INTERNATIONAL

PAR

Christian L. LANGE

Secrétaire général de l'Union interparlementaire.

[*Reprinted from the Academy of International Law, The Hague,* Recueil des Cours, *Paris, 1927 (1926: Vol. 3).*]

NOTICE BIOGRAPHIQUE

Christian Lous LANGE, né à Stavanger (Norvège) le 17 septembre 1869. Études d'histoire, de littératures et de langues modernes à l'Université de Kristiania (Oslo). Docteur ès lettres, 1893. Docteur en philosophie (Thèse : *Histoire de l'Internationalisme*, I), 1919. Professeur et conférencier à Kristiania, 1890-1909. Secrétaire du Comité Nobel du Parlement norvégien, 1900-1909, et directeur de l'Institut Nobel, 1904-1909. Conseil honoraire sur l'histoire du mouvement international de la Paix à l'Institut Nobel depuis 1909. Délégué technique de Norvège à la IIe Conférence de la Paix, 1907. Secrétaire général de l'Union interparlementaire depuis 1909. Membre de la Délégation norvégienne à l'Assemblée de la Société des Nations et Délégué norvégien à des Conférences diplomatiques à Genève, 1920-1926. Correspondant de la Dotation Carnegie pour la Paix internationale. — Prix Nobel de la Paix, 1921.

PRINCIPALES PUBLICATIONS

Manuel d'histoire générale (moyen âge et temps modernes), I-II (1re éd., Kristiania, 1904-1905 (avec éditions nouvelles).
Den europeiske borgerkrig (La guerre civile européenne), Kristiania, 1915.
Union interparlementaire : *Résolutions des Conférences et Décisions principales du Conseil.* Précédée d'une introduction et suivie d'une bibliographie, Bruxelles, 1911.
Note sur la Conférence navale de Londres, 1908-1909, Bruxelles, 1910.
Annuaire de l'Union interparlementaire, Bruxelles, 1911-1914.
L'Arbitrage international obligatoire en 1913. Relevé des dispositions conventionnelles instituant l'obligation du recours à l'arbitrage, en vigueur en 1913, Bruxelles, 1914, 352 p.
Les Traités de paix américains, 80 p. Kristiania, 1916.
Les conditions d'une paix durable. Exposé de l'œuvre de l'Union interparlementaire. Kristiania, 1917.
Histoire documentaire de l'Union interparlementaire, I. Conférences de 1888 et 1889. Bruxelles, 1918.
Une paix durable. Commentaire officiel du Programme-minimum de l'Organisation centrale pour une paix durable, La Haye, 1915 (Anon.).

HISTOIRE DE LA DOCTRINE PACIFIQUE
ET DE SON INFLUENCE
SUR LE DÉVELOPPEMENT DU DROIT INTERNATIONAL

AVANT-PROPOS

La première partie de ce cours — celle qui présente l'histoire jusqu'aux traités de Westphalie (1648) — est basée sur l'exposé que j'en ai fait dans l' « Histoire de l'Internationalisme, » I (Kristiania, Publications de l'Institut Nobel norvégien, IV, 1919). Je me suis permis d'y renvoyer d'une manière générale au début de chacun des premiers chapitres de l'ouvrage présent.

Les chapitres suivants sont nouveaux. Ils présentent un aperçu, nécessairement sommaire, du développement de l'Internationalisme pendant l'époque moderne et contemporaine. Jusqu'en 1815 cette histoire est encore presque exclusivement une histoire d'*idées*. Je me propose de suivre l'évolution des doctrines pacifistes et internationalistes de 1648 à 1815 dans un deuxième volume de mon livre actuellement en préparation. Les lecteurs qui s'y intéressent trouveront là les preuves et le développement des conclusions avancées dans le présent cours. Si mon temps et mes forces me le permettent, j'espère pouvoir continuer l'exposé de l'évolution en suivant après 1815, non seulement l'histoire des idées, mais aussi celle de l'œuvre pacifiste et internationaliste qui, dès cette année-là, prend la forme d'un mouvement organisé, ainsi que les résultats qu'a pu enregistrer cette œuvre dans le domaine du droit et de l'organisation internationale.

Genève, novembre 1926.

INTRODUCTION

DÉFINITION DES TERMES

LA « doctrine pacifique » combat la guerre comme étant nuisible, contraire aux intérêts bien compris de l'espèce humaine, et comme étant criminelle, contraire aux préceptes de la morale. La thèse opposée, la doctrine *militariste*, conçoit la guerre comme étant une fonction inévitable de l'existence. Certains ont renchéri sur cette thèse en soutenant que la guerre est une fonction nécessaire et même bienfaisante. Dernièrement, cette thèse militariste a trouvé un appui soi-disant scientifique dans le « Darwinisme social[1]. »

Il est vrai que la guerre paraît être un phénomène constant de la vie historique de l'humanité. La combativité semble un instinct indéracinable chez les hommes. Il convient toutefois de distinguer : cette combativité n'est jamais considérée comme bienfaisante en général; elle comporte des limites, et ce n'est que lorsqu'elle est exercée au nom du groupe social auquel appartient l'individu, et dans les intérêts bien compris du groupe, qu'elle est qualifiée de louable et d'utile. Le problème ne peut, par conséquent, être utilement étudié au point de vue de l'individu; la guerre est un phénomène de la vie sociale et collective des hommes; ce n'est que sous cette forme qu'il faut l'envisager.

Dernièrement, un archéologue anglais[2] a voulu prouver que les sociétés primitives de l'espèce humaine ont été des groupements pacifiques, et que la guerre est un phénomène relativement récent dans l'histoire de l'humanité. L'auteur date la première guerre des environs de l'an 3000 avant notre ère. En effet, il faut distinguer soigneusement entre « guerre » et « lutte. » La concurrence, la lutte,

1. Voir entre autres : Steinmetz, *Der Krieg als soziologisches Problem*, Amsterdam, 1899.
2. Perry, *Growth of civilisation*, London, Methuen, 1924.

même la lutte armée au sujet des moyens de subsistance ou la lutte des mâles pour la femelle convoitée, paraît un phénomène constant de la vie des humains, comme de celle des autres animaux. Au sein des sociétés soi-disant civilisées, dénommées États, les formes brutales de cette lutte ont été de plus en plus éliminées; elles sont en tout cas réprouvées et punies par l'autorité publique[1].

Par contre, la guerre extérieure, la lutte organisée et brutale entre les États occupe une place d'autant plus large au cours des temps historiques. Elle a obtenu une consécration légale et elle est liée de la façon la plus intime à l'existence et à la vie même de l'État. Tout groupe social tend à exagérer sa propre importance, à considérer sa propre organisation comme la forme plus ou moins définitive de l'existence humaine. Cette exagération est une expression de la conscience du groupe, de sa volonté d'être. L'opposition entre les groupes, qui, poussée à l'excès, se traduit dans cette lutte organisée qu'est la guerre, n'est que l'expression extérieure et pour ainsi dire négative du sentiment de solidarité qui unit les membres du groupe social, et qu'il s'agit de rendre aussi intense que possible, même par l'accentuation de l'antagonisme à l'égard des « étrangers. » L'intensité de ce sentiment d'antagonisme paraît une garantie pour la force de résistance du groupe, et ainsi pour sa survivance.

Afin de pouvoir apprécier le bien-fondé de la thèse militariste, il s'agit ainsi d'examiner si cette existence de groupes sociaux opposés est nécessaire et bienfaisante pour le développement du genre humain. Si cette opposition est irréductible, elle provoque logiquement la guerre, expression physique de l'antinomie entre les groupes sociaux. La philosophie militariste de nos jours est convaincue de la nécessité et du caractère bienfaisant de cette opposition entre les États. Elle semble oublier que l'État n'est que l'une des formes sous lesquelles se révèle l'instinct social de l'homme. L'ethnographie en connaît des antécédents : la horde, la tribu; l'histoire nous montre l'existence du groupe social isolé sous la féodalité — le fief — l'existence de la commune, de la ville, du canton, etc.

1. Voir Letourneau, *La guerre dans les diverses races humaines*, Paris, 1895. — Nicolai, *Biologie des Krieges*, 2te Ausgabe, Zürich, 1917. — Lagorgette, *Le rôle de la guerre. Étude de sociologie générale*, Paris, 1906.

Rien ne nous autorise à supposer que l'État, tel que le connaît notre époque, est le terme définitif de l'évolution du groupe social. Au contraire, nous pouvons constater de nombreux symptômes qui annoncent l'évolution de l'État vers d'autres formes de groupement social : non seulement il y a les fédérations politiques, englobant des territoires et des races multiples et diverses, et dont les plus représentatives sont les États-Unis d'Amérique et l'Empire britannique; mais en outre il y a — ce qui est plus caractéristique encore — les innombrables associations entre États pour des objets déterminés : postes, télégraphes et transports, hygiène et police des mœurs, assistance des indigents, soins aux blessés et service de santé en temps de guerre, législation et justice internationales, pour n'en citer que quelques-uns[1]. Il est évident à qui veut voir que l'État isolé, s'obstinant dans une opposition farouche contre tout autre État, est en train de se transformer; que l'État est une forme d'organisation sociale qui pendant une certaine époque a servi des fins utiles, et qui, comme tout autre organe de l'évolution, est destiné à évoluer lui-même : s'il n'est pas adapté aux nouveaux besoins, il deviendra nuisible et dangereux.

D'autre part, un examen, au point de vue ethnographique et historique, des oppositions entre les groupes sociaux nous apprend que ces oppositions ne sont nullement constantes; elles s'accentuent ou diminuent sous l'influence de certains facteurs, soit des croyances religieuses, soit des convictions intellectuelles, soit — et surtout — des conditions économiques.

Aucun des autres facteurs ne possède l'importance fondamentale du facteur économique. A toutes les époques et sur toutes les étapes de l'évolution sociale, le facteur économique exerce une influence décisive sur la formation des sociétés et sur leur orientation. C'est la division du travail qui est à la base de toute société organisée, elle est une condition fondamentale de ce que nous appelons la *civilisation*. C'est la division du travail qui a déterminé la formation des États et des Empires de l'Orient et de l'Antiquité méditerranéenne; l'Empire romain fut une unité économique vivant sur la

1. Sur l'importance de cette organisation progressive vers une *Société des États* ou *des Nations*, voir les ouvrages de A. H. Fried, notamment *Die Grundlagen des ursächlichen Pazifismus*. 2. Aufl., Zürich, 1916.

base d'un échange réciproque de marchandises. En Europe, la civilisation antique, basée sur la division du travail, s'effondra lors des grandes invasions des Germains. La conséquence en fut le régime de désorganisation économique et politique qu'on a appelé la féodalité. Les groupements politiques de l'Europe moderne en sont sortis; la vie économique se rétablit péniblement et se développa sur la base d'une division du travail dans des cercles de plus en plus larges.

Le développement de l'outillage technique, notamment celui qui a eu lieu au commencement du XIXe siècle, a déterminé une nouvelle extension du cercle de la division du travail : il en est résulté une interdépendance englobant l'ensemble des États civilisés. L'organisation politique des États n'a pu s'adapter encore à ces nouvelles conditions, et une crise en résulta qui est devenue d'autant plus grave que l'État « national, » organisation politique correspondant à une étape antérieure de l'évolution technique et économique, a su profiter pour ses propres fins des progrès de l'outillage et des nombreuses inventions techniques : la nouvelle technique des communications, des armes, de l'administration intérieure, a rendu l'État le maître absolu des sujets à un degré inconnu dans le passé, et le fait que les « sujets » d'autrefois sont devenus les « citoyens » d'aujourd'hui n'a pas essentiellement modifié la situation sous ce rapport.

D'autre part tous les États ne se trouvent pas simultanément à la même étape de l'évolution : certains ont évolué vers les formes qui sont plus ou moins adaptées aux nouvelles conditions; d'autres sont restés plus ou moins complètement sous l'inspiration du passé; leur organisation et leur politique correspondent à une condition antérieure de la vie technique et économique; ils sont encore « militaristes, » et considèrent la préparation en vue d'une guerre comme leur fonction essentielle, à laquelle il faut subordonner les autres fonctions de leur existence, alors que les États du premier type se préparent à tirer résolument, dans leur propre organisation, les conséquences politiques de la nouvelle situation économique et technique. Il serait puéril de croire qu'il existe sous ce rapport des types nettement tranchés : tous les États sont plus ou moins « militaristes, » se rapprochent ou s'éloignent de l'organisation normale de l'État isolé et opposé à tous les autres, et à l'intérieur de chacun d'eux des forces sont à l'œuvre pour déterminer, plus ou moins consciemment, l'orientation de cet État vers le type rétrograde ou vers le type progressif.

C'est le conflit entre ces tendances opposées qui a déterminé la crise qui a travaillé l'Europe — et par l'Europe tout le monde civilisé — pendant les derniers cinquante ans : la « paix armée » en fut l'expression chronique, la guerre mondiale (1914-1918) l'expression aiguë. Cette crise a démontré à l'évidence que la guerre, facteur sociologique constant de la vie des sociétés vivant en opposition et en concurrence, est devenue un élément nuisible et perturbateur de la vie des sociétés les plus avancées dans leur évolution économique. La guerre et la civilisation moderne sont incompatibles. Elles sont des antithèses absolues; « ceci tuera cela » : ou la guerre doit être éliminée, ou la civilisation moderne périra.

Ce fait saute tellement aux yeux que même les apologistes de la guerre n'en font plus l'apologie directe; ils se bornent à diviniser l'État; il devient pour eux l'expression suprême de l'idéal social[1], et tous les arguments en faveur de la guerre sont subordonnés à cette conception du maintien de l'État, du développement de sa force, le cas échéant, de l'extension de son territoire et de son autorité : la guerre est divinisée en qualité de fonction essentielle et même suprême de l'État divin, qui devient ainsi un but en soi.

Les conséquences et les applications de la thèse militariste et étatiste sont nombreuses et importantes; elles apparaissent dans les domaines les plus divers de la vie de l'État.

Celui-ci étant un but en soi, il est entouré du caractère de souveraineté, en principe libre de toute autre considération que celles que lui imposent ses propres intérêts : il est, en principe, délié de toute obligation morale et même — lorsque la nécessité fait la loi — de ses engagements formels. Sa situation vis-à-vis des autres États est empreinte d'opposition et d'inimitié : ils sont par essence et en principe ses ennemis. La conséquence en est une préparation continuelle à la guerre, surtout par les armements, dont la limitation conventionnelle serait contraire, non seulement aux intérêts de l'État, mais même à sa dignité et à sa souveraineté. Une seconde conséquence en est la prédominance, dans la politique générale de l'État, des considérations stratégiques et militaires sur les autres

1. Thèse développée notamment par Steinmetz, *ouv. cité*; voir surtout p. 190 et suiv.

motifs de la politique; une troisième, le caractère secret des rapports extérieurs avec les autres États.

La guerre étant une éventualité avec laquelle il faut toujours compter, le caractère autonome de l'État au point de vue économique devient une considération primordiale : les industries produisant des marchandises indispensables en temps de guerre, notamment des aliments, doivent être, ou « protégées » par des tarifs de douane plus ou moins prohibitifs, ou artificiellement encouragées par des subsides de l'État.

La mentalité nécessaire pour maintenir autour de l'État toute cette organisation de défense, tant militaire qu'économique, ne trouve pas toujours assez d'aliment dans les sentiments de loyauté envers l'État — conception abstraite, souvent création assez factice de l'histoire, où des circonstances de hasard ont pu jouer un rôle considérable : elle est intensifiée par des sentiments de loyauté envers la dynastie, qui a créé l'État, par l'admiration de la caste ou de la classe exclusive qui y domine, et dont les qualités militaires ou intellectuelles, le dévouement envers la chose publique, sont l'objet de louanges sincères ou commandées.

Mais le plus souvent la mentalité étatiste est soutenue par un patriotisme naïf et irréfléchi, admirateur d'un peuple particulier aux dépens de tous les autres, convaincu de la mission providentielle d'un État particulier dans le monde. Ce sentiment aime à se draper du nom de « nationalisme. » Il convient toutefois de rappeler qu'il n'y a que très peu d'États où vraiment ce terme serait légitime; dans la plupart des cas, le sentiment se concentre autour de l'État plutôt qu'autour d'un peuple formant une « nation » au sens vrai de ce mot. Et il faut ajouter qu'il est pour une très grande partie inspiré par la peur et par la crainte à l'égard des autres États, ses ennemis.

A cette doctrine militariste, théorie des apologistes de la guerre et de l'État isolé, s'oppose la *doctrine pacifique.* Il convient de distinguer, dans l'ensemble des théories constituant cette doctrine, plusieurs éléments qu'il est important de dégager et de considérer séparément.

Nous trouvons d'abord les théories que, faute de termes universellement admis, on appelle depuis quelques années les doctrines *pacifistes.*

I. La thèse des pacifistes repose en premier lieu sur la conviction de l'unité fondamentale du genre humain, unité morale, mais en même temps unité biologique[1]. La théorie pacifiste est partant humanitaire et altruiste. La vie humaine est en principe inviolable; tout homicide est criminel, et l'homicide collectif, qui s'appelle guerre, l'est à plus forte raison. C'est sur cette conviction qu'est basé le pacifisme intégral, qui fait une opposition irréductible à toute guerre; même à la guerre dite défensive, parce qu'elle entraîne l'obligation de tuer son semblable. La conséquence logique de cette thèse est l'adoption d'un anarchisme individualiste, qui est hostile à tout groupement social ayant un caractère obligatoire, ou lui est, tout au moins, complètement indifférent. Il est rare de rencontrer cette thèse à l'état pur dans l'histoire; elle sera peut-être plus fréquente à l'avenir.

Cette conviction de l'unité du genre humain a un caractère religieux prononcé. Aussi les croyances religieuses les plus spiritualisées — christianisme primitif; quakerisme — ont-elles adopté la thèse de la criminalité absolue de toute guerre. Mais ce sont là plutôt des faits isolés dans l'histoire des religions. La plupart des religions sont des religions de groupes (les dieux appartiennent à la cité ou à la tribu, à la nation ou à l'État); partant elles sont exclusives et intolérantes. C'est un crime, et même un crime capital, de ne pas reconnaître le « vrai » dieu. Même le dieu soi-disant universel du christianisme revêtit très souvent ce caractère de dieu d'un groupe social : héritage du paganisme et du judaïsme, qui survivent tous deux dans de nombreux éléments du christianisme. D'autre part, l'accentuation de la « vérité » absolue d'une religion, même universelle, peut provoquer chez ses adhérents la même intolérance : c'est un devoir de convertir les infidèles et les mécréants, même par la force. Par ces deux voies, les croyances religieuses sont devenues les causes de nombre de guerres, souvent les plus cruelles et les plus dévastatrices.

II. En second lieu la théorie pacifiste est d'ordre utilitaire : la guerre est un mal qu'il faut tâcher d'éviter; elle entraîne des misères qu'il faut épargner aux sociétés et aux individus. Même les militaristes ne nient pas le caractère désastreux de la guerre, et ils se sont

1. Cf. à ce sujet Nicolai, *ouvr. cité*, p. 367 et suiv.

rencontrés, au moins avec certains pacifistes, dans des efforts communs pour « humaniser » la guerre, pour en limiter les ravages. Mais alors que les militaristes considèrent la guerre comme foncièrement bonne, comme une médecine amère, mais salutaire[1], comme une méthode dont les avantages font plus que compenser les sacrifices, les pacifistes la condamnent comme foncièrement nuisible : d'après eux, la guerre « ne paie pas; » elle est la forme la plus caractéristique du « gaspillage des sociétés humaines; » elle fauche les jeunes générations; elle dépense en quelques mois les richesses accumulées par le travail assidu de dizaines d'années. Aussi y a-t-il bien des pacifistes qui considèrent les efforts pour l' « humanisation » de la guerre comme erronés en principe : il s'agit d'après eux, au contraire, de laisser à la guerre tout son caractère hideux et inhumain. La guerre et l'humanité ne se concilient pas. « Il est peut-être plus utopiste de vouloir humaniser la guerre que de vouloir l'abolir[2]. »

III. En troisième lieu, la théorie pacifiste condamne la guerre comme foncièrement injuste, contraire à l'éthique humaine. La guerre représente une méthode défectueuse et essentiellement erronée pour régler un différend entre peuples. Toutes les nations civilisées ont aboli « le combat judiciaire, » « the ordeal of battle, » comme moyen de juridiction; car la force physique, qui détermine l'issue d'un combat, ne peut jamais déterminer la justice d'une cause. Aux prétentions du Darwinisme sociologique qui veut voir dans l'issue d'une guerre entre sociétés l'application de la loi biologique de la « survivance des mieux adaptés, » la théorie pacifiste répond que la paix est l'état normal d'une société; que les qualités guerrières du groupe social qui déterminent l'issue de la lutte armée, ne sont pas celles qui sont les plus précieuses pendant l'existence pacifique et normale, et que, partant, la guerre ne détermine pas du tout « the survival of the fittest » — la survivance des mieux adaptés à la vie normale de la société. La guerre est en outre un facteur démoralisateur. Il est vrai qu'elle peut être, dans des conditions spéciales, une école d'héroïsme, de dévouement et d'abnégation. Mais puisque c'est la force physique qui détermine, en dernier lieu, l'issue d'une guerre, il y a dans toute guerre une tentation

1. Treitschke l'a qualifiée de « bain de fer » des peuples.
2. Lammasch, *Das Völkerrecht nach dem Kriege*, Kristiania, 1917, p. 4.

d'abuser de la force, qui tend à démoraliser les personnalités, même les mieux trempées.

IV. Enfin, — et c'est la thèse qui va le plus au fond du problème — la théorie pacifiste déclare que la guerre et la force sont foncièrement incapables de servir de moyens pour vider les conflits : « Force is no remedy. » La guerre ne résoud jamais définitivement un problème. La solution finale n'est obtenue que par la persuasion et par le libre consentement. Aussi les régimes de force ne vivent-ils que pour un jour. Talleyrand l'a déjà dit : « On peut tout faire avec des baïonnettes, seulement on ne peut s'y asseoir. »

Ces différentes propositions forment l'ensemble de la théorie pacifiste proprement dite : la première est positive, elle prêche la paix; les trois autres sont critiques, elles combattent la guerre. Mais ces maximes, à base sentimentale, utilitaire et éthique ont besoin d'un complément d'ordre constructif et organisateur. Ce complément est représenté par une théorie qu'on pourrait qualifier d'*internationaliste.* Elle s'étaie des connaissances biologiques, économiques, historiques et sociologiques dont se nourrit la vie intellectuelle de notre époque.

Elle constate que la guerre est une fonction inévitable des rapports mutuels des sociétés humaines, tant que ces rapports demeurent à l'état inorganisé, et que par conséquent les oppositions entre elles ne peuvent trouver d'autre solution, même temporaire, que par la force physique. Elle reconnaît d'autre part qu'il serait puéril et franchement nuisible d'essayer d'éliminer l'existence de ces sociétés séparées qui doivent être considérées comme des éléments précieux de la vie de l'humanité, parce qu'elles garantissent la variété et la richesse de cette vie. L'internationalisme est par définition opposé au cosmopolitisme, lequel est unitaire, envisageant l'humanité tout entière comme un seul groupement social.

L'internationalisme veut se fonder sur les nations, et, en attendant la constitution de celles-ci en groupements sociaux autonomes, il reconnaît les États comme les représentants, encore imparfaitement légitimes, des groupes partiels au sein de la grande société des nations.

C'est en application logique de cette thèse que la plupart des internationalistes — et en cela ils se distinguent des pacifistes proprements dits — admettent, dans des limites strictement définies, la légitimité de la guerre défensive. Le maintien du groupe social même séparé étant important pour le progrès universel, il faut lui concéder le droit de se défendre même par la force. Mais ce droit ne doit pas servir de prétexte à des abus, et son exercice doit par conséquent être entouré de garanties sérieuses : les critères de l'état de légitime défense doivent être soigneusement établis[1]. Toutefois certains internationalistes soutiennent que l'énormité des sacrifices imposés par semblable guerre de légitime défense peut, dans des cas extrêmes, difficilement être compensée par l'intérêt bien compris du groupe social ou de la nation : ils rejettent la guerre défensive, non pas par principe, mais par utilitarisme.

La thèse internationaliste ne serait pas contraire non plus à l'emploi de la force lorsqu'il s'agirait de sauvegarder le respect et l'observation des principes fondamentaux d'un pacte éventuel d'une « société des nations. » En cela l'internationalisme est opposé au pacifisme intégral qui ne veut admettre aucun recours à la force, même pour cet objet social suprême. Le pacifisme intégral envisage la « paix » comme un état où le recours à la force physique est exclu; l'internationalisme veut faire de la force la servante de l'idée de droit au sein de la Société des Nations; ainsi la force servira à assurer et, le cas échéant, à rétablir la « paix. »

L'internationalisme se base sur des considérations d'ordre économique : il voit dans l'interdépendance de plus en plus développée des peuples et des États un fait fondamental, qui aura nécessairement des conséquences sur les relations politiques entre ces mêmes groupes; l'organisation politique doit devenir l'expression naturelle et logique de la réalité économique et intellectuelle. Si elle ne l'est pas, des conflits et des crises sont inévitables; ces crises se traduiront par des guerres, qui, au fond, sont plutôt des révolutions.

D'autre part l'internationalisme reconnaît le fait historique de l'existence des États; mais il désire les voir évoluer vers des formes plus libres de groupements volontaires. Par conséquent il favorise les efforts pour rendre les États plus conformes à l'idée nationale, en reconnaissant le principe du « Selbstbestimmungsrecht » des nationalités — le droit des nations de disposer d'elles-mêmes; il

1. Voir surtout Gaston Moch, *Du Droit de légitime défense et des Traités d'alliance défensive* (Rapport au 18e Congrès universel de la Paix, Stockholm, 1910). — Le « Protocole de Genève, » élaboré par la 5e Assemblée de la Société des Nations (1924) a essayé d'organiser ce principe.

est en outre en faveur de tous les efforts autonomistes des minorités nationales au sein d'un État, et combat les mesures coercitives à l'égard de leur langue ou de leurs convictions religieuses. L'internationalisme n'est donc nullement opposé à un « nationalisme » bien compris; au contraire, il est convaincu que le développement des nationalités ne peut que servir l'ensemble des intérêts internationaux par la variété et la richesse qui seront ainsi garanties à la vie commune des nations. Il favorise une politique large et libérale envers les nationalités, non seulement pour éliminer des causes éventuelles de conflits et de guerres, mais surtout parce qu'un vrai « internationalisme » ne peut exister sans les nations.

Puisque l'internationalisme se base sur l'existence des États ou plutôt des nations, il est fédéraliste et non unitaire; afin de développer autant que possible les relations entre les peuples et, par celles-ci, leur interdépendance, il est décidément libre-échangiste, opposé au protectionnisme, qui vise à l'isolement d'un État et à son existence économique indépendante.

L'internationalisme s'allie naturellement à tous les efforts démocratiques à l'intérieur des États, qui tendent vers leur transformation en des sociétés libres et volontaires, fondées sur le consentement et non pas sur le principe de sujétion; ces courants sont en outre opposés à tous les phénomènes parasites propres aux systèmes étatiste et militariste : intérêts capitalistes profitant de la surenchère des armements, intérêts des classes ou des industries prospérant par la protection douanière des produits nationaux.

L'internationalisme ne néglige pas les points de vue humanitaire, utilitaire, ou éthique; il combat la guerre avec les pacifistes, mais sa base est ailleurs, et il complète la théorie pacifiste par une conception constructive d'ordre sociologique.

Comme toute théorie sociale de notre époque, le pacifisme et l'internationalisme agissent par l'éducation et par la propagande. Le mouvement se traduit d'abord sous des formes littéraires, et les expressions en sont nuancées par la prépondérance de l'un ou de l'autre des éléments dont il vient d'être parlé; à mesure qu'il devient conscient de son originalité, il provoque la création d'organismes (sociétés de la paix; institutions scientifiques; associations à visées internationales). De plus en plus, il tend à une action politique en favorisant le développement des rapports amicaux entre les peuples, et il tâche de dominer aussi bien la vie nationale de chacun des États que la vie internationale, par le groupement autour de ces doctrines d'un parti qui puisse inspirer les législations et provoquer une organisation progressive d'une société des nations.

Il va sans dire que les maximes fondamentales pacifistes et internationalistes que je viens de relever, ne se retrouvent pas à l'état conscient chez les penseurs ou chez les écrivains de toutes les époques. Au contraire, leur conception a été le résultat d'un long travail intellectuel. Notamment l'internationalisme conscient et pleinement développé est un produit de notre temps; il a encore besoin d'être approfondi, surtout par rapport à ses conséquences et à ses applications. Mais il a des précurseurs et des initiateurs dans le passé; il a été l'objet d'une lente élaboration et je crois pouvoir prouver qu'il forme un facteur permanent de la pensée sociale au cours de l'histoire de notre civilisation. Pendant de longues périodes, il ne présente qu'un petit ruisselet de l'évolution intellectuelle et morale : par moments, il semble disparaître, à d'autres époques il reparaît puissamment et semble devoir s'imposer. On peut dire qu'à présent ce corps de doctrines est devenu un facteur déterminant de l'histoire, et qu'une lutte décisive est engagée entre ses adeptes et leurs adversaires. Cette lutte occupe à l'heure qu'il est, le centre de la scène politique; le sort de notre civilisation paraît en dépendre.

En suivant le développement historique de cette doctrine, nous devons étudier tout particulièrement son influence sur le *droit international*. Là encore il s'agit de s'entendre sur le sens du terme. Que faut-il comprendre par « droit international? »

En premier lieu le droit international peut être envisagé comme une science visant à établir un corps de doctrines formulant les règles juridiques régissant les relations entre États. Ce corps de doctrines est de formation assez récente : l'année dernière seulement on a fêté à Delft le tricentenaire de son fondateur. Je tâcherai de déterminer dans quelle mesure la doctrine pacifique a exercé une influence sur les théories des jurisconsultes.

Mais le « droit » peut en outre être envisagé comme phénomène social, comme l'aspect juridique de l'organisation, soit d'une société particulière, soit des rapports entre des sociétés différentes : dans ce sens, le droit international serait l'aspect juridique des rapports entre États. Il s'agit pour nous de déterminer dans quelle mesure la doctrine pacifique a pu influencer soit la politique des États, soit les règles juridiques reconnues par ces mêmes États, sous forme de traités particuliers ou de conventions générales.

CHAPITRE PREMIER

IDÉES PACIFISTES DE L'ANTIQUITÉ ET DU MOYEN AGE

Pour les nations de l'Antiquité, la guerre était un phénomène pour ainsi dire de tous les jours. Cet état guerrier continuel ne pouvait manquer de provoquer le besoin de la paix; mais puisque les conditions existantes ne permettaient guère de prévoir une réalisation prochaine des espérances de paix, les esprits s'attachèrent au rêve d'un millénium sans guerre. C'est la loi des oppositions qui s'affirme : plus triste, plus sanguinaire, est la réalité, et plus on imagine un état idéal du monde futur. Ces protestations contre la guerre, contre le règne de la violence, ont toutes un caractère d'aspirations vagues et sentimentales; elles appartiennent à la religion plutôt qu'à la philosophie ou à la morale. On en trouve l'expression chez les prophètes israélites [1], chez les poètes de Grèce et de Rome, comme nous en trouvons du reste chez leurs successeurs de tous les temps : il serait impossible de s'y arrêter. Il est plus important de rechercher les origines de l'*humanitarisme*.

Les légendes et les mythes de toutes les nations se basent sur la conviction de l' « unité fondamentale du genre humain. » L'existence de cette idée est un fait d'une grande importance : au fond, d'après elle, tous les hommes sont parents, sont frères. La fraternité des peuples ne devient qu'une application, dans le domaine politique, d'un précepte enseigné par la religion. Et sur la base de cette idée fondamentale, la guerre devient fratricide, criminelle. Ce ne sont que les esprits d'élite qui peuvent s'élever à ces hauteurs.

1. Voir entre autres Isaïe, II, 4, et XI, 6-9; Micha, IV, 3-4. — Pour le développement de ces idées chez les Israélites, cp. Th. Reinach dans *Libres entretiens*, I, Sur l'internationalisme, Paris 1906; Jähns, *Ueber Krieg, Frieden und Kultur*, Berlin, 1893; Laurent, *Histoire du Droit des Gens*, I (Gand, Paris, 1855), p. 383-389.

Mais chez eux on trouve des idées humanitaires, voire même des tendances franchement anti-guerrières. Ce sont avant tout les cyniques et les stoïciens qui ont développé la doctrine d'un humanitarisme, j'allais dire d'un cosmopolitisme conscient.

Zénon (ca. 345-265), fondateur de l'école des stoïciens, avait vu dans sa jeunesse la création de l'Empire d'Alexandre, l'effacement des frontières nationales, la grande tentative d'une fusion des différents peuples et de leurs cultures nationales : cette impression ne s'effaça ni chez Zénon, ni chez ses élèves. On sait le rôle joué par l'école stoïcienne pendant le dernier siècle de la République romaine et sous l'Empire. Des idées franchement humanitaires sont exprimées par des penseurs latins, qui plus ou moins accusent l'influence de la Stoa; c'est le cas de Cicéron, mais surtout de Sénèque, d'Épictète et de l'empereur philosophe Marc-Aurèle.

Sénèque (4-65) appartient déjà aux jeunes générations de l'Empire romain, qui par sa seule existence a exercé une grande influence sur les esprits. Les penseurs ont conçu la grandeur de l'idée de l'humanité. L'humanitarisme de Sénèque — cela est naturel — est donc plus prononcé que celui de Cicéron. Sénèque parle de l'universalité de l'esprit humain, et comme Cicéron, il constate que les hommes appartiennent à deux sociétés : l'une qui renferme les dieux et les hommes, l'autre à laquelle nous a assignés notre naissance; mais il n'hésite pas à dire que le devoir envers la société universelle est l'obligation supérieure. Pourtant, il établit une distinction capitale : la société universelle doit être servie par la philosophie, l'État par la vie active. Le monde étant organisé dans l'Empire, il est superflu de travailler pour une société universelle politique qui existe déjà [1]. L'humanitarisme de l'Antiquité se montre donc exclusivement littéraire et moral, ce qui est naturel.

Chez Épictète (env. 100 après J.-C.), l'humanitarisme est indéniable; mais son cosmopolitisme a perdu tout ce qui lui reste de caractère politique : il devient purement sentimental et moral. Pour Épictète le développement intérieur résume le sens de la vie, et la guerre — phénomène social, donc extérieur — le laisse tout à fait indifférent. Le problème ne l'émeut pas. « La paix qu'il recherche, c'est la tranquillité de l'âme [2]. »

1. *Epist.* 102, 21; *Ad Serenum de Otio*, cap. 31; *De Beneficiis*, VII, 19.
2. Laurent, *ouvr. cité*, III, 465.

L'humanitarisme dont est pénétré Épictète ressort clairement du passage suivant : « Celui donc qui a embrassé dans son âme et par son intelligence l'administration de ce monde, celui qui a compris que la plus grande, la plus vaste, et même de beaucoup la plus importante de toutes les sociétés, c'est celle qui se compose des hommes et de Dieu; que de celui-ci des semences sont tombées non seulement dans mon père ou mon grand-père, mais dans tout ce qui est engendré ou né sur la terre, avant tout chez ceux qui sont munis de raison (car ceux-là seulement sont nés pour la communauté et pour les relations avec les Dieux) : pourquoi un tel ne s'appellerait-il pas cosmopolite (κόσμιος)? pourquoi pas fils de Dieu? pourquoi craindrait-il quoi que ce soit de ce qui se fait parm les hommes [1]? »

Marc-Aurèle († 180) a vu de près la guerre : il l'a faite personnellement et par devoir. Il la regarde comme une bien vilaine chose et il en a un profond dédain. Son cosmopolitisme ressort clairement du passage suivant : « Ce qui est conforme à la nature d'un homme, voilà ce qui est bon et utile pour lui. Ma nature est essentiellement raisonnable et disposée pour la vie sociale. Pour moi comme Antonin, Rome est ma ville et ma patrie, comme humain j'ai le monde pour patrie. Ce qui est bon pour ces deux sociétés peut seul être bon pour moi [2]. » S'il était permis de tirer des conclusions de ces observations plutôt occasionnelles, Marc-Aurèle serait arrivé au point de vue des internationalistes de nos temps qui, au fond, nient l'existence d'un conflit; le véritable internationalisme désire le développement et l'indépendance des nationalités, parce que la diversité des nations enrichira le patrimoine commun de l'humanité.

C'est dans cet esprit que Marc-Aurèle compare les États individuels aux maisons particulières d'une ville. Et pourtant ce serait une grave erreur que de l'assimiler aux internationalistes modernes. Au fond l'Antiquité tout entière ne connaît pas de problème international politique; le problème est moral, « humanitaire. »

Le problème va s'enrichir d'éléments tout nouveaux avec les grandes migrations qui ouvrent l'ère du moyen âge. Ce sont ces mêmes doctrines humanitaires que l'on retrouve, et sous une forme plus prononcée encore, parce que reposant sur une foi religieuse

1. *Diss.* Lib. I, Cap. IX, 4 ss.
2. *Méditations*, VI, 44.

fervente, chez les nombreuses sectes qui foisonnent dans l'Empire romain dès le premier siècle de son histoire. Aux arguments philosophique et moraux qu'avaient proférés les penseurs, les sectes et leurs fondateurs ajoutent les injonctions religieuses. C'est notamment le cas du christianisme.

Le *christianisme* consacre implicitement tous les principes du pacifisme, puisqu'il n'y a qu'un Dieu et qu'il est le père de tous les hommes. Mais le christianisme primitif dépasse même le point de vue des stoïciens, de Sénèque, Épictète et Marc-Aurèle; car il est franchement antimilitariste et condamne tout recours à la violence. Jésus lui-même, en réalité, va encore beaucoup plus loin, en disant : « mon royaume n'est pas de ce monde, » il établit une distinction absolue entre le monde des enfants de Dieu et le monde politique. Les premières congrégations chrétiennes, qui sont des communautés religieuses, ne se préoccupent jamais de l'organisation de l'État, puisqu'elles sont en dehors de lui et se placent sur un tout autre terrain. Ces tendances apolitiques auraient dû conduire à un antimilitarisme actif : il n'en est rien et le conflit fut facile à éviter dans l'armée des Césars, l'obligation du service militaire n'existant pas. Le problème se pose quand le christianisme envahit l'armée elle-même[1]. Toutefois on se souvient de la parole divine : « Rendez à César ce qui est à César... », et on se souvient que saint Paul avait écrit que chacun devait rester dans sa position. Cette attitude, qui nous paraît une déviation des principes du christianisme, s'explique encore par plusieurs autres circonstances : les allégories fréquentes de l'Apocalypse, des épîtres de saint Paul, tirées de la vie militaire, enfin les récits des guerres des Isréalites qu'ordonna Dieu. Ce dernier point, déjà au IIe siècle, devint l'objet de polémiques très vives qui se poursuivront jusqu'aux temps les plus modernes. Mais, dès la première rencontre, les positions sont prises.

Marcion représente le point de vue radicalement antimilitariste et rejette même l'Ancien Testament, parce que guerrier. En face de lui Origène essaye de trouver une interprétation conciliante et ne conçoit les guerres que comme des allégories, ce qui est fréquent chez les pacifistes chrétiens. Il distingue les guerres légitimes des

1. Sur l'attitude du Christianisme primitif à l'égard du service militaire, voir surtout Harnack, *Militia Christi*, Tübingen, 1905, avec références aux sources.

guerres injustes, mais il défend cependant aux croyants de faire le service militaire. Ces injonctions ne furent pas suivies; il y eut des chrétiens parmi les officiers, et sous Dioclétien on essaya de s'en débarrasser complètement. Mais ces persécutions ne réussirent pas, et même, au contraire, le nombre des chrétiens dans l'armée alla toujours croissant, ce qui explique le passage de Constantin au christianisme. Dans l'armée, la lutte fut engagée entre le Christ et les dieux païens : sur ce terrain a triomphé le Christ qui est devenu *Christus Victor*; le dieu des chrétiens devient dieu des armées, des légions, et déjà, en 314, on menace d'excommunication les soldats qui désertent l'armée, même en temps de paix.

L'église officielle se concilia vite l'état de choses nouveau. Mais cette conciliation n'a pu donner satisfaction à tous : dans toutes les confessions chrétiennes, on rencontre des représentants d'un pacifisme plus ou moins prononcé; dans les actes et les déclarations de l'Église catholique du Moyen âge, il se trouve des contradictions curieuses, exprimant la difficulté pour une société qui n'est pas de ce monde de s'accommoder aux conditions du monde. Pourtant l'Église est obligée de vivre! Si les Pères de l'Église ne cessent de réprouver la guerre, si les Papes en expriment continuellement leur profond regret, d'autre part les prêtres bénissent toujours les drapeaux et circulent dans les camps et dans les armées.

Aussi voit-on une discussion continuelle sur la légitimité de la guerre s'engager parmi les canonistes et les Pères de l'Église, discussion qui se poursuit à travers tout le Moyen âge et les temps modernes. Ce n'est que la guerre juste qui peut attendre l'aide de Dieu; ce n'est qu'en faveur de ceux qui font la guerre juste que les Prêtres peuvent prier le Tout-Puissant.

Une grande figure de la fin de l'Antiquité domine cette discussion; celle de l'évêque d'Hippone, saint Augustin (354-430). Dans son traité *De Civitate Dei*, écrit vers la fin de sa vie, il avait formulé les bases des conceptions sociales et politiques qui ont dominé le Moyen âge chrétien : l'idée de l'Église Universelle, s'élevant sur les ruines de l'Empire romain qui sombre, au milieu desquelles il a lui-même vécu. C'est la mission de l'Église de réaliser la paix mondiale.

La paix est la fin de toute société bien ordonnée; c'est pourquoi les guerres sont faites afin d'obtenir la paix. Augustin est donc loin de condamner toute guerre; il n'est pas antimilitariste. Seulement, le droit de déclarer la guerre est un attribut de la souveraineté : les princes osent faire la guerre, elle est interdite aux particuliers. Pourvu que le prince ait ordonné la guerre, elle est, par cela même, légalisée pour ses sujets, avec cette seule réserve que le sujet ne peut faire ce qui est contraire aux commandements de Dieu : si le cas est douteux, il faut suivre les ordres du prince. L'Église primitive n'aurait jamais approuvé ce raisonnement qui sera également repoussé par les sectes du Moyen âge. Mais il a servi de base à toute la politique officielle des États jusqu'à nos jours.

Cette doctrine a inspiré aussi l'enseignement des canonistes du moyen âge. Ils la développent et l'approfondissent.

Il n'y a pas que cette discussion sur la légitimité de la guerre qui est faite pour retenir notre attention. Nous trouvons encore, au sein de la chrétienté, un mouvement prononcé d'anti-militarisme. Ce mouvement est représenté par les *sectes*.

L'Église avait fait sa paix avec le monde : elle s'était en réalité sécularisée, en se créant une organisation politique puissante; elle s'était en outre alliée au pouvoir laïque, et dès que sa propre puissance paraissait menacée, elle appelait à son aide « le bras séculier ».

Cette évolution ne put satisfaire tous les croyants : les âmes profondément religieuses devraient être repoussées par l'accentuation de plus en plus marquée de la situation *extérieure* de l'Église, puisque pour elles la religion est surtout un fait *intérieur*.

Ainsi se développa un mouvement de sectes[1] qui n'a jamais cessé d'exister à côté de l'Église et en opposition avec celle-ci. Il trouve une source féconde de réconfort et d'accroissement toujours renouvelé dans l'exaltation religieuse, facteur constant de la mentalité humaine à n'importe quelle époque.

Un fait très important, c'est que ce mouvement accuse des tendances franchement antimilitaristes, et que ces sectes continuent directement la tradition du christianisme primitif.

A première vue, ces sectes du Moyen âge apparaissent sous

1. Döllinger, *Beiträge zur Ketzergeschichte des Mittelalters*, München, 1890; Keller, *Die böhmishen Brüder und ihre Vorläufer* (*Monatshefte der Comeniusgesellschaft*, III (1894), p. 171-209.

toutes sortes de noms, dans les endroits les plus divers et leurs idées religieuses ne semblent guère présenter de similitudes ou de traits communs. Telle fut l'opinion générale des historiens jusque vers la moitié du XIXe siècle. Ce point d'histoire n'est pas encore complètement élucidé, mais on pense généralement que non seulement il existe pour ces sectes un fond commun de vues et de sentiments, mais même qu'il y a eu entre elles des liens intimes et une filiation telle qu'on peut parler d'un mouvement commun des sectes. On en cherche l'origine dans le gnosticisme du IIe et du IIIe siècles, et on croit pouvoir prouver la propagation de ses doctrines, de l'Orient, par la péninsule Balkanique, jusqu'en Italie et dans la France méridionale.

Ces sectaires cachent non seulement leur propre existence, mais encore les rapports qu'ils ont avec leurs coreligionnaires. On les désigne d'après les localités où on les a découverts (Albigeois), ou d'après leurs chefs locaux (Valdenses, Vaudois, d'après Valdus); ou bien ce sont des sobriquets (Lollards, cp. plus tard Quakers). La diversité apparente des doctrines semble s'opposer à cette théorie; mais c'est que les représentants officiels de l'Église, et surtout les membres ordinaires du clergé, n'ont aperçu que les bizarreries des sectes.

Il ne s'agit pas ici de prendre position dans cette discussion. Il suffit de constater la base commune de vues et de sentiments qui caractérise le mouvement des sectes; dans le mouvement du Moyen âge, le premier trait qui nous frappe, c'est l'inspiration directe de la Bible et surtout du Nouveau Testament; beaucoup rejettent l'Ancien Testament comme ayant été écarté par l'apparition du Christ. Implicitement, les tendances antimilitaristes furent ainsi renforcées.

Un autre trait qui caractérise la plupart des sectes, c'est leur conviction d'une inspiration personnelle et intérieure, accordée par Dieu lui-même. Cette autorité intime est même fréquemment considérée comme étant plus élevée que celle de la Bible. L'existence de cette communion intime avec Dieu a des conséquences importantes : toute Église devient superflue ou au moins d'importance secondaire, et, pour beaucoup de sectaires, l'indifférence aux formes extérieures va jusqu'à leur permettre de prendre part au culte officiel; leur vie intérieure ne peut être touchée par ces formes.

Autre conséquence encore plus importante : les confessions et les symboles sont plutôt nuisibles à la vie spirituelle, qui doit se développer dans une liberté entière, et en tout cas toute contrainte dans la vie religieuse est absolument à condamner; même en face de persécutions, les croyants ne doivent recourir à aucune violence; ainsi ils suivront la parole du Seigneur de « ne pas résister au mal. »

Enfin, les efforts des sectes embrassent l'humanité tout entière, sans égard aux frontières des États : le monde est leur patrie; aussi leurs adhérents voyagent, s'expatrient, pas toujours afin d'éviter des persécutions, mais poussés par un besoin irrésistible d'exercer un apostolat.

Il est impossible d'arriver à des résultats même approximatifs quant à la force et à l'extension de ce mouvement des sectes. Puisque leurs fidèles évitèrent fréquemment l'organisation extérieure, les documents nous font défaut, excepté ceux des adversaires, et l'image qui nous en est laissée, est donc, non seulement défigurée, mais encore très imparfaite.

Deux constatations peuvent être faites cependant : ce mouvement des sectes s'est étendu dans presque toute l'Europe et il s'est continué pendant tout le Moyen âge et les temps modernes; il est ainsi un facteur important de l'évolution européenne. D'autre part, notre civilisation moderne a une dette de gratitude profonde envers ce mouvement : elle lui doit ses théories de liberté, liberté personnelle et liberté spirituelle. Les « sectaires » ont été les premiers à poser le principe que la religion est une affaire strictement personnelle. Ils ont souffert et ils sont morts pour ce principe; et comme toujours « le sang des martyrs est devenu la semence de l'Église. »

Le mouvement des sectes a maintenu la doctrine humanitaire et antimilitariste du Christianisme primitif[1].

La tendance vers le pacifisme, vers l'humanitarisme et même vers l'antimilitarisme a toujours été au fond du mouvement; mais cette tendance est loin de jouer toujours et partout un rôle de premier rang. Certaines sectes, à certaines époques, peut-être sous l'influence de circonstances spéciales, ou bien par suite de la prédication d'un chef particulièrement pénétré de l'esprit antimilitariste de l'Évangile, ont embrassé la thèse pacifiste avec une ferveur

1. Sur le pacifisme des sectes, voir Lange, *Histoire de l'Internatiolisme* (Institut Nobel, Kristiania), I, p. 51-66, avec références.

exceptionnelle; pour d'autres sectes, cette doctrine est d'ordre secondaire. Mais il existe en tout cas dans ce courant profondément religieux et moral qu'est le sectarisme, pour ainsi dire une matière première riche pour la propagande pacifiste dès qu'elle apparaît.

Le dogme sur lequel repose l'antimilitarisme des sectes est celui de la sainteté et de l'inviolabilité de la vie humaine. Nous le retrouvons chez les *Donatistes*, les *Chiliastes* et surtout chez les *Vaudois*. Tous les témoignages sont unanimes à relever comme un trait caractéristique de leur doctrine qu'elle condamne l'homicide en général et la guerre en particulier.

Les doctrines des Vaudois relatives à la légitimité de la guerre obtiennent une importance historique d'autant plus grande que cette secte a été un ferment puissant de la vie spirituelle et intellectuelle du Moyen âge. En effet, les Vaudois ont exercé dans différents pays d'Europe une influence considérable. Nous en trouvons des ramifications en Italie, en Autriche, en Hongrie, en Bohème, en Alsace, et jusque dans l'Allemagne du Nord. Dans le dernier pays l'apparition des Vaudois est caractérisée par un juge compétent comme « eine ständige Begleiterscheinung der Kolonisation des 13. u. 14. Jahrhunderts[1] ». Il est curieux de constater que déjà au Moyen âge, l'émigration est une conséquence naturelle du sectarisme.

En Bohème, les Vaudois se sont jusqu'à un certain point assimilés aux Hussites, au moment même où cette secte apparaît, au commencement du XVe siècle. Un groupe particulier s'est détaché des autres Hussites, en embrassant, entre autres doctrines particulières, le dogme de l'illégitimité de la guerre : il s'agit des Frères Moraves, qui sont antimilitaristes par principe, au moins pendant la première partie de leur existence.

Les Vaudois sont aussi les précurseurs des *Anabaptistes* de l'Allemagne du Sud et de l'Autriche, chez lesquels se retrouve la même manière de voir. Plus obscures sont les relations entre les Vaudois et le mysticisme religieux du XIVe et du XVe siècle. Le mysticisme a joué un rôle dans les pays des bords du Rhin; il est répandu dans les pays où étaient les Vaudois : en Alsace, en Bohème; il fleurissait surtout dans les Pays-Bas, chez les frères de la Vie commune. Ce n'est pas là, cependant, une preuve de l'existence de relations, bien

1. Böhmer, dans Herzog, *Realencyklopädie für protest. Theologie*, XX (1908).

que leurs doctrines soient souvent identiques à celles des Vaudois.

On n'a pu constater une connexité directe entre ces mouvements en Europe et l'hérésie de *Jean Wyclif* († 1384). Mais la parenté des doctrines pacifistes ne peut pas faire de doute. Wyclif est antimilitariste : il a lu la Bible comme l'avaient fait les Vaudois. Il suit les commandements de Jésus sans tenter de compromis avec les nécessités politiques. Sa protestation contre la guerre eut un grand retentissement; elle possède un intérêt supérieur, parce qu'elle émane de l'un des esprits les plus remarquables du Moyen âge. Wyclif discute le problème de la légitimité de la guerre dans plusieurs de ses écrits, dans le *Trialogus* et notamment dans un de ses ouvrages anglais « On the seven deadly Sins. » Il repousse un par un les arguments des apologistes de la guerre : une de ses déclarations est devenue fameuses « ... Seigneur, quel honneur obtient le chevalier en tuant un grand nombre d'hommes? Je sais bien que les bourreaux en tuent davantage, et à plus juste titre, donc vertueusement. Ils devraient être loués plus que de tels chevaliers. »

Dans son traité « Cruciata, seu contra bella clericorum », Wyclif se tourne particulièrement contre la légitimité d'une Croisade organisée par le clergé. Il est vrai qu'ici, Wyclif ne semble plus aussi intransigeant que dans ses autres ouvrages en ce qui concerne la légitimité d'une guerre séculière. Son raisonnement offre certaines contradictions : toujours est-il que sa prédication a, sans qu'on puisse en douter, un caractère nettement antimilitariste. C'est ce qui est prouvé par les doctrines de ses adhérents, les *Lollards*. Il ressort de plusieurs documents qu'ils ont soutenu la pure doctrine quakérienne ou tolstoïenne : inviolabilité absolue de la vie humaine, illégitimité de toute résistance par la violence, même au mal et même aux malfaiteurs.

Les doctrines du Wyclifisme sont reprises sur le continent par *Jean Huss* († 1415), qui élève la même protestation qu'avait élevée Wyclif contre la croisade : « Aucun pape ni évêque n'a le droit de saisir le glaive au nom de l'Église; il doit prier pour ses ennemis et bénir ceux qui le maudissent. »

Cet aperçu rapide du mouvement sectaire du Moyen âge suffit pour montrer le caractère exclusivement moral du mouvement : il est sans portée politique. Les sectes ne s'intéressent pas à l'État, encore moins à la politique internationale.

Il y a en outre un rapport évident entre la condition sociale et religieuse des sectes et les théories antimilitaristes qu'elles professent. Ce qui intéresse les Vaudois, c'est surtout la légitimité des exécutions capitales en matière de religion. La légitimité de la guerre n'est qu'une application ou une extension de celle relative aux bûchers. Wyclif s'élève à la discussion des problèmes généraux : même chez lui, la doctrine n'est complètement logique et vraiment approfondie que pour la guerre du clergé. Discute-t-il la guerre des princes, il devient incertain et hésitant.

Le sectarisme du Moyen âge est une des sources les plus importantes du pacifisme moderne. Il a maintenu la doctrine antimilitariste du christianisme primitif. Mais comme celui-ci, il n'a aucune visée politique : il n'a en rien contribué à l'évolution de l'internationalisme organisateur et juridique. C'est autre part qu'il faut chercher les origines de ce dernier corps de doctrines.

CHAPITRE II

IDÉES D'UNE ORGANISATION INTERNATIONALE

C'EST également dans l'Antiquité qu'il faut rechercher les origines de ces idées. Il est vrai que ce n'est qu'avec des réserves expresses qu'on peut parler du problème d'une organisation internationale par rapport à l'Antiquité. Cela est surtout vrai des Empires de l'Orient, celui des Assyriens ou celui des Perses; leur étendue était peu considérable, comparée à celle de l'Empire d'Alexandre ou de l'Empire romain, pour ne pas parler des Puissances mondiales du temps présent. On ne trouve pas chez eux l'idée d'une organisation, d'une coordination des éléments de l'empire, encore moins la pensée d'une communauté des nations qui le composent [1].

Il en est autrement de l'*Empire d'Alexandre.* Il envisagea lui-même, paraît-il, une coopération entre les Hellènes et les Orientaux sur la base de l'égalité, et il voulut en tout cas faire de son empire non pas une source de satisfaction personnelle, mais une œuvre de civilisation et de bien-être pour ses sujets. Cependant son empire a trop peu duré, mais « in magnis et voluisse sat est » et d'autre part, nous pouvons constater l'influence exercée par la conception grandiose d'Alexandre sur la pensée de la postérité, notamment sur les conceptions de la Stoa. Les conquêtes d'Alexandre ouvrent « l'âge de l'hellénisme, » première époque cosmopolite de l'histoire. Un syncrétisme des cultures nationales surgit. La pensée philosophique devient cosmopolite.

Ce qui n'était resté qu'un rêve pour Alexandre sembla réalisé par l'*Empire romain.* Mais ce n'est qu'une apparence : l'Antiquité ne pouvait pas concevoir encore l'idée d'une libre coëxistence de puissances amies ou rivales. Tout comme la cité antique reposait

1. Cp. Schücking, *Die Organisation der Welt,* Tübingen, 1908.

sur l'esclavage, et niait ainsi le droit de citoyen à la majorité de ses habitants, de même la société des cités antiques ne pouvait pas se concevoir sans l'absorption des autres par une seule d'entre elles.

L'Empire romain n'était donc pas une organisation internationale au sens propre du mot. Au point de vue politique, il détruisit l'autonomie des autres États; il en fit des provinces, objets d'administration considérés comme des sources de lucre. Au point de vue national, il détruisit l'originalité des différents peuples en établissant uniformément la culture gréco-romaine, au moins en ce qui concerne les classes supérieures. Toutefois, la « Pax Romana » fut un bienfait incomparable pour les peuples méditerranéens. Pendant une période plus longue que n'importe quelle autre de l'histoire, les nations civilisées connurent la paix et l'ordre, la sécurité de l'existence et de l'avenir. Pour les pays de l'Orient et même pour beaucoup de ceux de l'Occident, la domination romaine représente l'apogée de leur bien-être matériel.

Ce fait suffit pour expliquer l'auréole dont l'imagination des peuples a toujours couronné l'Empire romain, surtout pendant les siècles sombres et troublés du Moyen âge. Il devint pour eux le symbole tangible, l'expression politique de l'idée de l'unité du genre humain, l'empire qui avait pu ordonner « l'enregistrement de tous les peuples du monde. »

Il est donc tout naturel que, pendant des siècles, les esprits d'élite qui ont rêvé la paix perpétuelle et l'organisation du monde aient vu dans un Empire mondial, dans une « Monarchie universelle, » le but vers lequel devaient tendre tous leurs efforts.

L'Empereur et le Pape sont, aux yeux des hommes d'alors, les deux héritiers des Césars romains : l'Empereur s'appelle par leur titre militaire « Imperator Augustus; » le Pape hérite de leur dignité religieuse. Aujourd'hui encore, le « Servus servorum Christi » porte comme titre officiel la désignation des grands-prêtres païens de Rome : « Pontifex maximus. » Nous constatons les mêmes survivances à bien d'autres égards : les empereurs tâchent de fortifier leur position en ravivant les théories des juristes romains quant à l'omnipotence et même au caractère divin de leur office.

L'Église, d'autre part, n'a pas seulement hérité des formules; elle a en outre emprunté toute son organisation à l'Empire romain. Comme celui-ci l'Église est divisée en « provinces » et en « diocèses, » et c'est par la force de cette organisation qu'elle a pu braver les grandes migrations germaniques.

Le passé survit donc. L'Antiquité se poursuit comme un ferment puissant de la vie historique du Moyen âge. Mais elle n'en est qu'un ferment. Trop de choses sont changées pour qu'une organisation qui avait vécu pendant quatre siècles des temps antiques, pût être ravivée au Moyen âge.

La diversité du Moyen âge était beaucoup plus forte que celle du monde antique : il n'y avait pas seulement les nouvelles nations germaniques et slaves à côté des populations romaines ou imparfaitement romanisées; il y avait encore les peuples de civilisation hellénique et arabe.

Le problème qui se posait devant le Moyen âge était donc autrement complexe que celui qu'avait tâché de résoudre l'Antiquité. La solution qu'elle y avait donnée avait été du reste assez imparfaite. Le Moyen âge n'a vu, ni cette imperfection, ni surtout la modification des circonstances. Il a cru vivre dans des conditions identiques à celles de l'Antiquité. Il a sacrifié le plus noble de son sang, le meilleur de ses forces intellectuelles et politiques, à la tâche impossible de créer un Empire universel.

Son idéal politique le plus élevé s'exprime dans les paroles : « Ut omnes unum fiant », paroles qui tiennent à l'Antiquité par deux racines, le souvenir de l'unité du monde au sein de l'Empire romain, et l'idée chrétienne de l'unité du genre humain, de la fraternité des hommes.

L'idéal politique du Moyen âge est donc une société une et indivisible; la théorie exige l'unité. Mais en fait il y a dualité : l'Empire se trouve en face de la Papauté — la Papauté en présence de l'Empire. Tous deux aspirent à la domination universelle. Le résultat en est une rivalité, une lutte acharnée, le drame le plus émouvant du Moyen âge européen.

La Papauté est antérieure à l'Empire : c'est le pape qui a créé l'empereur par le couronnement de Charlemagne, le jour de Noël de l'an 800. Et cependant c'est l'Empire qui semble pouvoir aspirer le premier à la domination universelle. C'est que l'empereur est en réalité le plus fort; il a de son côté les forces militaires, nécessaires à la domination de la société brutale des siècles féodaux. Charlemagne et Othon le Grand sont plus forts que les papes qui n'avaient qu'à s'incliner devant eux. Toutefois l'Empire n'a pu résister aux forces dissolvantes de la Féodalité. La création d'un empire universel a dû échouer, faute d'une organisation militaire et administrative vraiment efficace. Au moment même où sombra définitivement le Saint-Empire de Rome, c'est-à-dire au XIIIe siècle, cet empire a trouvé en Dante (1265-1323) un avocat de génie. Il a exposé ses idées à ce sujet dans son traité *De Monarchia*.

L'idée d'un Saint-Empire n'a pas été seule à provoquer le rêve de Dante. Comme toutes les œuvres de génie, son traité a de profondes racines, et il en a plusieurs. L'idéal politique de l'Antiquité hante l'imagination du grand Gibelin. La conception d'une « Civitas Dei » assurant la « terrena pax » l'a profondément influencé. Le traité *De Monarchia* est peut-être un ouvrage de circonstance[1], provoqué par l'expédition malheureuse de l'Empereur Henri VII en Italie (1310-13). Mais le trait distinctif des grandes œuvres, c'est qu'elles s'élèvent au-dessus des circonstances extérieures qui les ont provoquées, et Dante développe toute une philosophie politique pour soutenir sa thèse[2].

Quelle est la tâche du genre humain? « Elle est d'employer toujours toute la puissance possible de son intelligence, d'abord au service de la spéculation, ensuite, à l'aide de celle-ci, au service de l'activité par l'expansion de sa force. »

Cette tâche pour être réalisée, exige « la paix » et le point de départ du raisonnement de Dante est donc franchement pacifiste. Le reste du premier livre a pour tâche de prouver que la paix ne peut être assurée que dans la monarchie, « qui généralement est désignée par le mot Empire. » Si plusieurs se réunissent pour travailler dans un but commun, il est nécessaire qu'un seul dirige leur action. Dante a encore d'autres arguments : le genre humain ne doit être qu'un, afin de ressembler le plus possible à Dieu qui n'est qu'un. Donc, l'humanité doit être placée sous la domination d'un prince seul, unique. Ce souverain sera en outre nécessaire afin de vider les litiges entre princes. Mais Dante reconnaît la nécessité de l'existence d'États séparés. Il ne rêve pas l'établissement d'un État mondial unitaire. On dirait plutôt une fédération mondiale

1. Cf. Schücking, *ouvr. cité*, et les références qui y sont données.
2. Voir *De Monarchia*, dans l'édition de E. Moore (Oxford, 1904). *Tutte le opere di Dante Alighieri*, p. 339-76.

avec tête monarchique. Cette conception d'une organisation fédérative de l'humanité, dans laquelle les États différents conservent leurs particularités et leur autonomie, pour céder seulement le pouvoir judiciaire sur les litiges internationaux au monarque, est assurément l'idée la plus noble à laquelle s'était élevée jusque-là la méditation politique. Par elle Dante s'approche de très près de la pensée contemporaine.

Dante a eu des successeurs qui chantent les louanges de la monarchie universelle. Nous trouvons les défenseurs de cette conception au cours des siècles suivants. Le dernier et, peut-être après Dante le plus éminent, est le grand philosophe italien *Campanella* (1568-1639). On ne peut dire cependant que ces idées aient eu une influence positive dans le développement des théories internationalistes.

Il en est de même de l'école opposée, celle qui prend fait et cause pour la *Papauté*.

Dans la grande lutte entre l'Empereur et le Pape, ce dernier avait remporté la victoire par la défaite des Hohenstaufen, en 1250. La conscience de cette victoire s'affirme fièrement dans les paroles hautaines de la bulle de Boniface VIII, *Unam sanctam* (1302) : « Donc nous déclarons, disons, définissons et promulguons qu'il est nécessaire au salut de toute créature humaine d'être soumise au Pontife romain. » Mais en réalité la papauté était allée trop loin en voulant vaincre l'empereur. Elle croyait rester seule maîtresse; mais par son ambition elle a provoqué contre elle l'opposition des autres puissances de l'Europe qui se sont tournées contre elle au lendemain de sa victoire. Le chant de triomphe de *Unam sanctam* est suivi de près par la défaite ignominieuse d'Anagni, événement qui ouvre le XIVe siècle, siècle de l'exil d'Avignon et du schisme papal.

Ce fut le jeune « État national, » représenté par la France de Philippe le Bel, qui infligea cette défaite au pape, représentant de l'idée internationale.

Après cette défaite, il ne pouvait être question d'un empire mondial des papes. La domination universelle de la Sainte-Église avait suivi dans le tombeau celle du Saint-Empire.

On pourrait citer cependant, dans l'histoire de l'Église, plusieurs

1. Voir sur Campanella, mon *Histoire de l'internationalisme*, I, p. 379-395.

tentatives qui présentent un certain intérêt pour notre sujet. Il y a d'abord les *Conciles*, représentant un essai d'organisation de l'État Chrétien sur une base fédérative. Il y a les croisades, expression du rêve de la domination mondiale au nom de la papauté. Car c'est celle-ci qui provoque ces exploits guerriers, qui visent la soumission des infidèles à l'empire de l'Église, empire légitime et nécessaire. L'idée des croisades, internationale par essence, ou même mondiale si l'on veut, jouera un rôle plus tard dans l'histoire de l'internationalisme. Il est superflu d'insister sur leur caractère antipacifiste, caractère qu'elles ont en commun avec plusieurs des initiatives ou des théories internationalistes.

Il y a enfin la « pax Dei » ou la « treuga Dei. »

Bien que l'importance de ces tentatives ne soit pas grande, l'intérêt en est considérable : d'abord elles ont leur parallèle dans les efforts des princes territoriaux pour établir la paix à l'intérieur de leurs états, efforts qui aboutirent aux temps modernes, ensuite dans l'évolution toute moderne du droit de la guerre. L'institution de la trêve de Dieu est une tentative pour « organiser » la guerre, pour en limiter les ravages, comme de nos jours on fait la même tentative par la Convention de Genève, par les traités internationaux de la Haye concernant le droit de la guerre.

La conception d'une Église universelle, embrassant tous les pays, est si grande qu'on pouvait croire que l'idée en serait souvent exposée dans la littérature. Ce n'est pas le cas. La Sainte-Église n'a pas eu, à ce point de vue, l'importance du Saint-Empire. Même le grand maître de la théologie catholique, *Thomas d'Aquin* (1226-74), ne l'a touchée qu'incidemment, comme par hasard. Il n'a pas du tout approfondi le problème de l'organisation internationale.

Les auteurs ecclésiastiques s'intéressent avant tout aux relations du pouvoir spirituel et du pouvoir temporel. Au sein de l'Église l'autorité du pape n'est pas contestée encore. Pourvu que les auteurs puissent prouver la supériorité du pouvoir spirituel vis-à-vis du pouvoir temporel, ils n'ont pas de motif pour discuter le problème de l'organisation internationale. La forme de celle-ci n'est pas contestée : c'est celle de la monarchie universelle.

Nous avons vu que la même idée a prévalu chez les Gibelins italiens, surtout chez Dante. Le Moyen âge en général était dominé par cet idéal, héritage de l'Antiquité. Et cependant les conditions de la réalité avaient entièrement changé : le monde chrétien ne formait plus une unité au point de vue politique. Les deux grands pouvoirs du Moyen âge : l'Empire et la Papauté s'étaient détruits mutuellement : le jeune État souverain s'affirma en opposition à eux.

Les deux siècles qui suivent ces événements décisifs, les XIVe et XVe siècles, forment dans l'histoire de l'Europe une période confuse et assez mal définie. C'est peut-être l'âge le moins européen qui fût jamais depuis le commencement de l'histoire politique de notre continent.

Pour la plus grande partie de l'Europe, celle qui est au nord des Alpes, la fin du Moyen âge, au point de vue politique est surtout caractérisée par la lente éclosion des « États souverains. » Ces États luttent pour leur cohésion intérieure et la royauté tâche de s'imposer comme autorité centrale : les difficultés sont énormes et l'on ne peut pas encore parler d' « États nationaux. » Ce n'est que tard que l'idéal national se fait jour, et qu'il devient un but de politique consciente. La nationalité, au sens moderne du mot, est plutôt un résultat de la formation territoriale des États que le point de départ de celle-ci. Le sentiment national est toujours négatif, dirigé contre l'étranger, l'ennemi.

La formation des États souverains est surtout le résultat et le fruit d'une politique dynastique des princes; l'expansion à l'extérieur est parallèle à la lutte pour la consolidation du pouvoir monarchique à l'intérieur : si elle aboutit, elle augmentera l'autorité du prince en général; la victoire sur l'étranger consolide le trône.

A cet égard, l'époque qui nous occupe n'est qu'une introduction aux temps modernes.

Les États souverains entrent en concurrence brutale; une ère de cinq siècles s'ouvre, caractérisée par des guerres sans fin. De temps à autre des rêves impérialistes de domination universelle, des souvenirs antiques, inspirent ces luttes, et ce n'est qu'à Waterloo que ce rêve s'évanouit définitivement.

Nous voyons clairement à présent que les événements de 1250 et de 1302 furent décisifs, que grâce à eux l'Europe était destinée pendant des siècles à vivre sous le régime de la coexistence d'États souverains. A l'époque même, très peu l'ont vu; d'aucuns ont senti vaguement avec quels éléments nouveaux se posait le problème international. Ils ont vu au moins que la solution par la monarchie universelle avait été condamnée par l'histoire, et ils ont conclu que le nouveau problème était la coexistence d'États jouissant au moins d'une souveraineté égale.

On ne connaît que deux projets d'organisation internationale de cette époque; l'un dû à l'avocat Pierre Dubois (commencement du XIVe siècle); l'autre de Georges Podiebrad, probablement dû à un français Antonius Marini (dernière moitié du XVe siècle). Le premier est resté complètement inconnu jusqu'à nos jours; le second fut bien vite oublié.

C'est à notre époque qu'il était réservé de tirer de leur oubli ces premiers projets d'une organisation internationale sur des bases modernes, dont les auteurs ne furent purement et simplement que des précurseurs.

PIERRE DUBOIS[1]. — P. Dubois fut avocat et procureur du Roi à Coutances, petite ville normande. Il est l'auteur de toute une série d'ouvrages, lui « le plus grand idéologue » et journaliste du Moyen âge. C'est son œuvre principale « De recupatione Terre Sancte » qui nous intéresse et qui contient ses idées les plus originales. Cet ouvrage n'a rien de systématique : les digressions et les répétitions sont fréquentes; aussi il est préférable de réunir les différentes idées qui intéressent notre sujet. Il est divisé en deux parties dont la première est une circulaire aux princes de la Chrétienté, la seconde une lettre à Philippe le Bel.

L'idée d'une croisade est encore vivante à cette époque et le sera même plus tard. Pour un utopiste comme Dubois, la Terre Sainte offre une occasion unique pour réaliser ses conceptions.

Théorie de la guerre et de la paix. — Pour Dubois, la paix entre les « nations chrétiennes » est le « summum bonum, » la paix entre catholiques est la condition absolue du succès de la Croisade. La guerre contre les infidèles est un devoir sacré. Il faut les combattre comme des malfaiteurs. La guerre a son origine dans le péché et c'est Satan qui l'engendre. Pour l'auteur chaque guerre porte le germe de guerres nouvelles, et cela est intéressant. Le problème

1. Voir surtout Langlois, Introduction à l'édition du *De recuperatione* (Paris, 1891) et *Histoire de France*, pub. par Lavisse, III, 2 (Paris, 1901), p. 284-90. — Meyer, *Die staats- u. völkerrechtlichen Ideen von Peter Dubois*, Marburg, 1908.

de la légitimité de la guerre n'est effleuré qu'une seule fois et Dubois ne présente aucun critère. Il ne faut pas insister sur ce point : cette constatation que la paix est le « summum bonum » ne lui sert que de base pour des développements ultérieurs.

Comment assurer la paix? — Pierre Dubois déclare plusieurs fois qu'il ne suffit pas de prêcher la paix : il faut trouver des remèdes radicaux pour arriver au but : il faut instituer des sanctions pénales, il faut, s'il est permis d'employer des formules modernes, *organiser la société chrétienne.* Il élimine la monarchie universelle qu'il ne croit pas réalisable. Il rêve de ce que nous appellerions une Fédération, sous la direction d'un Concile dans lequel les nations garderont une indépendance absolue « quoad temporalia. »

Cette restriction est importante, puisque Dubois, qui ne conteste pas dans les affaires spirituelles l'autorité du pape, lui donne une place prépondérante dans sa « république chrétienne » : c'est lui qui instituera la paix universelle entre les Chrétiens. D'autre part, il écarte complètement l'Empereur en tant qu'autorité internationale : le Saint-Empire est un État comme les autres et la fédération rêvée par notre auteur rendra les chrétiens maîtres des nations barbares; ainsi la paix mondiale sera garantie.

Organisation de la société internationale. — Le point de départ est l'existence de « l'État souverain » ou du prince souverain; puis Dubois donne à cette notion une application générale, il en élargit l'importance, en fait la base de son raisonnement politique. Seulement il faut un principe nouveau qui reconnaisse l'existence d'États souverains, qui garantisse une coexistence dans la paix de ces États. Ce principe serait consacré par la création d'un Concile convoqué sur l'initiative du Pape, et Dubois revient plusieurs fois sur cette idée. Il développe un projet détaillé d'arbitrage international, qu'on a voulu comparer à la Convention de la Haye : il y a quelques ressemblances, d'importance secondaire d'ailleurs. Ce projet de « Cour d'arbitrage » est assez vague et on aurait tort d'insister trop sur les détails. Dubois prévoit finalement la possibilité d'un appel du tribunal d'arbitrage au Pape. Cette dignité n'aurait pas manqué de lui donner une grande autorité, même « quoad temporalia, » et ce trait montre que Dubois n'a pas approfondi les conséquences du principe de la souveraineté nationale, base de son projet. Il discute les sanctions ecclésiastiques, mais ne les trouve pas suffisantes : il voudrait, ingénieusement, faire déporter en Orient les trouble-paix, et il montre enfin comment on pourrait vaincre en Europe même l'opposition qu'il faudrait prévoir.

Le trait caractéristique du projet semble être son esprit réaliste. Dubois sait apprécier sobrement les éléments politiques de son époque et recommande des mesures dont beaucoup étaient connues. S'il n'a pas trouvé d'écho, c'est qu'il y a peu d'hommes qui voient la réalité comme il l'a vue. Il était trop réaliste, mais il faut dire aussi qu'il n'a pas vu le sérieux de tous les conflits qui devraient être réglés avant que l'Europe arrivât à un équilibre politique et national.

GEORGES PODIEBRAD[1], l'auteur du second projet, était un pauvre gentilhomme tchèque qui avait fait une carrière militaire : à vingt-huit ans il devint « gubernator » pour le roi-enfant Stanislas, et en 1458, après la mort de celui-ci, il fut élu Roi de Bohême. Georges était hérétique : il lui fallait vis-à-vis du pape un appui. Il était ambitieux; il briguait même la couronne impériale. C'est probablement lors de son avènement qu'il fit la connaissance d'un Français, Antonius Marini, grand inventeur et industriel à l'esprit aventureux et riche en ressources. C'est Marini qui conçut probablement le plan de fédération européenne : c'est lui qui présenta ce projet aux princes étrangers, au nom du Roi de Bohême.

L'Europe était alors sous l'impression profonde de la prise de Constantinople par les Turcs (1453). L'idée d'une Guerre Sainte contre les infidèles était une préoccupation constante de tous les esprits. Il était impossible de s'imaginer un but plus élevé, plus digne de sacrifice que celui d'une semblable guerre, qui joue le même rôle que la conquête de la Terre Sainte chez Pierre Dubois.

Le projet que nous connaissons est un traité d'alliance entre le roi de France, le roi de Bohême et la Seigneurerie de Venise. Georges avait l'intention de faire entrer dans cette fédération un plus grand nombre de princes. Mais l'empereur et le pape sont tenus à l'écart, ce qui trahit le côté politique du projet.

Le principe de la paix est celui de Dubois : la paix entre chrétiens et la guerre contre les infidèles, considérée comme un devoir suprême. La paix n'est qu'un moyen pour faire la guerre.

1. Voir Lange, *Histoire de l'Internationalisme*, I, p. 108, et la littérature citée.

Les deux premiers articles stipulent que la fédération a le caractère d'une alliance défensive, le troisième que les crimes commis contre la paix mutuelle par les sujets des États contractants ne compromettent pas l'alliance. Mais ce sont surtout les articles 4 et 5 qui sont importants : l'article 4 suppose le cas qu'un des États fédérés soit attaqué par une puissance en dehors de la fédération. Le pouvoir fédéral enverra des délégués soit pour faire élire des arbitres par les parties, soit pour faire régler leur différend par un juge compétent ou par le pouvoir judiciaire de la fédération.

L'article 5 institue le même procédé pour le cas où les États en conflit seraient tous les deux étrangers à la fédération. Celle-ci devient plus qu'une alliance défensive; on dirait un « Concert européen » aux visées générales.

Cette première partie qui définit le but de la fédération et en expose les moyens d'action est décidément pacifiste, sinon internationaliste. La seconde partie expose la constitution de la fédération. Elle débute par quelques considérations d'esprit tout à fait moderne : une paix durable ne peut être fondée que sur la justice. Puis la nécessité d'un pouvoir judiciaire est développée; il est proposé de créer un « consistoire. »

Le consistoire — nous dirions la Cour internationale — doit être organisé par la congrégation ou la majorité de celle-ci. Le projet fait toujours prévaloir la majorité, si bien que cette fédération serait plutôt un État fédératif qu'une union d'États indépendants. Elle entrera (article 15) en vigueur en 1464. Bâle sera le siège du Conseil dirigeant de la fédération pour cinq ans; puis le siège sera en France, en Italie, etc. D'une manière générale, ce projet donne l'impression d'être quelque peu improvisé et il serait peut-être injuste de trop insister sur les contradictions : il vaut mieux s'en tenir aux idées générales.

Le fédération est ouverte, disposition essentielle : son but est la guerre contre les Turcs, que dirige la Congrégation. Toute décision doit être exécutée sans aucun délai et l'on prévoit même des sanctions pénales, au cas où les contributions en argent ne seraient pas versées. L'organisation du suffrage est intéressante : on vote par nation, une voix au roi de France avec les autres princes de la Gaule, une seconde aux rois et princes allemands, une troisième au Doge, princes et communes d'Italie.

Le souverain Pontife n'a qu'une situation effacée : il approuve les dispositions économiques, il fait la paix entre les princes ecclésiastiques, et ceux qui sont hors de la fédération; il fera construire une flotte pour la croisade.

Il n'y a pas de place dans le projet pour un « Empereur, » prince qui serait supérieur aux autres princes, maître du monde dans les choses temporelles. On dirait que l'empereur et le Saint-Empire n'existent pas pour Georges.

Il y a dans ce traité des précisions et des détails, plus que chez P. Dubois; mais même avec cela il n'est pas très explicite. Il n'a guère eu d'influence parce qu'il souffre du reste d'un vice fondamental : les visées politiques. Georges et Louis XI ont visé, avant la Croisade, à la domination en Europe, et ce projet mérite donc l'oubli qui l'a condamné.

L'idée fondamentale des auteurs de ces projets, qui sont de nationalité française, c'est cette souveraineté nationale de laquelle la France avait été appelée à être le champion par son opposition à l'Empire et à l'Église universelle. Nombre de leurs successeurs, surtout au XVIIe siècle, seront des Français quand réapparaîtront les projets de paix universelle.

Il nous reste à examiner la question de savoir si pendant la période d'histoire que nous venons d'étudier, cette doctrine pacifique a exercé une influence sur le *droit international.*

La science du droit international n'existe pas encore. Nous devons nous borner à relever rapidement certains faits dans la pratique des États, qui présentent un intérêt au point de vue de notre étude.

Il y a d'abord la pratique de l'*arbitrage international,* en d'autres termes la solution pacifique des conflits internationaux.

L'arbitrage avait joué un certain rôle dans le monde hellénique de l'Antiquité[1]. Nous le voyons réapparaître au cours des derniers siècles du Moyen âge[2]. Comment expliquer ce fait? Comment expliquer la fréquence des clauses compromissoires figurant dans

1. Voir Raeder, *L'arbitrage international chez les Hellènes, Christiania,* 1912, Lange, *Histoire de l'Internationalisme,* I, p. 25-26.
2. Voir Novacovitch, *Les compromis et les arbitrages internationaux du XIIe au XVe siècle,* Paris, 1905, et Lange, *ouvr. cité,* p. 123 et suiv.

les traités, des compromis isolés, des cas d'arbitrage? Le fait paraît paradoxal : l'époque est guerrière et pourtant on pratique beaucoup la solution amiable des conflits.

Ces contradictions sont fréquentes au Moyen âge; elles en constituent une des particularités. La Papauté et l'Empire ambitionnent une domination universelle sans être gênés par le fait que toute base réelle leur fait défaut pour semblable prétention.

Rarement ces contradictions entre les professions et les mœurs ont été plus évidentes qu'au Moyen âge, jamais elles n'ont moins gêné les consciences.

Il faut se rappeler qu'on ne connaissait pas encore la diplomatie comme un élément permanent de la vie internationale. Les commissions d'arbitrage représentent une tentative pour instituer une alternative au procédé violent de la guerre. C'est ce qui explique aussi pourquoi l'arbitrage présente tant de variétés : l'arbitre agit le plus souvent en « amiable compositeur, » c'est presque un diplomate tâchant de trouver une solution intermédiaire. L'arbitrage est aussi souvent un moyen de liquider les suites d'une guerre : on charge un arbitre de fixer les conditions détaillées de la paix.

Comment la fin du Moyen âge est-elle arrivée à faire de l'arbitrage un moyen régulier de vider les conflits?

M. Novacovitch rappelle que le droit romain n'a connu l'arbitrage que comme institution du droit privé. Or, c'est le trait caractéristique de la féodalité de confondre le droit public et le droit privé, et c'est ainsi que l'arbitrage est intervenu dans les conflits entre les princes, représentants des États. La guerre, en outre, pour le Moyen âge était avant tout un jugement divin, une extension du duel judiciaire : on recourt à l'arbitrage surtout pour éviter les ravages de la guerre.

Ce dernier point prévaut surtout au sein de la nouvelle classe sociale qui se forme lentement : la classe bourgeoise. L'intérêt du commerce lui faisait un devoir impérieux d'éviter autant que possible la rupture des relations pacifiques.

Ces conditions ne suffisent pas à elles seules : elles sont complétées par un fait capital : la coexistence d'États à peu près égaux, l'absence de Grandes Puissances. En Europe, à la fin du Moyen âge, comme en Grèce, avant la domination étrangère, il y a une multitude de petits États, à peu près égaux en puissance. Dans les deux milieux, la guerre est un phénomène quotidien. Mais les États n'ont pas toujours la force suffisante pour faire la guerre et l'intérêt leur conseille de l'éviter, l'issue en étant bien aléatoire.

Ainsi toute une série de causes ont contribué à donner à l'arbitrage international une large place pendant les derniers siècles du Moyen âge. Les conditions politiques sont les plus importantes, et cette évolution prendra fin brusquement quand ces conditions se modifieront.

Les cas d'arbitrage pendant ces siècles présentent certaines caractéristiques communes sur lesquelles il est intéressant de dire quelques mots. D'abord les tribunaux d'arbitrage ont souvent le caractère de commission mixte, tout comme chez P. Dubois. Plusieurs des traités prévoient une sorte d'appel pour le cas où les arbitres ne tomberaient pas d'accord. Très souvent le Pape est désigné comme surarbitre. Mais ce qui est surtout caractéristique des compromis d'arbitrage ainsi que des sentences, c'est la grande place occupée par les dispositions relatives aux sanctions pénales.

En second lieu nous trouvons un traité conclu en 1518 entre les trois monarques les plus puissants de l'époque : François Ier de France, Henri VIII et Charles Ier d'Espagne, plus tard l'empereur Charles-Quint. Ce traité mérite de retenir notre attention [1].

Nous nous trouvons à l'époque des guerres d'Italie; les alliances se font et se défont; les horreurs des guerres continuelles désolent l'Europe. Léon X lance, le 7 mars 1517, une bulle ordonnant une trêve de cinq ans et soumet aux cours européennes un projet d'expédition contre les Turcs. Le 11 mars 1517, l'empereur d'Autriche, les rois de France et d'Espagne concluent un traité établissant une protection réciproque de leurs États et prévoyant une croisade contre les Turcs.

Le ministre anglais Wolsey avait d'autres visées. Craignant de voir son pays isolé, il chercha une entente avec la France, mais inspiré d'une part des idées généreuses des humanistes, s'appuyant d'autre part sur les suggestions du pape pour la croisade contre les Turcs, Wolsey réussit à gagner la France par la cession de Tournay. François et Henri signèrent le 2 octobre 1518[2] une « ligue

1. Voir Lange, *ouvr. cité*, p. 118 et suiv.
2. Texte dans Dumont, *Corps diplomatique*, IV, p. 266.

contre les Turcs » qui consacrait le principe d'une *paix universelle*. Ce fut un grand triomphe diplomatique pour Wolsey : le pape se trouva relégué au second plan et l'Angleterre joua le rôle d'arbitre de l'Europe.

Cette « pacification » ne fut malheureusement que de très courte durée à cause de l'Empereur Maximilien, dont elle bouleversait les plans en Italie. Sans pouvoir cependant la dissoudre, il mourut en 1519, et la succession impériale mit aux prises pour longtemps les trois jeunes princes qui l'avaient conclue.

Ce traité qui n'a qu'un intérêt théorique, vaut la peine d'être étudié, non seulement comme symptôme d'un certain sentiment de solidarité européenne, mais aussi à cause de quelques dispositions qui trahissent un esprit internationaliste rare à cette époque.

Ce traité est plus qu'un « projet, » il est un instrument diplomatique ratifié par trois monarques puissants.

Il s'agit d'abord de la guerre contre les Turcs, mais « la paix universelle tant désirée et nécessaire » en serait la conséquence. La ligue n'est pas dirigée exclusivement contre le Turc : elle sera une fédération perpétuelle et offrira des garanties contre toute agression ou perturbation de la paix. Si l'un des fédérés devient l'objet d'une agression, les autres offriront des représentations diplomatiques : si elles n'ont pas d'effet, ils se déclareront tous, après un mois, ennemis de l'agresseur, et après un second mois envahiront son pays, chacun à ses frais. Non seulement — la fédération étant ouverte — les « amis, alliés et confédérés » de toutes les parties du traité pourront y accéder, mais la convention reste ouverte pour toute autre puissance « pendant huit mois. »

La fédération projetée n'aurait été que très imparfaitement organisée, si son rôle avait été réel. Un agresseur n'aurait rencontré que des membres « isolés, » aucune institution commune n'étant prévue, il y aurait eu grand danger de voir la fédération sombrer au moment critique, par manque de cohésion.

Aucune tentative non plus pour décider le critère d'une agression. Les auteurs ont voulu voir ce critère dans l'invasion ou dans d'autres actions hostiles et il est superflu d'insister sur son caractère très vague. Mais il faut rendre hommage à l'idée de faire des « représentations diplomatiques. » Il y aurait ainsi une occasion importante de provoquer une conciliation, le cas échéant par la menace d'ouvrir la guerre.

L'absence de toute stipulation d'arbitrage, même entre les fédérés, est étonnante. Évidemment les auteurs du traité ne sont pas versés dans les traditions de l'arbitrage international, comme l'étaient P. Dubois ou G. Podiebrad. Ils représentent les grandes puissances, qui ne favorisent guère l'arbitrage international.

La formation des Grandes Puissances a mis fin à la pratique de l'arbitrage. L'apparition de ces acteurs sur la scène politique de l'Europe fut le trait le plus frappant de la dissolution de la société du Moyen âge, dont l'idéal était encore l'unité, et de la transition aux temps modernes.

CHAPITRE III

TRANSITION AUX TEMPS MODERNES : AGE DE LA DÉSORGANISATION

Trois événements d'une importance capitale viennent clore le Moyen âge et ouvrir l'ère moderne. La Renaissance et l'Humanisme, qui jusqu'à la fin du xve siècle sont des phénomènes italiens, franchissent les Alpes et deviennent des facteurs importants de l'évolution « européenne. » Les grandes découvertes géographiques déplacent le centre du commerce international : l'Océan Atlantique devient le bassin principal des échanges maritimes au lieu de la Méditerranée; des conditions nouvelles sont ainsi créées pour le développement politique, des bases nouvelles posées pour la puissance des princes, des objets nouveaux offerts à leurs convoitises. — Enfin les victoires remportées par la Réforme religieuse dans l'Europe centrale et occidentale détruisent irrévocablement l'unité religieuse du Moyen âge.

La *Renaissance* change de caractère en devenant européenne. C'est l'aspect politique du mouvement qui nous intéresse ici. L'idéal politique, c'est l'État en tant que création consciente d'un Prince, façonnant la Société et l'organisation politique de l'État. L'État devient une individualité, presque une personnalité : il suit la même tendance que les arts, la philosophie ou les sciences : il devient un rebelle qui s'insurge contre l'Empire « romain » et l'Église universelle.

Ces idées devaient nécessairement accentuer l'évolution vers l'établissement de l'État souverain, et les méthodes nouvelles de gouvernement des tyrans italiens servirent de modèles aux princes européens.

Cette évolution vers une concentration des forces aux mains du prince accentua nécessairement les oppositions internationales, et l'influence de la Renaissance italienne contribua à renforcer la tendance vers une « désorganisation internationale. » Les petits États italiens, après la chute de l'Empire (1250) et la défaite de la Papauté (1302), ne connurent plus de « supérieur sur terre » et se trouvèrent dans un état complet d'anarchie dont l'inéluctable conséquence est la guerre perpétuelle. L'art politique de la Renaissance italienne a trouvé une base de rapports internationaux dans le principe de l'équilibre, dont l'idée fondamentale est qu'aucun État ne doit être assez puissant pour pouvoir dominer les autres. Ce principe est utilitaire et sans caractère moral. Les États se coalisent contre celui dont la prépondérance leur paraît dangereuse. D'autre part, l'Équilibre n'est qu'une sorte de pis-aller; il ne devient jamais stable; une modification légère de ses éléments peut le détruire et provoquer une perturbation profonde.

Les *découvertes géographiques* ont élargi l'horizon intellectuel, et non seulement parce qu'elles aient fourni à la science et à la pensée des matières de recherches et de réflexions inépuisables. Les nouveaux continents ont donné aussi par la révélation de leur existence une impulsion à la spéculation : la littérature se peuple d'Utopies. D'autre part ces continents ont offert des objets de convoitise aux États et ont accentué la distinction entre les grandes puissances et les États secondaires.

La *Réforme religieuse* fut non moins désastreuse au point de vue de l'unité et de la communauté internationale. Pendant un siècle et demi, elle a profondément divisé l'Europe. La Réforme, qui établit les Églises territoriales, qui en fit des annexes aux dynasties, a contribué à l'établissement de l'État souverain. Le lien qui reliait au Moyen âge les peuples et les princes à la communauté internationale de l'Église catholique est rompu; au sein de chaque État séparé de Rome, le souverain voit s'accroître son influence politique. La Réforme inflige une défaite définitive à l'Empire et à l'Église universelle.

Le pape voit se restreindre singulièrement la sphère de son autorité. Il n'est plus question de l'Église « universelle, » car même les rois très-chrétiens ou très-catholiques ne reconnaissent plus son autorité! et l'Angleterre, l'Écosse, la Hollande, une partie de la Suisse, les pays scandinaves et l'Allemagne du Nord n'existent plus pour lui.

Pour l'Empereur, la situation est encore plus tragique. Il est plus facile de soutenir l'illusion d'un Empire universel dans le domaine spirituel que dans le domaine politique. On vit que l'universalité de l'Empire romain n'était qu'une fiction, et les traités d'Augsbourg et de Westphalie ne firent que confirmer en droit un état de fait existant depuis longtemps.

Une révolution aussi profonde ne put s'opérer pacifiquement. On avait prêché, au Moyen âge, la Croisade contre les Albigeois et contre les Hussites; maintenant la question de l'unité de la religion devint politique : la plupart des États se liguent contre l'Espagne et l'Autriche, qui embrassent la cause de l'Église catholique; quelques-uns adoptent la Réforme, d'autres comme la France, demeurent catholiques, mais poursuivent une politique indépendante.

C'est la période des « guerres de religion, » et un problème spécial se pose, autour duquel s'engageront de très vifs débats : la guerre pour la « foi » est-elle légitime?

D'autre part, la Réforme fut une grande force libératrice des esprits. Non pas tant la Réforme allemande, car Luther s'est empressé de faire la paix avec les autorités : il prêche l'obéissance passive et son église devient une sorte de police spirituelle; mais celle de Calvin qui, plaçant l'homme, sans intermédiaire, devant Dieu, devant le dogme impitoyable de la prédestination, trempe les caractères par une épreuve suprême. Les congrégations calvinistes deviennent des pépinières de personnalités indépendantes, et c'est ainsi que se continue la tradition des sectes du Moyen âge. Tout comme celles du Moyen âge, les sectes des temps modernes cherchent la source de leur inspiration et la base de leurs convictions dans la Bible : nous verrons surgir dans des sectes nouvelles, de par les mêmes conditions qu'au Moyen âge, des doctrines « pacifistes » et « antimilitaristes. »

Dans le domaine politique, un fait capital domine tous les autres : *la formation des Grandes Puissances.* Les guerres d'Italie mettent en présence les trois plus grandes puissances de l'Europe moderne : la France, l'Autriche, l'Espagne, et le XVIe siècle est tout rempli de leurs luttes, auxquelles se mêlera bientôt l'ambitieuse Angleterre. Suit la période des Guerres de religion dans lesquelles seront impliqués d'autres pays encore.

C'est la guerre qui façonne les États européens et détermine leur structure. Les frontières, si peu prononcées naguère, deviennent de plus en plus profondes. Les États s'organisent d'après des principes d'égoïsme et d'exclusivisme; la politique mercantile apparaît, et le commerce n'est qu'un autre moyen de faire la guerre aux États étrangers. C'est au milieu de ces haines que naissent les nouvelles nationalités européennes, qui se forment auprès des États.

Aux XVIe et XVIIe siècles, on voit surtout les princes s'opposer à quiconque brigue la domination universelle, au nom de la « souveraineté nationale » ou de l' « équilibre européen. » Charles-Quint et Philippe II, Louis XIV et Napoléon, tous se sont heurtés à ces idées et tous ont dû renoncer à leurs ambitions. Mais ces conceptions n'ont pu donner à l'Europe le repos, et la méfiance réciproque devient le principe fondamental des rapports internationaux. Machiavel, en insistant sur ce principe, n'avait envisagé que les conditions italiennes, mais son influence fut profonde sur la politique européenne. Les hommes d'État du XVIe et du XVIIe siècle arrivent à la ferme conviction que ce qui profite à l'un ne peut que nuire aux autres.

Ce qui domine nécessairement les actions d'un État envers les autres, c'est l'égoïsme. La « raison d'État[1] » est érigée en principe suprême : au fond, c'est l'anarchie la plus complète qui règne.

Vainement le pape ou l'empereur tâchent-ils de maintenir quelque petit reste de leur autorité; vainement l'Espagne sacrifie-t-elle ses richesses au service de la cause de l' « unité » : cinquante ans après la mort de Philippe II, les traités de Westphalie vinrent confirmer sa défaite et celle de Charles-Quint et fixer les conditions de la vie internationale européenne.

Les idées que nous venons d'esquisser trouvent aussi leur expression dans la littérature; nous ne citerons qu'un ou deux auteurs parmi les plus représentatifs. Ainsi *Jean Bodin* (1530-1596) est arrivé à la ferme conviction que ce qui profite à l'un des Princes ne peut que nuire aux autres : « Car la grandeur d'un Prince, à bien parler, n'est autre chose que la ruine ou diminution de ses voisins; et sa force n'est rien que la faiblesse d'autrui[2]. »

Mais le plus grand des théoriciens de l'anarchie internationale

1. Voir Meineche, *Die Idee der Staatsräson in der neueren Geschichte*, München und Berlin, 1925.

2. *Les six livres de la République* de Jean Bodin (éd. de 1608), p. 792-793.

est assurément le célèbre philosophe anglais *Thomas Hobbes* (1588-1679).

Après avoir fini ses études universitaires, Hobbes vécut en Angleterre et sur le continent, en général comme instructeur de fils de nobles anglais. Naturellement il se rangea du côté des adhérents du roi Charles Ier, et, lorsque la défaite du roi détermina en 1642 l'émigration des Cavaliers, Hobbes fut de son propre aveu « le premier qui prit la fuite. » C'est un trait caractéristique de sa psychologie : il dit lui-même quelque part « que la peur et lui furent des jumeaux. »

Hobbes est passionné pour les problèmes sociologiques : il les étudie en plusieurs ouvrages[1]. Son esprit est d'ordre mathématique et absolu. L'homme est une bête féroce; il s'agit de domestiquer cette bête, donc une autorité absolue est nécessaire. C'est ainsi que Hobbes devient le théoricien de la monarchie absolue. Au fond Hobbes n'a pas développé une théorie complète des relations internationales. Ses spéculations s'arrêtent devant l'État national ou isolé. Mais incidemment il constate que les États vivent et agissent conformément à l'état de nature, ce qui veut dire la guerre de tous contre tous. On dirait qu'il se réjouit de pouvoir démontrer comment il est légitime que les hommes soient dominés par la peur. Aussi Hobbes est-il le premier penseur qui ait défini le caractère propre du militarisme :

« ...It is manifest that during the Time men live without a common Power to keep them all in Awe, they are in that Condition which is called War; and such a War, as is of every man against every man. For War consisteth not in Battle only, or the Act of Fighting, but in a Tract of Time, wherein the Will to contend by Battle is sufficiently known; and therefore the Notion of Time is to be considered in the Nature of War, as it is in the Nature of Weather. For as the Nature of foul Weather lieth not in a Shower or two of Rain, but in an Inclination thereto of many Days together; so the Nature of War consisteth not in actual Fighting, but in the known Disposition thereto, during all the Time there is no Assurance to the contrary. All other Time is *Peace.* » (Leviathan, Part I, chap. XIII (éd. 1750), p. 149-50).

1. Ouvrages latins : *De homine; De cive.* Ouvrages anglais : *Human nature, or the fundamental Elements of Policy; Leviathan.*

Le pessimisme fondamental de Hobbes l'empêche de s'élever jusqu'à une théorie internationale positive. L'État isolé retient toute son attention, il n'a aucune idée de l'existence d'une société internationale. C'est pourquoi d'après lui « the Law of nations » est identique à la « Law of Nature. » Son raisonnement a aussi un caractère tout abstrait : il n'indique pas de remède pratique. Il considère l'état des choses comme un fait acquis avec lequel il faut compter; le problème international ne se pose pas pour lui mais il en a exposé, d'une manière saisissante, certaines données essentielles.

Si on ne trouve pas chez Hobbes ni chez *Spinoza* (1632-1677), qui envisage les relations internationales essentiellement de la même manière, une conception positive internationaliste, semblable conception ne se dégage pas non plus des écrits datant de la même période sur l'*Équilibre européen*[1].

Le principe de l'Équilibre, héritage de la politique italienne du xve et du xvie siècle, n'est pas au fond l'expression d'une conviction de l'unité de l'Europe. Le principe n'est qu'une combinaison toute empirique, dictée par l'instinct de conservation des États individuels, qui voient dans une souveraineté absolue, une indépendance sauvage, leur *palladium* intangible : il s'agit de trouver dans l'union des faibles une garantie contre les ambitions des forts; il n'est pas question d'organiser l'union et de trouver ainsi, par la fédération universelle, la sécurité de tous.

Au fond il n'y a dans la politique de l'équilibre aucun principe réel : ce jeu de bascule et de « combinazioni » est un expédient afin de parer au danger le plus proche : le « principe » de l'équilibre, qui au xvie siècle s'était surtout tourné contre l'Espagne, devait de 1648 jusqu'en 1815 servir de garantie contre les ambitions françaises. Comme toujours, cependant, une théorie sort des faits, et dans de nombreux traités politiques on voit discuter le principe de l'équilibre comme s'il s'agissait vraiment d'une idée positive et constructive. Les quatre siècles troublés qu'a vécus l'Europe sous l'égide de cette théorie prouvent qu'elle ne contient pas de

1. Sur l'histoire de l'Équilibre cf. surtout Kaeber, *Die Idee des europaeischen Gleichgewichts in der publizistischen Litteratur vom 16 bis zur Mitte des 18 Jahrh.*, 1907, et Dupuis, *Le principe de l'Équilibre et le Concert européen*, Paris, 1909.

base solide pour une vie commune et assurée des États. L'équilibre ne devient jamais stable; plus ambitieux sont les échafaudages construits sur semblable fondement, et plus formidables sont les catastrophes provoquées par les écroulements. Le cataclysme mondial de 1914 ne fut au fond que le résultat logique de la politique d'équilibre.

On peut dégager dans la littérature abondante sur l'Équilibre européen du XVIe au XVIIIe siècle, trois conceptions sur l'application du principe. Ou il s'agit d'appuyer la puissance européenne qui est la seconde en puissance, ou l'on préconise une coalition de toutes les puissances secondaires contre la plus forte, ou bien on vise à devenir le fléau de la balance, rôle joué par l'Angleterre dès le temps d'Élisabeth.

Ces idées, nous venons de le dire, sont exposées dans un très grand nombre de brochures et même d'ouvrages qui ont des prétentions plus ou moins scientifiques. L'idée de l'équilibre, nous allons le voir, se fraie même un chemin dans les ouvrages des jurisconsultes, et dans le traité de paix conclu à Utrecht en 1713 entre l'Angleterre et l'Espagne, nous voyons ces deux puissances poser comme le but de leur accord de « rétablir la Paix et la tranquillité de la chrétienté par un juste équilibre de puissance. »

Il est évident toutefois que la conception de l'équilibre ne pouvait contenter les adhérents de la doctrine pacifique, encore moins ceux de l'internationalisme. Aussi voyons-nous la tradition pacifiste se continuer par deux courants puissants : l'humanisme chrétien et le mouvement des sectes. Ces deux courants appartiennent surtout au XVIe siècle. Le siècle suivant est surtout caractérisé par l'apparition de quelques projets intéressants, d'un caractère internationaliste prononcé.

CHAPITRE IV

PACIFISME DES HUMANISTES CHRÉTIENS[1]

Nous avons vu comment l'humanisme, en traversant les Alpes, est devenu un phénomène européen. Il acquiert en même temps un autre caractère : de païen, il devient chrétien.

Une grande figure domine cette phase de l'histoire de la doctrine pacifique; celle d'*Érasme de Rotterdam* (1466 ou 67-1536). Érasme naquit aux Pays-Bas, contrée internationale s'il en fut à cette époque. Il a vécu à Bruxelles et à Paris, en Angleterre et en Suisse; il a visité l'Allemagne et l'Italie. S'il avait une patrie, c'était l'Europe. Il fut, en effet, le premier Européen. Ses séjours en Angleterre surtout ont été d'une très grande importance.

Lors de son premier séjour en 1499, Érasme y fit la connaissance de John Colet, alors le chef des jeunes réformateurs d'Oxford, plus tard doyen de Saint-Paul de Londres. Il y connut aussi Thomas More. Ce milieu dans lequel on étudiait les Saintes-Écritures dans leurs langues originales, dans lequel on discutait la possibilité d'une réforme de l'Église et d'une renaissance des études classiques et théologiques, a beaucoup plu à Érasme et sa fréquentation a peut-être exercé une influence décisive sur le développement de ses idées. Cette atmosphère était en général favorable aux idées pacifistes, et Érasme fut le premier à traiter le problème de la guerre dans sa « Laus Stultitiae, » « Éloge de la Folie, » composée en 1510 chez Thomas Morus, lors de sa troisième visite en Angleterre, qui dura de 1510 à 1514.

La « Folie, » c'est le représentant du « common-sense » bourgeois, qui se moque des gros-bonnets de la société d'alors, qui couvre de ridicule aussi bien le clergé et l'Église que la noblesse et la cheva-

1. Pour les auteurs et leurs idées pacifistes, voir Lange, *Histoire de l'Internationalisme*, I, p. 146 et suiv.

lerie; ni le pape, ni les rois ne sont épargnés. Elle n'épargne pas la guerre non plus.

Nous n'en extrayons qu'un seul passage. C'est la Folie qui parle : « N'est-ce donc pas à mon instigation que tout exploit magnifique, sur mon initiative que tous les arts éminents sont exécutés? La guerre n'est-elle pas la semence et l'origine de toutes les grandes actions vantées? Je me demande ce qu'il y a de plus stupide que d'engager, je ne sais pour quelles raisons, semblable lutte, de laquelle les deux parties ont toujours plus de détriment que d'utilité? Car de ceux qui succombent il est comme des Mégariens, personne n'en parle. Et lorsque deux armées sont rangées l'une contre l'autre, vêtues d'acier, lorsque les cors lancent leurs mugissements rauques, de quelle utilité peuvent-ils donc être, je vous le demande bien, ces érudits qui, surmenés par leurs études, au sang clair et froid, n'ont guère assez de force pour respirer. Non, il faut des hommes gros et épais, ayant d'autant plus d'audace qu'ils ont moins d'esprit. »

Nous ne pouvons mentionner que quelques-uns des ouvrages dans lesquels Érasme discute le problème de la guerre. Il faut souligner avant tout son développement de l'Adage « Dulce bellum inexpertis. »

Il a trouvé un adage charmant pour ses considérations sur la guerre : « La guerre est douce pour ceux qui ne l'ont pas connue » — la forme moitié ironique, moitié mélancolique caractérise bien la façon de voir d'Érasme. C'est encore le moraliste, le spectateur résigné de l'humanité qui nous parle.

Érasme examine les conséquences de la guerre, celles qui accompagnent « même la guerre la plus heureuse et la plus juste. » La nature s'indigne au spectacle offert par le guerrier. « Regarde toi-même, si tu le peux, guerrier furieux.... Je t'ai imaginé comme un animal d'un certain caractère divin. » Il paraît évident que ce mal terrible s'est insinué sous prétexte d'être un bien.

La guerre, c'est l'homicide en général, et pourtant nous ne voyons personne s'indigner. Au contraire : même l'Église excuse et défend la guerre. On croirait que l'humanité, qui souffre de tant de maux inévitables, ne voudrait pas tolérer un mal volontaire, créé par elle-même. Et Érasme développe cette idée, qui a joué un rôle considérable parmi les arguments des pacifistes contemporains. « Trop, hélas! trop de maux, dont, continuellement, qu'elle le veuille ou non, l'humanité affligée est vexée, harassée, absorbée. »

Trois cents maladies différentes, tremblements de terre, foudres, inondations, irruptions de la mer, peste! Pas de partie de la terre où un péril ne menace la vie humaine, qui déjà est en soi si fugitive. « Qu'est-ce qui porte des êtres exposés à des calamités innombrables à se chercher encore un mal, comme s'il n'y en avait pas assez? Et pas un mal quelconque, mais le mal de beaucoup le plus abominable.... » Et après tout, quel avantage apporte la guerre? « Tu veux nuire à l'ennemi. Voilà qui est déjà inhumain. Mais examine donc au moins si tu ne peux pas lui nuire sans nuire d'abord aux tiens. Et cela semble de la démence, d'assumer tant de maux certains, alors que le résultat des dés de la guerre est si incertain. »

Érasme examine ensuite le problème de la guerre par rapport au Christianisme. Il rejette l'argument en faveur de la guerre, tiré des guerres des Israélites. Au moins ceux-ci ne se sont-ils jamais, ou presque jamais, fait la guerre entre eux. Du reste, les commandements donnés aux Israélites ne nous lient plus; ni la circoncision, ni la polygamie, ni les sacrifices ne nous sont permis. Le Christ a fait une nouvelle loi. « Depuis qu'il a dit de remettre le glaive dans le fourreau, il ne sied pas aux chrétiens de guerroyer, excepté dans cette guerre magnifique contre les abominables ennemis de l'Église, contre la convoitise de l'argent, contre la colère, contre l'ambition, contre la crainte de la mort. Voilà nos Philistins, voilà nos Nabuchodonosors. Seule cette guerre crée la paix véritable. »

Érasme n'approuve même pas la guerre contre les Turcs; mieux vaudrait les convertir par la force des vertus chrétiennes. Nous nous exposons à de grands dangers en entreprenant de si vastes desseins. Quelqu'un dira : mais si Dieu est avec nous, qui sera contre nous? Érasme répond par un raisonnement qui pourrait être écrit par un Quaker convaincu : « Pourrait parler ainsi avec raison celui qui se fierait exclusivement au secours de Dieu. Mais que dit notre Seigneur Jésus-Christ à ceux qui se sont fiés à d'autres secours? — « Celui qui saisit le glaive, périra par le glaive. » — Si nous voulons vaincre par le Christ, ceignons donc le glaive de la parole de l'Évangile.... Notre mission est de semer la semence de l'Évangile, et le Christ donnera la moisson. Elle sera abondante, pourvu que les ouvriers ne fassent pas défaut. Et enfin, pour faire de quelques Turcs des chrétiens feints et mauvais, combien de bons chrétiens ne sont-ils pas rendus mauvais, de mauvais pires encore? Car quel autre effet ont toutes ces guerres? »

Il est important de constater que le traité d'Érasme se borne exclusivement à une condamnation, au nom de la religion et de la morale, de la guerre et notamment de la guerre entre chrétiens. On voit que sa manière de voir est plus sombre qu'elle n'était dans « l'Éloge de la Folie » : il ne se borne plus à une moquerie de la folie de la guerre, de la stupidité des princes, de : « l'épaisse sottise » des soldats qui la font. Il ne plaisante plus; il s'indigne. Ses sourcils sont froncés, ses armes contre la guerre sont la prédication, les arguments de la philosophie, de la morale, avant tout ceux du Christianisme.

Quelques années après, Érasme revient au même sujet dans la « Querela Pacis[1]. » Il traite le même sujet dans ses lettres ou du moins dans plusieurs de ses lettres, et enfin, en 1530, il écrivit son « Utilissima consultatio de bello Turcis inferendo et obiter enarratus Psalmus XXVIII. »

Les événements contemporains allaient donner une actualité toute spéciale à la discussion de la légitimité de la guerre. Nous avons vu que depuis plusieurs siècles l'approche des infidèles préoccupait les esprits. Pierre Dubois, non moins que Georges Podiebrad, avait trouvé dans ce danger commun l'argument principal pour une organisation de l'Europe chrétienne sur une base internationale. La même préoccupation hanta toujours les esprits. La conquête de Constantinople, en 1453, ne parut pas représenter l'apogée de la puissance de l'Empire turc; le règne de Soliman II (1520-66) vit au contraire une extension de l'Empire du Croissant, et en 1529 l'Europe avait été saisie d'effroi en voyant les troupes turques mettre le siège devant Vienne.

Il n'est que trop évident que dans de semblables circonstances le devoir de combattre les Turcs fut prêché partout. Charles-Quint, voyant les pays de son frère Ferdinand menacés, insista sur la nécessité de faire l'unité chrétienne : il en put tirer des arguments puissants, tant pour son Empire que pour l'Église catholique. Et le clergé catholique fut non moins emphatique, en démontrant le danger qui résulterait pour les chrétiens de leurs dissidences reli-

1. Récemment a paru Élise Constantinescu-Bagdat, *La Querela Pacis d'Erasme* (Études d'histoire pacifiste, I), Paris.

gieuses. Il en fit un grief spécial contre les protestants, fauteurs de division et de désunion; il accusa même Luther d'avoir dit que la lutte contre les Turcs était en opposition avec cette épreuve envoyée par Dieu en raison des péchés de la chrétienté. Une polémique s'ensuivit. Luther publia, en 1529, son ouvrage « Vom Kriege wider die Türcken. »

Rien d'étonnant à ce qu'Érasme ressentît le besoin d'expliquer son attitude. Sa polémique contre la guerre et contre la politique belliqueuse des princes avait été si vive, son ironie avait lancé tant de moqueries contre les guerriers qu'il pût craindre d'être pris pour un adversaire même de la guerre sainte contre les Turcs. Il s'est vu forcé de se défendre contre semblable malentendu.

C'est en partie une rétractation indirecte ou une « interprétation » des opinions qu'il avait émises sur le problème de la guerre.

L'invasion turque n'est que la punition de Dieu pour nos péchés. Érasme se retourne contre ceux qui prétendent que toute guerre nous est interdite. On ne peut pas douter du droit des princes de faire la guerre, car le droit de punition est expressément donné aux magistrats par la Bible. Mais il faut faire la guerre avec une âme pure, et avant tout, il faut se convertir afin de pouvoir compter sur l'aide de Dieu dans les batailles contre l'infidèle. Érasme ne trouve pas de réponse ferme au problème fondamental : comment savoir que nous avons le droit de faire la guerre.

Il craint d'être accusé de se prononcer contre la guerre turque. Il se hâte de déclarer que si l'on fait une guerre victorieuse, on remporte un triomphe pour le Christ, seuls les prêtres ne doivent pas faire la guerre.

Cette plaidoirie fut en quelque sorte commandée en faveur de la guerre contre les Turcs, et Érasme la fit à contre-cœur. Il semble qu'à son esprit se présente une fédération des États souverains, un équilibre entre les empires à peu près égaux. Le conseiller de Charles-Quint, ayant passé la soixantaine, regarde le monde d'un œil désillusionné. L'idéal du Moyen âge, « ut omnes unum fiant, » est toujours le sien : « Optima quidem est Monarchia, » dit-il. Mais il n'ose plus aspirer à la perfection; il vaut mieux s'incliner devant la dure réalité : « Ut sunt hominum mores, tutissima sunt moderata imperia. »

A côté d'Érasme nous trouvons son ami *Thomas Morus* (1477-1535) auteur de *Utopia*.

Thomas Morus naquit en 1477-78 : il fit ses études à Oxford et fut pris par l'ardeur qui y régna pour les études grecques. Son père l'obligea à devenir avocat, mais il fréquenta toujours les humanistes et fut même protecteur des artistes. More joua un grand rôle politique : en 1523 il est « Speaker » de la Chambre des Communes et remplaça Wolsey comme Lord chancelier. Il mourut décapité en 1535, à cause de son désaccord avec Henri VIII au sujet du divorce d'avec Catherine d'Aragon.

C'est dans son célèbre traité du pays « Utopia » que nous trouvons sa conviction de la vanité des guerres et de la nécessité de la paix. Le traité fut écrit en 1515-16, pendant les mêmes années qui virent paraître les travaux les plus importants d'Érasme sur le problème de la guerre. Le livre, écrit en latin, mais immédiatement traduit en anglais, fut le fruit des loisirs de son auteur pendant une mission politique dans les Flandres au service de son Roi. La scène en est à Anvers, où More rencontre le voyageur intelligent et savant, Raphael Hythloday. Le deuxième livre a été composé d'abord; il décrit d'une manière très détaillée le pays « Utopia, » alors que le premier livre, écrit l'année suivante, fournit le cadre et pour ainsi dire le fond de la description de l'État idéal. C'est le chapitre du deuxième livre intitulé « On Warfare » qui nous permet de nous former une opinion assez complète des idées de More sur la question qui nous intéresse.

Il partage l'horreur des humanistes pour la guerre. Il trouve son origine — d'accord avec Érasme — dans l'habitude de faire abattre les animaux. Le métier de soldat est peu considéré par notre auteur : les Utopiens, pour ne pas corrompre le caractère de leur peuple, emploient un peuple particulier, les « Zapolètes » comme mercenaires, procédé que More critique d'une manière très vive.

Thomas More n'est pas antimilitariste, dans certains cas il ne doute pas de la légitimité de la guerre. Mais les Utopiens ne font jamais la guerre pour se procurer des avantages de commerce; même les pertes économiques ne les émeuvent guère, l'organisation socialiste de leur pays ayant pour résultat que de semblables préjudices ne se font pas sentir. Au contraire, si l'un d'entre eux est tué ou mutilé, ils ouvrent tout de suite des hostilités, si les coupables ne leur sont pas livrés.

Il n'est pas facile de tirer une doctrine complète sur les critères d'une guerre légitime de ces indications sommaires. L'enseignement de More est surtout dirigé contre « l'esprit de conquête, » si répandu au XVIe siècle et si bien vu des princes de l'époque. Il parle à plusieurs reprises de la stupidité et de la futilité des conquêtes, par exemple dans la parabole des Achoriens, voisins de l'île d'Utopie.

Nous trouvons parmi les humanistes chrétiens encore d'autres pacifistes convaincus : le célèbre philosophe espagnol *Vives*, ami d'Érasme dont il a subi l'influence lors de leur séjour commun à Louvain. Le théologien flamand *Josse van Clichtove*, catholique fervent, mais qui avait des relations avec les humanistes. Il se distingue des auteurs théologiens par un point de vue plus indépendant, et surtout plus élevé; enfin — ce qu'il faut surtout souligner — il se prononce décidément en faveur d'une conciliation internationale; il faillit proposer tout un projet de paix européenne. C'est un esprit d'une autre envergure que les théologiens ordinaires.

Josse Van Clichtove (1472-1543) est internationaliste parce qu'il est chrétien. Il a exposé ses opinions sur la guerre dans un petit ouvrage publié à Paris en 1523, *De bello et pace opusculum*. Dès la préface il annonce sa thèse fondamentale : « Je ne suis ni teutonique, ni allemand, ni britannique, ni espagnol, ni particulièrement rattaché à aucune autre nation : je reconnais seulement le nom de chrétien. » Et il répète la même pensée au début de l'ouvrage : Les pays sont séparés. « Mais l'esprit indivisé du Christ les réunit tous et les lie intimement par le saint lien de l'amour divin. » Et sa plaidoirie ne doit pas être suspecte : elle n'est faite en faveur d'aucun des princes, ni en vue d'outrager aucun d'entre eux.

Il débute par une définition des deux expressions « Paix » et « Guerre. » En bon théologien et moraliste, il ne peut passer complètement sous silence, ni la « paix de l'âme, » ni « la guerre contre les péchés et les vices, » mais, dit-il, « dans ce traité, cependant, nous ne parlerons que de la paix du Seigneur et de la guerre du monde. »

L'auteur développe les malheurs de la guerre, les bienfaits de la paix; il répète l'argument classique que ce ne sont que les hommes qui se font la guerre entre eux; tous les animaux sont toujours en paix avec ceux de même espèce. Il insiste avant tout sur les arguments tirés du Christianisme contre la guerre.

La base des convictions de notre auteur sur le problème international, c'est la foi dans l'unité chrétienne, héritage du Moyen âge, dont il est encore sous plusieurs rapports. Il parle de la « République chrétienne, » en s'adressant comme suit aux princes : « Délibérez ensemble, après avoir désigné des hommes sages, qui puissent servir d'envoyés par çi, par là, sur la question de savoir ce qui sera utile à la République chrétienne, sur les moyens de rétablir la paix expulsée. » Et le dernier chapitre est une exhortation aux princes « chrétiens, » « ut positis armis, pacem inter se componant. » En paroles solennelles, il insiste sur l'élévation de l'idée d'une Église universelle, « magna Dei domus complectens, cunctarum nationum populos et unione spiritus constringens » : la grande maison de Dieu embrassant les peuples de toutes les nationalités et les liant par l'union de l'esprit.

Enfin il est permis d'assimiler aux humanistes, *Sebastien Franck* (1499-1542). Franck ne fut pas un grand écrivain ni un auteur original. Il écrit dans un style lourd et souvent diffus. Ce qui le place au premier rang, c'est son esprit de tolérance. Il admet comme des frères non seulement les adhérents de toutes les confessions évangéliques, mais encore les Papistes, les Juifs et les Turcs. Audessus des autorités et des livres, il en appelle toujours à Dieu comme la vérité originale et essentielle, au témoignage de notre cœur et de notre expérience intérieure. C'est l'esprit mystique des sectes qui se manifeste chez lui, et sur cette base toute humanitaire, il insiste, malgré les divergences religieuses et nationales, sur l'unité et sur l'homogénéité du genre humain, non moins que sur l'amour universel du Dieu impartial, qui est encore plus facile à connaître dans l'histoire et dans la nature que dans sa parole même.

Dans un petit ouvrage charmant *Das Kriegbüchlin des frides,* publié en 1539 sous le pseudonyme de Friderich Wernstreyt, Franck développe ses idées pacifistes, plus avancées que celles que nous trouvons chez ses maîtres les humanistes. Franck veut faire dépendre l'attitude des hommes envers la guerre de leurs sentiments personnels de responsabilité. Il place l'homme et sa conscience seuls devant Dieu : ainsi, il se rattache de près à la tradition pacifiste des sectes; il avait, en effet, des relations avec les anabaptistes.

De plus en plus souvent, on trouve des idées pacifistes exposées dans la littérature générale européenne dont les débuts se confondent avec l'expansion de l'humanisme. *François Rabelais* considère la guerre comme franchement ridicule; il en rit (Gargantua, chap. XXV); chez *Montaigne* la guerre provoque un sourire ironique et résigné (*Essais*, livre II, chap. XII et XXIII).

Il convient de rattacher à cette tradition pacifiste des humanistes un ouvrage anonyme français l'*Apologie de la Paix*, paru en 1585 [1], au milieu des guerres françaises de religion. L'auteur ébauche une philosophie de la paix, base même de la vie laborieuse et féconde. Il brosse un tableau très vif des malheurs de la guerre et il désespère d'une amélioration des relations entre les États, tant que sera maintenue leur préparation guerrière. On dirait une ébauche d'arguments pour la réduction des armements.

Des protestations analogues à celles de l'auteur anonyme français ont paru au cours de la guerre de Trente ans en Allemagne. Certains chapitres du fameux roman de Grimmelshausen, *Simplicissimus* ont un caractère pacifiste; il en est de même de plusieurs épigrammes du poète silésien *Friederich Von Logau*. *Cyrano de Bergerac* lance des boutades satiriques contre l'esprit guerrier dans « Les états et empires de la lune » ainsi que dans d'autres de ses ouvrages. Un artiste lorrain *Jacques Callot* met son burin au service de la doctrine pacifique.

A ce mouvement d'idées qui a sa source dans l'humanisme européen, se rattachent deux courants intellectuels qui possèdent un intérêt capital pour notre sujet : l'internationalisme constructif, représenté au début du XVIIe siècle par deux auteurs français et la science du droit international.

1. Voir Lange, *Histoire de l'Internationalisme*, I, p. 329 et suiv.

CHAPITRE V

DÉBUTS DE L'INTERNATIONALISME CONSTRUCTIF : ÉMÉRIC CRUCÉ LE « GRAND DESSEIN » DE SULLY

Nous avons pu constater combien est forte et répandue l'horreur de la guerre pendant l'époque des guerres de religions; c'est tout naturel, le contraire serait pour nous étonner. D'autre part, il est assez rare de trouver pendant cet âge — de 1547 à 1648 — des traces d'une étude sérieuse du problème d'une organisation internationale. Nous avons vu qu'il en avait été de même à l'époque des humanistes. La désorganisation fut si grande qu'il devait paraître plutôt utopique d'élaborer des projets de communauté internationale. Néanmoins, nous en trouvons quelques-uns. L'un d'eux a même une très haute valeur, et un second était destiné à donner un crédit exceptionnel aux idées internationalistes.

Certains facteurs d'ordre général forment le fonds commun de ces spéculations.

Il y a d'abord l'héritage spirituel du Moyen âge, souvenir d'une communauté chrétienne qui avait trouvé une expression dans le Saint-Empire romain et dans l'Église catholique. Tard dans le XVIIe siècle, dans la littérature politique on rencontre très fréquemment la formule « République chrétienne » ce qui veut dire communauté religieuse et supra-confessionnelle de tous les chrétiens. C'est l'expression d'un idéal de paix, né des horreurs de la guerre.

L'idée intimement liée à celle d'une République chrétienne est la « Materia christiana, » le grand problème de l'expulsion des infidèles de l'Europe, car cette idée d'une expédition commune contre les Turcs hante les esprits. Cependant ces deux préoccupations ne se fondent pas complètement l'une dans l'autre. L'argument de la « paix universelle » n'est très souvent qu'un décor, une formule consacrée, chez les auteurs traitant la « materia christiana. »

Il est d'autre part compréhensible que cette préoccupation d'une entreprise contre l'Empire Ottoman joue un grand rôle chez les internationalistes; sans doute ces auteurs usent de cet argument en toute sincérité. Mais pour eux l'intérêt commun de la lutte contre les Turcs n'est qu'un motif subsidiaire, mais puissant, pour faire la paix entre les chrétiens et pour l'organiser. Il aurait été étonnant que cet argument n'ait pas été invoqué, et semblable abstention n'aurait pu s'expliquer que par des circonstances exceptionnelles.

Deux conceptions différentes caractérisent le débat que nous allons analyser. D'une part, certains auteurs, qui ne retiendront pas davantage notre attention[1], préconisent toujours l'idée d'une « Monarchie universelle » héritage direct du Moyen âge. D'autre part, nous trouvons au début du XVIIe siècle deux écrivains qui se sont faits les avocats d'une Fédération internationale. Ce sont ces deux auteurs qui nous intéressent particulièrement.

Le premier de ces auteurs était presque inconnu à l'époque où il a vécu. *Éméric Crucé*[2] (1590-1648) était maître d'école à Paris. Nous ne savons pas grand chose de sa vie; il est certain, cependant, qu'il était né dans des conditions humbles, qu'il s'est fait religieux afin de pouvoir satisfaire son besoin d'études et de science (car nous allons voir que son sentiment religieux n'a rien du fanatique); qu'il s'est adonné à l'enseignement; que, s'il a pu suivre ses propres inclinations, il a surtout enseigné les mathématiques; qu'il a trouvé la plus profonde satisfaction dans ses méditations et ses recherches, dont nous trouvons surtout le résultat dans l'ouvrage qui va nous occuper; ses autres ouvrages sont sans intérêt spécial.

L'ouvrage qui nous intéresse est « Le Nouveau Cynée, » qui parut en 1623. C'est le premier traité tant soit peu complet du problème d'une organisation internationale qui se concilierait avec le principe de la souveraineté des États. Crucé est également le premier auteur qui, courageusement, adopte le principe d'une organisation universelle des États, dans laquelle seront admis les peuples non chrétiens,

1. Voir à leur sujet — il s'agit notamment de *Guillaume Postel* (1510-1581) et de Tommaso Campanella (plus haut p. 204) — Lange, *Hist. de l'Internationalisme*, I, p. 376-395.

2. Lange, *ouvr. cité*, p. 398-433 et la littérature y citée.

même le Turc. Il discute les principes de l'administration intérieure des États au point de vue des intérêts de la paix extérieure, et bien que ces solutions ne puissent plus être considérées comme admissibles de nos jours, c'est un mérite que d'avoir posé le problème. Il a également, avant tout autre auteur, étudié les problèmes économiques, comme « la liberté du commerce, » dans leurs rapports avec ceux de la paix.

Il va sans dire que nombreuses seront les objections qu'il faut formuler contre ses théories; c'est le sort des initiateurs des mouvements nouveaux et hardis. Néanmoins on ne pourra pas assez recommander la lecture de son ouvrage. Il déborde d'idées et de suggestions fertiles; il est en outre écrit dans un style vif et clair; avec raison on a appelé Crucé un élève de Montaigne.

Son point de départ est d'ordre moral : « Il faut avant toute chose déraciner le vice le plus commun et qui est la source de tous les autres, à savoir l'inhumanité[1]. »

La vie, la morale, est plus importante que la doctrine. « Je sçay qu'il est besoing de refuter les heresies, mais je n'en trouve point de plus grande, que l'erreur de ceux qui mettent la souveraine gloire en l'injustice, et ne recognoissent rien de löüable que les armes. » Crucé combat la guerre en soi, comme inhumaine, comme injuste, comme contraire à la morale et à l'intérêt bien compris des États et des individus. Il fait à ce sujet des professions de foi bien nettes; voilà comment il expose sa doctrine : « Il me semble quand on voit brusler ou tomber la maison de son voisin qu'on a subiect de crainte, autant que de compassion, veu que la société humaine est un corps, dont tous les membres ont une sympathie, de manière qu'il est impossible que les maladies de l'un ne se communiquent aux autres. »

C'est la déclaration très nette de la solidarité humaine et internationale, de l'interdépendance des nations. Crucé examine d'abord les causes de la guerre, les « quatre motifs de guerre. » Il conteste au sujet de l'honneur, le principe même de l'honneur guerrier; il n'y a point d'honorabilité à tuer et à nuire. La force, le courage physique sont des qualités inférieures : « O que l'honneur est une misérable chose s'il le faut acheter avec effusion de sang! » (p. 11).

Quittant le terrain moral pour se placer à un point de vue utili-

1. *Nouveau Cynée*, préface.

taire, Crucé énonce une des bases essentielles de son système : maintien du *statu quo* politique. La paix sert à consolider les monarchies alors que la guerre est « sans profit, » et Crucé dit ici clairement qu'il n'envisage pas seulement l'union de la chrétienté, mais une organisation vraiment mondiale.

L'auteur ne veut pas repousser entièrement le droit de défense. Il exprime à ce sujet la doctrine de la légitimité monarchiste, empreinte d'une grosse part de fatalisme. On ne voit pas clairement où intervient le jugement de Dieu, à quelle étape de la lutte un prince « doibt céder. » La considération qui domine, c'est l'intérêt de la paix, l'absence de troubles, et Crucé recommande aux princes dépossédés un expédient qui est l'arbitrage. Il prévoit une sorte de sanction à sa procédure d'arbitrage; l'arbitre désigné se joindrait au plaignant contre celui qui repousserait un règlement arbitral. Crucé n'hésite pas à proposer l'arbitrage pour les questions qui touchent « à la souveraineté et indépendance de l'État » et, une fois admis pour ces conflits, ce procédé ne saurait être repoussé pour les litiges de moindre importance. Il est caractéristique que dans les graves questions d'ordre politique, Crucé veut confier les fonctions d'arbitres aux Princes, alors que son « Assemblée générale » suffirait dans les autres controverses; c'est peut-être une conséquence de sa grande vénération pour les têtes couronnées; mais il n'est pas interdit de penser qu'incidemment il ait eu en vue une sanction efficace, afin de garantir l'application de l'arbitrage.

Crucé passe à la quatrième cause des guerres — celles qui sont faites « pour l'exercice » — et il discute la question de savoir comment il faut donner de l'exercice aux hommes en général. Ses développements sont intéressants parce qu'il est ainsi amené à exposer sa théorie des valeurs morales.

La force armée est nécessaire pour maintenir les monarques sur leurs trônes, mais que les princes prennent garde, car les soldats peuvent devenir dangereux; et Crucé est même amené à envisager la possibilité d'un désarmement. Il prévoit l'objection que « la valeur (c'est-à-dire la vaillance) serait abastardie par le moyen d'une paix générale. » Il y a des tournois et autres jeux d'armes; il y a la chasse et enfin la guerre contre les peuples sauvages. Mais avant tout, Crucé fait valoir d'autres métiers plus honorables que celui des armes, et c'est l'idéal du tiers-état travailleur qui se trouve ainsi opposé à l'idéal guerrier. Il exalte surtout le commerçant, et ceci l'amène à exposer des théories économiques non moins révolutionnaires : il combat les droits de douane excessifs d'alors, qui ne font que renchérir la vie.

Le développement du commerce sera même « le plus beau fruict » de la paix universelle. Afin de faciliter le trafic, il faut canaliser les rivières, les rendre navigables. Il propose même de « joindre deux mers » par un canal, il en cite des exemples historiques, et suggère la construction d'un canal en Languedoc, conformément au plan qu'en aurait préconisé François Ier. Il s'écrie avec une émotion qui se communique au lecteur : « Quel plaisir seroit-ce, de veoir les hommes aller de part et d'autre librement, et communiquer ensemble sans aucun scupule de pays, de ceremonies, ou d'autres diversitez semblables, comme si la terre estoit, ainsi qu'elle est véritablement, une cité commune à tous? » (p. 36).

A défaut du commerce, « il y a d'autres mestiers qui conuiennent au menu peuple. » C'est un idéal de travail utile que Crucé oppose à l'idéal guerrier. Pourtant il y a d'autres occupations qui pourraient servir d'exercice aux hommes : il y a les sciences, et tout d'abord la médecine et les mathématiques, tandis que les autres sont médiocrement estimées.

C'est là un chapitre très important. Ce n'est ni plus ni moins qu'un exposé de la doctrine positive du pacifisme : la noblesse réelle du travail et de tous les arts qui enrichissent la vie, opposée à la soi-disant noblesse de l'épée et de la guerre, « bonne pour la République des bestes, qui n'ont que les dents et les griffes. » Crucé ne s'est pas contenté de dépeindre les horreurs et les tragédies de la guerre; il néglige même cet aspect critique, pour ainsi dire négatif, de la doctrine pacifiste, pour exalter les forces créatrices de la vie.

Crucé fait encore un exposé très intéressant au sujet de « l'antipathie qui se trouve entre plusieurs peuples » et ses paroles mériteraient d'être encore entendues de nos jours. Les antipathies de religion sont dues à des préjugés invétérés, mais mal fondés. L'auteur préconise une tolérance réciproque de leurs religions entre les États. Il se moque des esprits bornés qui croient « que tous sont tenus de viure comme luy, » et après des déclarations révolutionnaires, il sent le besoin de confirmer son orthodoxie. C'est un nonsens, dit-il encore, de faire des conversions par l'épée; en pleine époque des guerres de religion, ce moine de Paris s'élève contre le principe politico-religieux de son temps. Sa conclusion est que « la différence de religion ne peut empescher la paix universelle. » Mais il n'admet pas la création de nouvelles sectes qui puissent troubler l'État; c'est là une application de son principe essentiellement conservateur de préserver le *statu quo* dans les rapports religieux comme au point de vue territorial.

Crucé expose ensuite ses idées sur l'organisation de la paix. Ici il est important de noter qu'il vise non seulement à la création d'une « République chrestienne, » mais vraiment à une organisation mondiale dans laquelle il veut faire entrer aussi l'Empire Turc. Il veut fixer une assemblée directrice à Venise, sorte de Conseil Européen de surveillance et de pacification.

Crucé discute longuement — en vrai enfant de son époque — le problème épineux de la préséance. Le premier rang sera au Pape, lesecond au sultan, le troisième à l'Empereur, le quatrième au roi de France, à cause des qualités militaires de sa nation, raisonnement qui peut surprendre de la part d'un pacifiste convaincu; l'Espagne n'aura donc que la cinquième place, ce qui ne correspond certainement pas à l'opinion générale des contemporains.

L'énumération complète montre jusqu'à quel point Crucé vise une organisation mondiale. Mais la question de la compétence et des attributions de son « assemblée » nous intéresse beaucoup plus que ce problème de préséance, qui semble être pour lui le problème fondamental.

Il ne s'agit pas d'une cour d'arbitrage, mais d'une sorte de Conseil permanent de surveillance et de pacification. Si l'une des parties en conflit refuse de se plier à la décision de la majorité, Crucé veut que le reste des États s'allient à l'autre partie pour soumettre le récalcitrant à la volonté générale. Il s'agit ici d'une véritable sentence exécutoire, et Crucé doit donc être considéré comme le premier avocat des États-Unis du monde.

Mais notre auteur n'est ni un logicien rigoureux, ni un penseur précis. Il laisse toute son organisation dans la pénombre des indications sommaires et vagues. Il tient les Provinces-Unies en médiocre estime, ce qui ne témoigne pas de sa sagacité politique; d'autre part il veut donner aux représentants des républiques une voix prépondérante en cas de partage égal des avis.

Il est évident que le problème juridique a très peu intéressé l'auteur. Son livre retiendra davantage le philosophe et le sociologue que le juriste. Aussi convient-il de terminer par le passage suivant, dans lequel Crucé exprime sa foi pacifiste.

« Que si quelques Princes ne s'en contentent, qu'ils s'en rapportent au iugement des autres. Cela ne diminuera rien de leur authorité, au contraire on les estimera d'autant plus louables, qu'ils se soubsmettront volontairement à la raison. Car il ne faut point dire que la raison est au bout de l'espee. Ceste rodomontade appartient aux sauvages. Les anciens Gaulois s'en sont mal trouuez, quand ils respondirent aux ambassadeurs Romains, que tout estoit aux plus forts. L'issuë funeste de leur entreprise monstre bien que ceux qui rebutent la raison pour maîstresse, tombent finalement en la puissance de leurs ennemis, qui les maistrisent bien autrement, et leur font sentir, que c'est de s'asseurer en telles brauades. » (p. 69.)

C'est cette partie du livre de Crucé qui a le plus intéressé jusqu'ici les auteurs. Aussi ce chapitre est-il assez bien connu dans la littérature. Du point de vue qui nous intéresse, il était aussi essentiel d'étudier les idées de Crucé sur les causes de la guerre, chapitre dans lequel il expose ses idées pacifistes.

Dans la troisième partie du *Nouveau Cynée*, et qui en est la partie la plus considérable, Crucé développe ses idées sur la pacification intérieure des États. Ce chapitre ne nous retiendra pas longtemps; il suffit de constater que pour lui la paix, la tranquillité de l'État est la considération suprême au dedans comme au dehors. Il envisage la paix comme la garantie de la permanence de l'état actuel des choses. Enfin, dans une quatrième et dernière partie, notre auteur se fait l'avocat de la *Liberté du commerce* : il y voit une autre garantie de la permanence de la paix.

Le titre de son ouvrage[1] nous dit qu'il considère cette liberté comme aussi essentielle pour le bien-être des États que la paix universelle elle-même. Il ne discute point spécialement le problème du protectionnisme ou des tarifs douaniers, et en tout cas il n'a pas d'objection à leur égard. Ce qui l'intéresse c'est la liberté du trafic

1. Le nouveau Cynée ou « discours d'Estat représentant les occasions et moyens d'establir une paix generalle et la liberté de commerce par tout le monde. Aux monarques et princes souverains de ce temps. Em. Cr. Par. A Paris, 1623....

et des relations commerciales. Il avait déjà dit à l'occasion des impôts sur le luxe qu'il avait préconisés :

« En quoy il n'est pas besoing de faire distinction entre le marchand subiect et l'estranger, comme plusieurs Princes font aujourd'huy. Car la condition du trafic doibt estre par tout esgalle, principalement en une paix universelle, où il est question de se maintenir en bonne intelligence avec tout le monde. » (p. 172.)

Et dans le quatrième chapitre de son livre il reprend cette idée et la développe avec beaucoup de force. C'est un devoir des princes, dit-il, que de sauvegarder les droits des étrangers paisibles et loyaux, dans l'intérêt de la paix universelle.

C'est un grand mérite d'avoir été l'avocat d'une politique si large et si libérale à l'époque même du mercantilisme, qui préconisait l'État fermé et favorisait toujours les nationaux. Afin de faciliter le trafic, il faudrait arriver à un accord international sur la valeur de la monnaie, afin d'empêcher l'avilissement constant des pièces d'argent. Il faut également uniformiser les poids et mesures dans l'intérêt du trafic, qui servira les deux parties qui l'exercent, et partant de la société humaine en général.

Crucé passe enfin à la question des moyens de réalisation de ses projets : « Mais pour bien commencer cest affaire, il faudroit qu'un puissant Prince exhortast tous les autres à suiure le règlement susdict, afin que les passages estans libres et le commerce estant ouuert par le moyen de la paix, on puisse trafiquer par tout sans dommage. Il n'y a personne qui soit plus capable de cela que le Pape. C'est son deuoir de moyenner une concorde générale entre les Princes Chrestiens. Et pour le regard des Mahométans, qui font une notable partie du monde, le Roy de France pour le crédit et réputation qu'il a parmy eux, pourra plus aysément les faire condescendre à la paix.... On a veu depuis vingt ans les deux plus grands Princes de la chrestienté deux fois reconciliez par l'entremise d'un simple religieux. A plus forte raison nous devons espérer une bonne paix, si les souuerains s'en meslent. Dieu qui manie le cœur des Roys les veuille disposer à une si saincte entreprise, afin de faire cesser tant de maux, et de ramener ce beau siecle que les anciens théologiens promettent après la reuolution de six mille ans. Car ils disent qu'alors le monde viura heureusement et en repos. Or est-il que ce terme est tantost expiré, et quand il ne le seroit pas, il ne tient qu'aux

Princes de donner par aduance ceste félicité à leurs peuples. » (p. 220-22.)

Crucé finit sa plaidoirie par un tableau saisissant des misères de la guerre :

« Que voulons-nous faire auec ces armes? Viurons-nous tousjours à la façon des bestes? Encore si nous procédions en cecy d'une pareille modération. Car elles ne se battent iamais en troupe, et ne se font point la guerre sinon lors que la faim les presse ou quelque autre nécessité les pousse. Les hommes forment une querelle pour peu de chose, quelquesfois de gayeté de cœur ils se mettent en campagne, non pour combattre seul à seul, mais dix mille contre dix mille afin d'auoir le passe-temps de voir un tas de morts et les ruisseaux de sang humain coulans parmy la plaine. » (p. 222-23.)

Le livre de Crucé a passé inaperçu et seule une postérité lointaine lui a réservé une réhabilitation tardive.

Il aurait mérité un meilleur sort. S'il est vrai que sa conception politique est primitive et mécanique, il doit être honoré comme l'un des précurseurs du mouvement moderne pour l'arbitrage. Si son livre avait trouvé meilleur accueil il aurait pu exercer une influence très importante dans le développement des idées morales et des conceptions internationalistes. Il est en réalité le premier internationaliste véritable; il accorde une place même à la Turquie, même à la Chine; le premier, il a vu clairement le rapport intime qui existe entre le trafic libre, les intérêts du commerce, l'échange des produits de tous les pays d'une part, et la paix internationale de l'autre.

Il met en relief l'idéal positif du pacifisme, idéal de travail dans les domaines économique et intellectuel, et cela est une pensée tout à fait nouvelle; jusqu'alors on s'était borné à prêcher contre la guerre en moralistes ou en chrétiens.

Émeric Crucé est le premier qui ait essayé d'approfondir cette idée, qu'il y a plus de noblesse dans le travail productif de la paix que dans la vaillance meurtrière et destructive de la guerre. Il doit être considéré sous ce rapport comme un précurseur des moralistes et des philosophes bourgeois des XVIIe et XVIIIe siècles, qui par leur enseignement ont préparé la chute de l'aristocratie militaire des cours royales et frayé les voies au pouvoir pour le tiers-état.

Émeric Crucé, sous certains rapports, a même devancé Addison et Hume, Voltaire et Rousseau.

Le duc de Sully et le Grand dessein[1]. — Il n'est pas surprenant que le « Grand Dessein du Roi Henri IV, » tel qu'il a été développé dans les *Mémoires des sages et royales Œconomies d'Estat domestiques, politiques et militaires de Henry le Grand* par son ministre le duc de Sully, ait obtenu une célébrité qui forme un contraste frappant avec l'oubli complet où tomba le modeste ouvrage du « magistellus » parisien. Le seul nom de Sully suffit pour attacher aux idées qu'il exposait un prestige particulier : ce ministre avait été la main droite de son roi pendant quatorze ans; il fut Pair du Royaume, riche, considéré. Mais Sully sut encore, dans ses Mémoires, attacher tout particulièrement le nom de son maître royal au Grand Dessein de pacification qu'il chérissait. Ses Mémoires s'efforcent de créer l'impression que ce Grand Dessein avait été pour ainsi dire le projet favori du Roi Henri de Grand, comme il aime à l'appeler, le pivot de sa politique étrangère. Et il suffit de se rappeler la haute renommée du Roi Henri pour comprendre la sensation que devait éveiller l'information, donnée par son ministre, que ce roi, fondateur de la paix religieuse en France, arbitre de plusieurs conflits entre États, la figure principale de la politique européenne au début du XVIIe siècle, que ce roi avait entretenu sérieusement le rêve d'une pacification permanente de l'Europe.

Aussi ce « Grand Dessein » a-t-il servi d'argument suprême aux pacifistes, depuis l'abbé de Saint-Pierre à travers le XVIIIe siècle jusque tard dans le XIXe siècle. Toutefois la critique historique a prouvé que le « Grand Dessein » n'a aucun rapport avec Henri IV ou avec sa politique. Il a son origine exclusive dans l'imagination du duc de Sully.

La carrière de cet homme d'État est bien connue. Il était le ministre fidèle du Grand Roi Henri IV qui l'avait comblé d'honneurs et de privilèges. Mais son rôle politique prit fin brusquement, dès la mort du roi (1610). Sully en garda rancune à ses successeurs. Il était encore dans la force de l'âge et jusqu'à la fin de sa longue vie

1. Lange, *ouvr. cité*, p. 434-476, et la littérature citée. — Édition des Mémoires de Sully dans Michaud et Poujoulat, *Nouv. collection des Mémoires pour servir à l'Histoire de France*, 2e série, II-III. Il faut se défier des éditions arrangées, telle celle de l'abbé de l'Écluse des Loges et autres.

(il n'est mort qu'en 1641, à l'âge de quatre-vingt-un ans), il devait guetter en vain l'occasion d'un retour au pouvoir. Ces déceptions, ces loisirs forcés et mal supportés créèrent les conditions psychologiques d'où sont nés ses Mémoires. Par eux Sully a voulu soutenir non seulement le renom de son maître royal, mais encore sa propre réputation. En outre, il avait toujours eu des ambitions littéraires. Il est évident que sa vanité ne lui a pas permis de se contenter d'un récit simple et sans parure de sa vie et de son activité. Il fait et refait toujours ses périodes. Sa vanité lui fait adopter un artifice unique dans la littérature; la plupart des mémoires sont rédigés à la première personne et quelques-uns à la troisième; ceux de Sully sont à la deuxième personne. Il se fait raconter à lui-même l'histoire de sa vie par ses secrétaires. Vaniteux, il ne voulait rien déguiser de ses hautes actions et des louanges que le roi lui adressa; discret, il ne voulait point chanter sa propre gloire; et voilà pourquoi, comme écrit Sainte-Beuve, « il se fait renvoyer ses souvenirs sous forme cérémonieuse, obséquieuse; il assiste sous le dais et prête l'oreille avec complaisance à ses propres échos. »

C'est pendant les vingt années allant de 1617 à 1638, que Sully a développé la fiction d'un « Grand Dessein » qui serait dû à Henri IV, plan grandiose de pacification de l'Europe entière, se basant sur trois ou quatre idées très simples. Ces idées ne sont en partie qu'ébauchées, et ne se dégagent pas ou qu'imparfaitement du chaos des lettres, des notes, des documents amassés. Il y a souvent des contradictions palpables, le tout est un témoignage du peu de véracité que porte le récit de cette fiction; la loquacité, les répétitions, les contradictions y ajoutent une impression de sénilité, après tout explicable, si l'on se rappelle que Sully avait en 1638 soixante-dix-huit ans.

Malgré tout, les économies d'État de Sully restent une source historique précieuse.

Ce n'est que de la fiction du « Grand Dessein » qu'il faut se défier; et surtout il faut toujours, lorsqu'on veut étudier ses conceptions, avoir recours aux éditions primitives ou aux rééditions consciencieuses et complètes (Voir note p. précédente...). Une première rédaction avait été achevée en 1617. Ce texte, qui n'existe qu'en manuscrit, a un tout autre caractère que celui de l'édition imprimée : la différence réside surtout dans l'absence totale de références au « Grand Dessein » proprement dit. Dans cette rédaction manuscrite, la politique d'Henri IV est représentée comme ayant eu des buts assez ambitieux, mais purement utilitaires et certainement réalisables; il s'agissait de réduire l'Espagne à la seule péninsule ibérique, d'humilier l'Autriche et de partager les dépouilles de ces deux maisons entre divers princes. Il est vrai que déjà dans cette rédaction primitive les historiens ont relevé des inventions dues à Sully; mais elles se placent assez raisonnablement au service d'un plan bien conçu, visant l'établissement d'une suprématie française en Europe. Et Sully a soin de laisser pour le moins entrevoir que les hauts projets sont plutôt ses propres rêves que ceux du roi lui-même; s'il a grandi son rôle personnel, c'est surtout comme le conseiller hardi du roi, aux vues grandioses.

Pourquoi n'a-t-il pas fait paraître alors son travail? Probablement, il n'a pas voulu courir le risque de compromettre son avenir politique. C'est pendant les vingt années suivantes qu'il y introduit tous les éléments essentiels de son « Grand Dessein » : quelques-uns se greffent tout naturellement sur la trame primitive; la suprématie française présuppose des relations suivies avec toute une clientèle d'États, et on peut relever déjà dans la rédaction primitive la formule « association très chrétienne. » De là il n'y a — au XVIIe siècle — qu'un pas à la conception d'une croisade contre les Turcs, et on peut même trouver dans des lettres authentiques d'Henri IV, des allusions à cette idée. D'autre part une conciliation religieuse en Europe, sur la base de la reconnaissance des trois confessions (catholique, luthérienne, réformée), ne serait après tout qu'une application en grand du principe de la politique religieuse suivie par Henri en France.

L'originalité de Sully réside dans la combinaison particulière de divers éléments : « Paix universelle, » « République chrestienne » et dans sa tentative pour donner un corps à ces doctrines en les entourant de l'auréole de son royal maître.

Cette supercherie littéraire a été dévoilée[1], et il n'est plus permis de parler du « Grand Dessein » d'Henri IV, comme le faisaient les pacifistes d'autrefois, et encore quelques-uns de nos jours. Le « Grand Dessein » n'appartient qu'au duc de Sully.

1. Voir surtout Pfister, dans la *Revue historique*, vol. LIV-LVI (Paris, 1894) et Kükelhaus,, *Ursprung des Planes vom ewigen Frieden in den Memoiren des Herzogs von Sully*, Berlin, 1893.

Il s'agit pour nous de relever dans les Mémoires de Sully, d'une part les traces d'une conviction pacifiste; comment envisage-t-il le problème de la guerre? d'autre part ses vues sur le problème d'une organisation internationale. Nous allons donc successivement examiner les parties vraiment importantes des Mémoires, en laissant de côté les nombreux passages qui ne servent qu'à étayer la fiction qu'a voulu entretenir Sully.

Nous retrouvons dans les rédactions successives des « Oeconomies d'Estat, » quelques idées fondamentales que l'auteur remet toujours sur le chantier; il s'agit de créer une pacification confessionnelle en Europe, d'assurer la paix politique par un remaniement territorial en vue d'établir un équilibre de puissance. Sully développe aussi la conception d'une égalisation des territoires. Plus tard vient s'ajouter à ces conceptions l'idée d'un Conseil commun destiné à devenir « l'arbitre amiable » de tous les différends entre les États, et qui aurait encore pour tâche « de demener une guerre continuelle contre les infidèles, » idée par laquelle il se place en opposition irréductible avec la conception de son contemporain, le modeste « magistellus; » il ne faut pas oublier qu'à cet égard, Sully fut de son temps, alors que Crucé le dépassa de loin.

La pièce capitale dans laquelle se développent ses idées définitives sur la pacification de l'Europe se trouve dans le deuxième volume de ses Mémoires, page 323 et suivantes[1].

Cette pièce, les « Nouveaux développements, » est expressément attribuée à Henri IV.

Les deux premiers chapitres (CXCVII et CXCVIII) forment une introduction historique et ne nous intéressent guère; mais nous pouvons relever l'idée de Crucé de donner une base économique à la fédération politique. Sully complète l'idée de la liberté du commerce par celle de la « porte ouverte » dans les Indes. Il a vu que l'exclusivisme serait fatalement une source de conflits et de guerres, mais il se borne à effleurer ce problème.

Les « cinq chefs principaux » sous lesquels sont énumérés les bases du projet ne nous apprennent rien de nouveau au point de vue des principes. Le troisième cependant — « à donner quelque forme à sept conseils, à sçavoir, un qui serait universel, et six

1. Édition de *Michaud et Poujoulat*, 2e série, III.

particuliers qui auroient soin d'entretenir en amitié et bonne union tous les potentats chrestiens, et de terminer promptement tous les différends qui pourroient intervenir entr'eux » (p. 344-45) — apporte une forme d'organisation toute nouvelle, différente des projets qui précèdent.

Sully prévoit quinze dominations en Europe et il les passe en revue, en distinguant « trois diverses natures. » Nous nous bornerons à relever tout ce qui a une portée internationale.

Si la puissance du Pape est augmentée par l'adjonction du royaume de Naples, l' « Empire » est réduit à son état primitif, l'élection, et des garanties seront instituées contre le retour du principe héréditaire. Le royaume de Hongrie doit être « comme un puissant rempart contre le redoutable empire des Turcs » et c'est pourquoi son domaine est considérablement accru. Il en est de même de la Pologne qui sert de rempart contre « le Turc, le Moscovite et le Tartare. » Elle sera constituée en royaume électif, comme le royaume de Bohême d'ailleurs, avec huit souverains ayant le droit d'élection. La Seigneurerie de Venise sera également placée sous leur protection, et quant à l'Espagne, royaume héréditaire, sa réduction en la péninsule ibérique serait un grand avantage pour l'État.

Il n'y a rien à faire observer des autres royaumes; restent les trois états de « subsistance populaire » — nous dirions républiques fédératives. La « République helvétienne » se verra agrandie, ainsi que la « République des Belges » formée des Provinces-Unies et des Pays-Bas espagnols. Enfin, il est formé une « République d'Italie, » placée sous la suzeraineté du Pape.

Sully ne veut pas admettre la Russie dans sa république chrétienne. D'abord l'Empire s'étend jusqu'en Asie, et les démêlés avec les Tartares, les Turcs et les Persans engageraient trop la responsabilité des chrétiens; en second lieu, les habitants sont barbares et farouches; enfin, ceux d'entre eux qui sont chrétiens n'ont pas embrassé une des trois confessions admises dans la « république » de Sully.

Il convient d'ajouter à ce résumé rapide un regard d'ensemble sur les idées de Sully.

Il faut admettre qu'il a obtenu l'égalisation des territoires sur laquelle il insiste avec tant de force. Il n'y a aucune puissance qui puisse à elle seule dominer l'Europe. L'Espagne et l'Autriche sont réduites à des puissances de second ordre. La France aurait pu avoir une situation prépondérante; mais Sully a soin de placer à sa frontière de l'est deux républiques secondaires, mais fortes. Son projet eût assuré à la France une sorte d'hégémonie plutôt qu'une vraie suprématie. Il faut rendre à Sully cette justice qu'il semble avoir pressenti l'importance du principe des nationalités. Les nouveaux États qu'il propose y sont au fond assez conformes. Nous trouvons chez lui un passage qui pose très nettement le principe des nationalités : en pleine époque absolutiste, il a pénétré jusqu'aux bases mêmes des sociétés politiques.

Il a vu aussi que ce serait folie de vouloir éterniser le statut territorial, et il faut signaler le rôle joué par les huit puissances principales en Europe : le Pape, l'Empereur et les six rois « héréditaires. » Ces puissances auraient formé une sorte de « Concert européen » dont l'influence aurait été très grande.

Au point de vue religieux, Sully reconnaît trois confessions dans sa « République » : romaine, protestante et réformée. Il pose le principe de l'unité confessionnelle : toutefois, la minorité dissidente possède une sorte d'appel auprès des sept conseils réunis. Il n'est pas question de liberté religieuse proprement dite, et au sein d'un État la tolérance n'est même pas reconnue.

Il s'agit au fond pour Sully de créer une sorte d' « équilibre politique » entre les confessions. L'idée d'une liberté religieuse individuelle était inconnue au début du XVIIe siècle. Sully a voulu abolir la tolérance accordée dans certains pays à des sectes dissidentes, en Pologne par exemple.

L'organisation internationale proprement dite est conçue dans un tout autre esprit que dans le projet précédent. Sully propose la création d'un « Conseil général » et de six « Conseils particuliers. »

Le premier serait formé de « quarante personnages fort qualifiez » et sa compétence est ainsi formulée : « Le Conseil général prendra connoissance des propositions universelles, des appellations interjettées de conseils particuliers, et de tous desseins, guerres et affaires qui importeront à la république très chrestienne. » C'est une institution en même temps administrative et judiciaire. Le Conseil sera itinérant, mais le lieu de sa résidence, qui sera fixé d'année en année par l'une des quinze dominations par tour de rôle sera toujours pris parmi quatorze villes spécifiées, et qui sont toutes situées dans l'Europe centrale, dans les pays du Rhin et ceux de ses affluents.

Au sujet des « six Conseils particuliers » Sully n'indique que le lieu de résidence de chacun d'eux : au fond son organisation n'est qu'ébauchée : son intérêt va au remaniement territorial et cela ne peut nous étonner chez un ancien ministre du XVIIe siècle.

Sully expose ensuite son plan pour « faire puissamment la guerre aux Turcs. » La Croisade n'est qu'un moyen pour garantir « une bonne et parfaite union » dans la chrétienté. Cette guerre resserrera les liens de la République chrétienne et elle occupera les gens de guerre, ce que nous avons déjà vu chez Érasme. La même idée se retrouve chez *La Noue*, auteur français du siècle précédent[1].

En ce qui concerne le maintien de cette « universelle république tres-chrestienne » « en une assiette tousjours tranquille » Sully dit fort peu de chose et on peut être surpris de cette modestie chez le fertile auteur du « Grand Dessein. »

C'est avant tout dans le remaniement territorial qu'il faut voir l'originalité de Sully et son importante contribution au débat internationaliste. Il a insisté avec beaucoup de force sur cette pensée très juste que pour créer une organisation internationale il faudrait lui donner des bases plus solides que ne le représentait le système européen d'alors : il a pressenti que tout internationaliste devait commencer par faire une large part à un nationalisme bien compris.

Ses solutions sont imparfaites. Comment ne le seraient-elles pas? Et ses successeurs, qui n'ont pas toujours compris le grain de vérité que recèle le Grand Dessein, se sont le plus souvent bornés à continuer les rêves oiseux visant les remaniements territoriaux des pays d'Europe. Ainsi il a fait école, et par la grande autorité qui s'attachait à son nom et encore davantage à celui de Henri le Grand, il est devenu responsable de cet utopisme inutile et même franchement nuisible qui a souvent caractérisé l'internationalisme moderne.

Parce qu'il fut utopiste dans le point de départ de son raisonnement, Sully ne put pas montrer à l'Europe l'issue du cercle vicieux dans lequel elle fut condamnée à s'agiter par le principe d'équilibre.

1. Voir mon *Histoire de l'Internationalisme*, I, p. 336 et suiv.

Les traités de Westphalie ont consacré le principe d'arrangement confessionnel préconisé par Sully; ils ont également réalisé, au moins en partie, ses rêves d'une réduction des deux branches de la maison d'Autriche. Mais ils n'ont pas institué cette « République chrestienne toujours pacifique en elle-même » que Sully préconisait. Un remaniement territorial, tel qu'il le voulait, aurait été trop radical, et l'organisation internationale projetée par lui aurait été trop imparfaite. Mais même cette organisation imparfaite dépassait de beaucoup les forces intellectuelles des hommes d'État d'alors.

CHAPITRE VI

LA SCIENCE DU DROIT INTERNATIONAL TRAITÉS DE WESTPHALIE

C'EST au début des temps modernes que le droit international se constitue en science autonome; elle a deux sources distinctes. D'une part elle se rattache de très près à l'humanisme; nous allons voir que par exemple Hugo Grotius, sous plusieurs rapports, doit être considéré autant comme humaniste que comme juriste. D'autre part la science du droit international tient à la théologie du Moyen âge. La théologie, la science de Dieu et des relations entre Dieu et les hommes, entre Dieu et la nature, embrasse toute science, en première ligne les sciences morales. Ce sont les canonistes qui, au Moyen âge, formulent les premiers les principes de la science du droit, si intimement liée à la philosophie et à la morale, et il en est ainsi notamment du droit international, parce que cette branche de la science juridique, dénuée de sanction effective, sans la base d'une législation suivie, devait avoir longtemps plutôt le caractère de théories sur le droit que d'un exposé de droit positif. C'est avant tout un problème d'ordre moral qui préoccupe les fondateurs du droit international, celui de la légitimité de la guerre.

Lentement, cependant, la science de droit international se dégage de la théologie et se constitue en science autonome. Ce fait nous intéresse. Il ne s'agit pas pour nous en première ligne d'étudier l'histoire du droit international. C'est avant tout son *apparition* qui est importante à notre point de vue, parce qu'elle prouve l'intérêt plus grand qu'éveillait au XVIe et au XVIIe siècle le développement des relations internationales[1]. Ces rapports se présen-

1. Voir Lange, *Histoire de l'Internationalisme*, I, p. 262 et suiv. Nys, *Origines du Droit international*, Bruxelles-Paris, 1894.

tèrent sous un autre aspect dans les temps modernes qu'auparavant. La société « chrétienne » du Moyen âge n'existe plus, elle est remplacée par une juxtaposition d'États « superiorem non recognoscentes. » Comment régler leurs relations? Existe-t-il un lien entre eux? Forment-ils une société. Voilà les problèmes qui passionnent les esprits? Puis plusieurs circonstances spéciales ont favorisé la constitution du droit international en science autonome. Le commerce plus intense multiplie les relations internationales, et ces relations commerciales tendent à devenir, non des rapports entre personnes privées, mais entre des États qui prennent fait et cause pour leurs ressortissants et essayent même de servir leurs intérêts nationaux, en général, par l'appui donné aux entreprises commerciales.

Cet intérêt pour le développement du commerce ne prime pas encore les intérêts politiques proprement dits. Les États sont avant tout des institutions dynastiques : leur activité au dehors se dirige vers l'extension de leur territoire, vers une politique de conquête. Ils vivaient tous dans un monde dangereux, et c'est ainsi que s'explique l'origine d'un service de diplomatie permanente. Ici encore c'est l'Italie qui initia l'Europe à la vie internationale. C'est en Italie que quelques États instituent des ambassades permanentes dont la mission était, pour ainsi dire, de servir d'espions politiques, plutôt que de faire office d'intermédiaires constants.

Les rapports commerciaux, les relations diplomatiques posent des problèmes spéciaux. La nouvelle science du droit des gens les étudie et quelques questions d'ordre universel préoccupent déjà les esprits, comme la « piraterie, » l'existence d'un « droit maritime » ou la « liberté des mers. » Mais une mentalité internationale n'existait pas. Même le principe de l' « équilibre européen » n'est point l'expression d'une conviction de l'unité de l'Europe[1].

L'idée d'une unité chrétienne pouvait avoir une certaine importance pour les auteurs catholiques, mais il n'en est pas de même pour les protestants, car le grand résultat de la Réforme fut la disparition de la domination religieuse de Rome et la laïcisation complète de l'État. Il fallait un autre principe pour écarter l'anarchie internationale, et ce principe est fourni par la théorie

1. Cf. plus haut, p. 221.

du « droit naturel. » Le « droit naturel », comme l'a dit *Höffding*, est « une expression mythologique de l'image idéale qu'on se forme de la constitution et du développement de la société. »

Nous n'essayerons pas de suivre ici le rôle important qu'a joué la fiction d'un droit naturel pour le développement des théories constitutionnelles à l'intérieur des États. Pour grand qu'ait été ce rôle, il est permis de croire que la fiction a été plus importante encore pour la constitution d'une science de droit international, et ainsi indirectement pour l'évolution d'un corps de doctrines sur les droits et les obligations des États entre eux.

Deux auteurs représentent la première étape de l'évolution de la science du droit international vers l'autonomie : ce sont deux canonistes doués d'un esprit pénétrant, et qui marquent la transition entre le Moyen âge et les temps modernes.

Le premier, *Franciscus a Victoria*[1] (1480-1546) est un dominicain qui, pendant de longues années, professa la théologie à l'Université de Salamanque, où il réunit autour de sa chaire des foules d'étudiants et d'auditeurs. Il fut en outre consulté par les princes contemporains sur les cas de conscience qui les intéressaient. Aussi a-t-on toujours, en lisant Franciscus, l'impression d'écouter un confesseur discutant avec ses pénitents les problèmes moraux ou religieux qui lui sont soumis.

Franciscus fut le contemporain des grandes découvertes géographiques, des guerres d'Italie, de la Réforme; il vit naître une Europe nouvelle, pénétrée de l'esprit de la Renaissance, dominée par la soif de la liberté et de l'indépendance. Il vit paraître les nouvelles puissances, mais dans son enseignement, cependant, il insista sur l'idéal du Moyen âge, sur les obligations morales, sur l'unité du genre humain.

Franciscus a laissé plusieurs ouvrages; le seul qui nous intéresse est les *Relectiones*, qui ne traite pas expressément du droit international, mais qui expose des cas de conscience, de nature à intéresser les futurs confesseurs des princes ou des particuliers.

1. Pour cet auteur et ceux qui suivent, cf. le recueil de monographies, publié sous le titre : *Les fondateurs du droit international*, avec une préface de M. Pillet (Paris, 1904). Nys, *Origines*; Lange, *ouvrage cité*, p. 269 et suiv., avec des références bibliographiques aux sources.

Ainsi, dans une de ses « Relectiones, » il expose le problème de l'organisation internationale en général : il est franchement unitaire, il partage encore l'idéal du Moyen âge; la conséquence en est que toute guerre, au fond, devient une guerre civile :

« Nulle guerre n'est légitime, s'il est évident qu'elle est menée au détriment de la République[1], plutôt qu'à son profit et avantage, quel que soit le nombre d'arguments par lesquels elle est appuyée. Et puisqu'un État n'est qu'une partie du monde entier, puisque, encore davantage, une province chrétienne n'est qu'une partie de toute la République, j'estime que même si une guerre est utile à une province, ou à un État, mais que d'autre part elle est au détriment du monde ou de la Chrétienté, alors la guerre est par cela même injuste. Si par exemple une guerre de l'Espagne contre la France était entreprise pour des motifs justes, et qu'elle fût sous d'autres rapports utile au royaume d'Espagne, mais que, toutefois, elle fût menée avec un préjudice plus grand et aux risques de la Chrétienté (si par exemple les Turcs occupent, sur ces entrefaites, les provinces des Chrétiens) alors il faudrait s'abstenir de telle guerre[2]. »

Mais Franciscus voit bien que, d'une part, la société internationale dépasse les limites de la Chrétienté, et que, d'autre part, elle est composée d'États. Ce n'est qu'incidemment d'ailleurs que notre auteur émet ces idées.

C'est en discutant les rapports des Espagnols avec les « Indes » que Franciscus développe ses idées sur le droit international. Il les expose à propos d'un problème qui est au premier rang des préoccupations internationalistes d'aujourd'hui, et qu'on pourrait appeler le problème des « peuples mineurs. »

Les « Indiens » sont incapables de se gouverner eux-mêmes; il y a donc un argument en faveur de la domination espagnole. Franciscus ne se prononce pas; on dirait un « impérialiste » éclairé, et voici comment il conçoit les relations internationales : il y a unité initiale du genre humain; il y a l'amour mutuel entre les hommes qui est un précepte du droit de la nature et de la religion; il y a encore les besoins réciproques, qui sont satisfaits par le commerce et les échanges internationaux. Si les Indiens résistent, il n'y a

1. La République « chrétienne, » donc la communauté des États chrétiens.
2. *Relectiones Theologicae tredecim* (Venise, 1626), p. 112.

d'autre solution que celle des armes : toute guerre faite dans un semblable but est légitime. La légitimité de la guerre intéresse Franciscus au plus haut degré, et quand il discute le problème, il envisage quatre questions principales.

1° Est-il permis aux chrétiens de faire la guerre? question qui n'est qu'effleurée.

2° Qui a le droit de faire ou de déclarer la guerre? et Franciscus n'arrive pas à établir un critère juridique pour la légitimité d'une guerre.

3° Quelles peuvent et doivent être les causes d'une guerre juste?

4° Qu'est-ce qui est permis, et jusqu'à quel point, contre les ennemis dans une guerre juste?

En résumé, Franciscus a Victoria a surtout servi l'évolution du droit international par sa conception très nette de l'unité du monde entier. Il a poussé à la laïcisation du droit international; il représente, ne perdant jamais de vue les exigences idéales d'humanité qui peuvent sauver cette société, le courant idéaliste.

Franciscus Suarez (1548-1617) continue la tradition de Franciscus a Victoria. C'est dans le livre II de son traité *De legibus ac de Deo legislatore* qu'il traite du droit international. C'est là qu'il a écrit la fameuse définition de la société internationale, qui est peut-être l'expression la plus élevée de la conception internationaliste, de l'unité fondamentale du genre humain :

« Mais la raison d'être de cette branche du droit, dit Suarez, c'est que le genre humain, quoique partagé en peuples et en royaumes divers, n'en a pas moins une unité non seulement spécifique, mais aussi pour ainsi dire politique et morale. Cette unité est indiquée par le précepte naturel de l'amour mutuel et de la miséricorde, précepte qui s'étend à tous, même aux étrangers, de quelque condition qu'ils soient. C'est pourquoi tout État souverain, république ou royaume, quoique complet en soi et fermement assis, est néanmoins en même temps d'une certaine manière membre de ce grand univers, en tant qu'il regarde le genre humain. Jamais aucun État ne peut se suffire au point de n'avoir besoin d'aucun appui, d'association, et de rapports mutuels, tantôt pour son bien-être et dans un but d'utilité, tantôt à cause d'une nécessité et d'un besoin moral, comme il ressort de l'expérience même. Il faut donc aux États un droit qui les dirige et les gouverne, dans ce genre de communication et de société. Sans doute à ce point de vue la raison naturelle fait beaucoup; mais elle ne suffit pas à tous les égards; et ainsi des droits spéciaux ont pu s'introduire par la coutume des mêmes nations. Car tout comme dans un État, ou dans une province, la coutume introduit le droit, ainsi le droit des gens a pu s'introduire par les mœurs dans tout le genre humain. »

Suarez discute le problème de la guerre dans son « Tractatus de Charitate. » Il ne s'agit que de la guerre extérieure menée entre deux princes ou deux républiques. Est-elle légitime? Son raisonnement peut paraître stupéfiant : la tradition seule suffirait à rendre légitime la guerre entre nations. Mais il a approfondi ce problème dans d'autres passages. C'est l'absence d'un pouvoir supranational pour la solution des conflits qui, d'après Suarez, rend légitime le recours à la guerre, et en dernier lieu le caractère de « souveraineté » de l'État.

On voit quelle importance il accorde à la souveraineté et au droit des princes par sa discussion de l'arbitrage.

Il favorise ce procédé, mais les arbitres doivent être agréés par les deux parties, ce qui présente de grosses difficultés. Seulement son argumentation part de la thèse qui doit être prouvée. Il est surprenant non seulement qu'il ne mentionne pas le recours à l'arbitrage assez fréquent pendant les siècles précédents, ce qui prouve que son savoir historique était assez restreint, mais encore qu'il ne préconise pas le recours à la juridiction du pape. Suarez s'incline devant la réalité; étant données l'anarchie internationale et l'absence d'une autorité supranationale, la guerre faite pour obtenir satisfaction d'une violation de droit est juste et légitime. Il voit cependant les maux de la guerre et il s'élève contre elle; mais il ignore sa criminalité foncière et son caractère contraire à la justice.

Victoria et Suarez ont sauvé la notion élevée d'une communauté internationale de la grande débâcle des conceptions médiévales, et ils ont inspiré aux fondateurs de la nouvelle science un sentiment élevé de justice et de moralité. Tous deux ont puissamment contribué à l'évolution des conceptions fondamentales de « l'internationalisme. »

Un seul des nombreux ouvrages de l'italien Alberico Gentili (1552-1608), qui fut le contemporain de Suarez et professeur de droit à Oxford, est intéressant pour notre sujet : c'est le *De Jure Belli* où se trouvent les théories sur la communauté internationale, sur le caractère du droit des gens et une appréciation du problème de la guerre et de la paix.

Le style et la méthode de Gentili sont curieux; on a l'impression de notes rapides en vue d'un cours universitaire, dont la lecture cependant n'est pas désagréable.

Chez lui, le jurisconsulte est doublé d'un historien; il a compris que le droit des gens reposait sur la « coutume; » donc les précédents historiques sont de la plus haute importance pour la présentation des doctrines, et il a compris encore que les précédents de l'époque moderne sont les plus importants, ce qui est d'un grand mérite à l'époque de l'humanisme.

D'autre part, il est très peu philosophe, et son érudition l'entraîne souvent dans des énumérations ennuyeuses; il a également eu la malchance d'être prédécesseur d'un auteur qui lui est supérieur, Grotius, qui est devenu le « fondateur » de la science du droit des gens. Mais on a fait preuve d'injustice envers Gentili : son influence sur Grotius fut grande, et ses théories sont intéressantes au point de vue historique et dogmatique.

Son ouvrage *De Jure belli* est divisé en trois livres. Le premier expose la théorie générale de la guerre, le second, les problèmes de droit que soulève la conduite de la guerre, le troisième, la fin de la guerre, les traités de paix et les alliances.

Dans deux chapitres du premier livre, Gentili étudie l'idée d'une société des nations, d'une communauté internationale. Il n'en donne pas une définition nette et il faut interpréter ses conceptions. Il s'agit pour lui d'affirmer l'existence d'un droit et du droit même dans la guerre. Le problème est important pour lui et il le prouve laborieusement. Il essaie de distinguer le « jus gentium » et le « jus naturae. » La distinction entre le droit universel et le droit entre nations semble lui échapper. On croirait même qu'il préconise un régime parlementaire de l'État mondial. Mais il ne donne pas la définition du droit international. Le droit de guerre va se baser sur le droit naturel, sur les exemples des grands hommes, sur les analogies avec le droit civil, et sur les préceptes de la Bible.

Il parle de la défense « honnête » et nous trouvons la pure doctrine de l'interdépendance des peuples ou de la solidarité humaine.

Mais Gentili se dérobe tout de suite et n'élabore pas une doctrine complète. La définition qu'il a donnée de la guerre est devenue fameuse et il faut admettre qu'elle est admirable : « Bellum est publicorum armorum iusta contentio. » La guerre est une relation entre États seulement et par là il dépasse même Grotius, son successeur. Au chapitre III, il insiste longuement sur le fait que les guerres sont des luttes entre les puissances souveraines, et il établit leur caractère inéluctable en soulignant l'absence d'une juridiction supérieure. Il préconise l'arbitrage, mais ce n'est qu'un conseil aux Princes, nullement une exigence absolue.

Quelles sont « les causes des guerres? » Gentili arrive d'abord à cette opinion que la guerre est au fond une conséquence de l'imperfection des hommes, théorie très moderne. Aussi ce n'est pas toujours la cause juste qui l'emporte. Y a-t-il des sanctions? Il y a l'infamie, la mauvaise conscience et l'expiation éternelle.

Mais la guerre préventive, non seulement la défensive, peut être juste et nécessaire. Il est vrai que Gentili prêche la plus grande circonspection. Il semble qu'il y aurait lieu pour Gentili d'insister non seulement sur un examen de conscience du prince qui se croit menacé, mais encore sur un examen bilatéral, par un échange de vue. En établissant comme l'un des critères de la justice d'une guerre, le refus de procéder à des négociations, il est très voisin de la théorie pacifiste moderne; mais il n'a pas rapproché ce critère des autres qu'il évoque, nouvelle preuve de son manque de système. La juste guerre sera la punition des méfaits de l'État ennemi : le prince vainqueur est comme une sorte de juge, mais Gentili voit très bien quelle tentation offre cette fonction de juge et il indique les risques qui en découlent. Il montre enfin que le but de la guerre est la paix.

Gentili n'a guère exercé d'influence profonde : il fut éclipsé par Grotius, bien que son traité fût à certains égards supérieur au célèbre ouvrage du grand Hollandais.

Hugo Grotius (1583-1645) fut un théologien, très versé dans l'exégèse de l'écriture; il publia des poésies, il avait fait de fortes études historiques, et l'œuvre qui a créé sa célébrité est de caractère juridique. Il fut un humaniste, au sens le plus large du mot. Né en 1583 à Delft, il fut d'une précocité extraordinaire. Il alla en France à l'âge de seize ans, où Henri IV le présenta à sa cour comme le

« miracle de la Hollande. » Puis il revient dans son pays et y suit la carrière du barreau, sans négliger la littérature. Il y écrivit en 1604-05 un traité de *Jure Praedae*, probablement sur la demande de la Compagnie hollandaise des Indes orientales. La Compagnie avait capturé des vaisseaux portugais : et quand on voulut distribuer les parts de prises aux membres de la Compagnie, il arriva que quelques-uns, étant des « mennonites » (secte dont nous aurons à parler et qui rejetait la guerre), ne voulurent point de profits tirés d'actes de guerre. Grotius ira tout de suite au fond du problème et jettera pour ses raisonnements de larges bases philosophiques et morales.

L'ouvrage, nous ne savons pourquoi, ne fut pas publié : un chapitre en fut détaché en 1608 et fut publié sous le titre de *Mare liberum*, à cause du grand débat sur le régime juridique de la mer qui précéda la trève d'Anvers de 1609.

Puis Grotius occupa différents postes, fut mêlé à plusieurs controverses de droit international, et y donna ses avis. Il fut entraîné dans une crise politique, condamné en 1619 à la prison perpétuelle et deux ans plus tard réussit à s'enfuir en France. En 1623 il commença l'élaboration du *De jure Belli ac Pacis*, qui parut en 1625 et qui eut une célébrité exceptionnelle. Grotius fut ensuite ambassadeur de Suède à la Cour de France pendant neuf ans, sans avoir d'ailleurs de bonnes relations avec Richelieu et Mazarin. Il mourut en revenant de Suède en 1645.

Ce qui le caractérise, c'est une activité débordante; il écrit très vite, en se fiant souvent pour les citations à sa mémoire qui a pu parfois le tromper. Il préfère nettement les exemples de l'Antiquité à ceux du temps moderne, en quoi sa méthode est inférieure à celle de Gentili.

Quelle est sa théorie sur la société des nations et quelle est son attitude en face de la guerre? Il envisage le droit des gens comme un droit entre nations, mais il n'insiste pas sur les conséquences de cette conception. La communauté internationale se base sur la sociabilité qui est particulière à l'homme, et qui se traduit par l'usage de la langue, la faculté de s'instruire et d'agir. Il approfondit cette conception et s'approche de la notion d'une interdépendance. La fidélité à la parole donnée doit être respectée, car une des sources principales du droit des gens est le consentement universel accordé à ce droit par les peuples. Ce consentement a été donné par les peuples, parce qu'ils reconnaissent qu'ils ont besoin les uns des autres. Donc il y a une communauté internationale composée d'États qui sont liés réciproquement par la bonne foi; évidemment ce lien moral ne suffit pas pour créer une véritable société des nations; cette idée est d'ailleurs étrangère à Grotius, et il le prouve par les indications tâtonnantes qu'il émet par rapport à un recours à l'arbitrage pour le règlement des litiges entre États.

La légitimité de la guerre — au point de vue du Christianisme, puis au point de vue général du droit — est prouvée avec une rigueur mathématique; la guerre d'après le « De jure Praedae, » a quelque chose d'inéluctable. N'y a-t-il que la solution de la lutte armée et ce moyen assure-t-il la victoire du juste sur l'injuste? Grotius croit au jugement de Dieu.

Les réserves ont beau être nombreuses, on retrouve la notion mythologique d'un jugement de Dieu par la guerre. Son argumentation de la légitimité de la guerre n'offre pas de traits nouveaux; s'il ne condamne pas la guerre en soi, Grotius exige toute une série de critères connus pour qu'on la puisse juger juste; défense de soi-même, des siens, de son bien et réparation d'une injustice. Il ne peut arriver à exiger des Parties, un recours à l'arbitrage, mais il essaie de créer une base de droit par une théorie de la juridiction d'un État à l'égard d'un autre État.

Il déclare la souveraineté des États, et il démontre qu'aucun État ni citoyen ne doit poursuivre son droit contre un autre État ou contre le citoyen d'un autre État excepté en vue d'un jugement. C'est par un tour de force extraordinaire qu'il concilie les deux principes : « Pour procéder à la sentence il faut que la priorité appartienne aux parties de l'État contre lequel ou contre le citoyen duquel il y a poursuite. S'ils font défaut, qu'alors l'État qui poursuit, ou bien lui-même, ou bien son citoyen, procède à juger de l'affaire. » Par là Grotius arrive à montrer que l'État dont le droit est lésé, possède une juridiction sur l'État violateur.

Dans le *De jure belli* Grotius est moins affirmatif à certains égards. Il insiste cependant sur l'existence d'un droit de la guerre, non seulement parce qu'il ne faut avoir recours à la guerre que pour revendiquer son droit, mais parce que tout droit ne cesse pas pendant la guerre. Quand il reprend le problème de la légitimité de la guerre, il combat Érasme et les sectes et ne se montre nullement antimilitariste, pas même pacifiste.

Sa définition de la guerre est moins heureuse que celle de Gentili; il a peut-être vu que le fait d'être de juste guerre ne peut entraîner des conséquences juridiques pour le droit de la guerre elle-même, voie que devait suivre le droit international. Cette notion d'un droit de la guerre qu'il faut observer fut bienfaisante par ses effets immédiats. Les règles qu'établit Grotius sont dérivées du droit de nature, car il n'existe pas encore de droit conventionnel de la guerre. Ces règles sont d'une rigueur extrême et nous voyons réapparaître le moraliste théologien qui prêche la bonté et les vertus.

En parlant de la légèreté avec laquelle on court aux armes, Grotius demande que l'on s'abstienne de la guerre même la plus juste, et il indique les moyens par lesquels on peut l'éviter; il y en a trois : une conférence, le sort, dont il ne donne aucune indication de détail, et l'arbitrage, dont il parle assez longuement.

Il préconise une convention internationale pour la solution des litiges, la constitution de conférences des États et l'institution des sanctions pour exécuter les décisions. Donc c'est plutôt d'une cour permanente, d'une juridiction sous forme d'un conseil, plutôt que d'arbitrage proprement dit qu'il est ici question. Le projet est très radical et il n'y a aucun précédent parmi les exemples que cite Grotius et qu'il tire selon son habitude de l'Antiquité. Grotius aurait-il eu un autre modèle? M. *Nys* (le célèbre historien du droit international) croit qu'il s'inspire du « Nouveau Cynée. » Ainsi les idées du pacifiste français auraient trouvé à son époque un adhérent des plus éminents. Il est vrai que le projet détaillé de Crucé et le plan vague de Grotius sont d'une similitude frappante, et que la date des publications concorde avec cette hypothèse. Grotius ne cite pas Crucé; peut-être aurait-il trouvé le modeste livre anonyme trop humble pour mériter une mention? En attendant d'autres preuves, il faut se contenter d'un « non liquet. » D'ailleurs au début du XVIIe siècle en France, les idées d'une semblable organisation pacifique internationale étaient « dans l'air. »

Grotius est resté pour la postérité « le fondateur de la science du droit international. » Il n'a pas tout construit depuis les bases, mais, comme tout grand esprit, il a profité — et largement — de ses prédécesseurs.

Nous pouvons donc constater que si la doctrine pacifique n'a pas exercé une influence décisive sur les fondateurs de la science du droit international, plusieurs des idées développées par ses fondateurs appartiennent au même courant intellectuel et moral que cette doctrine. Nous retrouvons le débat sur la légitimité de la guerre; nous constatons une lente élaboration de la conception d'une société internationale, régie par certaines règles communes.

Il nous reste à examiner si au cours des premiers siècles des temps modernes la doctrine pacifique a exercé une influence quelconque dans le domaine du droit, considéré comme l'aspect juridique de la vie même des États.

Nous avons déjà constaté l'absence presque complète de la pratique de l'arbitrage. D'autre part, le caractère dominant de cet âge de désorganisation ne nous permet pas de supposer qu'il y aurait dans la politique internationale des traces d'une influence de la doctrine pacifique.

Les conséquences de la scission religieuse, créée par la Réforme se développent; les guerres de religion qui en constituaient la suite se terminent dans la lutte suprême de la guerre de Trente Ans, lutte autour du problème qui a si profondément travaillé le Moyen âge; celui du maintien de l'unité de la foi sous la direction du Pape et de la création d'une communauté politique entre les nations chrétiennes dans un Saint-Empire. Le conflit se termine par la défaite de l'idée d'unité, et en ce sens le Moyen âge ne prend fin qu'en 1648.

Depuis 1640, l'Empereur avait reconnu la nécessité de terminer la guerre; les négociations ne commencèrent qu'en 1645, et il y eut d'énormes difficultés à surmonter, des obstacles d'ordre formel et cérémonial dont l'importance était très grande au XVIIe siècle. Il fallut choisir comme lieux des négociations, les deux villes d'Osnabrück et de Münster où furent signés les deux traités, le 24 octobre 1648.

La guerre avait été faite par les États individuellement, les négociations avaient été poursuivies parallèlement entre les puissances, et néanmoins, presque sans le savoir et le vouloir, on aboutit à un règlement général et européen. C'est un acte fondamental d'ordre international de l'Europe chrétienne. Un acte politique remplace les tendances d'ordre religieux qui jusque-là avaient représenté le lien d'unité. Il y a là une orientation vers une base nouvelle qu'il faut signaler.

Les traités de Westphalie consacrent la liquidation du passé; il ne fut pas question du principe de la liberté religieuse. L'hérésie fut reconnue par le Pape, en fait, par l'Empereur, formellement, comme étant légitime. Ces traités marquent donc la fin des guerres religieuses et au point de vue politique l'ambition de la Maison d'Autriche est définitivement contenue. L'Empereur doit reconnaître des princes territoriaux au point de vue religieux. Il est forcé de leur accorder la liberté de conclure des alliances et de faire la guerre. En politique, le Saint-Empire Romain n'est plus rien; il n'est qu'une façade qui terminera son existence nominale en 1806. Fin de l'Église unitaire, fin du Saint-Empire, établissement de l'absolutisme territorial des États, voilà des principes de désorganisation et d'anarchie. Aucune idée constructive ne les remplace; seul le principe d'équilibre plane sur les traités de Westphalie. Seulement ce n'est pas un principe organique, il ne garantit pas la stabilité : au contraire, il est la source d'une agitation constante.

Mais d'autre part, les traités de 1648 annoncent un avenir nouveau par leur caractère d'accords européens; tous les États chrétiens d'Europe s'étaient réunis, quoique bien imparfaitement, en congrès général pour régler les affaires de leur continent. Et par des stipulations, bien hésitantes il est vrai, et qui devaient se montrer tout à fait inefficaces, les États ont fait une tentative d'assurer la stabilité et la permanence de la paix. Ces dispositions se trouvent dans l'article 17 du traité d'Osnabrück et dans les paragraphes 114-116 de celui de Münster; elles acquirent ainsi une importance d'ordre européen.

« Celui qui contreviendra à cette convention ou à la paix publique, en dessein ou en fait, ou qui s'opposera à son exécution ou à sa restitution... qu'il soit clerc ou laïque, encourra par cela même la peine instituée pour la violation de la paix publique.... La paix n'en demeurera pas moins en vigueur, et tous ceux qui ont part à cette transaction seront obligés de défendre et protéger, tous et chacun, les lois et conditions de cette paix contre qui que ce soit, sans distinction de religion; et s'il arrive que quelque point en soit violé, l'offensé tâchera premièrement de détourner l'offensant de la voie de fait en soumettant la cause à une composition amiable ou aux procédures ordinaires de la justice; et si dans l'espace de trois ans le différend ne peut être terminé par l'un ou l'autre de ces moyens, que tous et chacun des intéressés en cette transaction soient tenus de se joindre à la partie lésée, et de l'aider de leurs conseils et de leurs forces à repousser l'injure, après que l'offensé leur aura fait entendre que les voies de douceur et de justice n'ont servi de rien; sans préjudice toutefois au reste de la juridiction d'un chacun et de l'administration compétente de la justice, suivant les lois et constitutions de chaque prince et État[1].... »

Ces stipulations visent, il est vrai, le maintien de la paix au sein de l'Empire; mais en faisant tous les États garants de cette paix, une organisation générale est esquissée. Il est facile de les critiquer; elles ne contiennent pas un engagement ferme, elles n'expriment qu'un vœu. Elles fixent un délai de trois ans pour les tentatives de composition amiable, ce qui est excessif; la sanction qui consiste dans l'appui à accorder par tous les autres États à la partie lésée n'aurait pu jouer, parce qu'aucun moyen n'est indiqué pour savoir laquelle des deux parties est réellement lésée. Cela rappelle les dispositions des accords internationaux du Moyen âge sur le recours à l'arbitrage.

Mais la stipulation est intéressante; elle indique des tendances vers la création d'une communauté de droit international; on entrevoit les contours d'une Europe juridique, comme les réunions d'Osnabrück et de Münster marquèrent les commencements d'une Europe politique; elle mérite une place dans l'histoire de l'internationalisme.

Seulement, l'idée est prématurée et sera entièrement voilée par la « grande » politique du XVIIe et du XVIIIe siècle; le problème pacifiste de la légitimité de la guerre et celui d'une organisation des États restent à l'ordre du jour après comme avant 1648.

1. Textes complets dans Ghillany, *Diplomatisches Handbuch*, I, Nördlingen, 1855.

CHAPITRE VII

LES SECTES MODERNES ET LE PACIFISME WILLIAM PENN

A côté du courant pacifiste représenté par les humanistes chrétiens, et sur lequel se greffent les débuts du droit international, les tendances antimilitaristes trouvent des champions plus radicaux dans le mouvement sectaire des temps modernes[1].

La fin du Moyen âge et notamment le xve siècle est caractérisé par une forte fermentation religieuse. C'est de cette fermentation que sort la Réforme. L'effervescence religieuse de cette époque est créée par plusieurs facteurs; le courant mystique, la lecture plus répandue de la Bible, facilitée par l'invention de Gutenberg. Le mouvement est au fond l'expression religieuse de cette classe du Tiers-État, encore humble, souvent opprimée, et qui trouve dans les paroles éternellement révolutionnaires de l'Évangile un appui précieux de ses revendications sociales, politiques et morales. C'est un mouvement de caractère européen, et voilà pourquoi nous le voyons éclater un peu partout en même temps. Nous voyons alors les tendances nouvelles se cristalliser autour de quelques personnalités puissantes, qui deviennent les chefs de la Réforme. Bientôt les révoltés de naguère, au moins quelques-uns d'entre eux, deviennent victorieux, ils fondent des Églises officielles, et plusieurs de ces Église s'allient aux États. Ces États s'opposent à d'autres; ils s'opposent surtout à l'Empire. Ainsi la Réforme aboutit aux guerres de Religion.

Il n'est que naturel que ces Églises officielles, dominées par le souci de se défendre, ou même parfois par celui d'étendre leur propre puissance, ne puissent admettre la doctrine pacifiste. Elles

1. Voir Lange, *Hist. de l'Internationalisme*, I, p. 215-261, avec références.

sont autoritaires et ne veulent pas abandonner l'*ultima ratio*, qui est la guerre, de maintenir cette autorité. Elles ne sont pas pacifistes. D'autre part elles ne peuvent pas éviter la discussion du problème de la guerre, d'autant moins que les sectes — en tout cas plusieurs d'entre elles — continuent la tradition de leurs précurseurs du Moyen âge. Comme toute réalisation, la Réforme — que ce soit celle de Luther, celle de Calvin ou celle de l'Anglicanisme — est réduite à l'opportunisme; elle doit se contenter de compromis, de solutions intermédiaires. Le radicalisme sectaire s'indigne; il élève une protestation idéale contre tout arrangement avec la conscience et avec la Bible.

La doctrine catholique ne se modifie guère sous l'influence de la Réforme, de même que sa conception de la légitimité de la guerre. Ainsi le célèbre apologiste *Bellarmino* (1542-1621) ne fait que répéter les développements scolastiques sur la guerre et la paix dans son traité *De membris Ecclesiae.* D'après lui, la condamnation de la guerre est une hérésie manichéenne. Les arguments usuels sont discutés et une distinction est établie entre le spirituel et le séculier que nous retrouverons chez d'autres écrivains. Dans un chapitre de son traité *De membris Ecclesiae,* Bellarmino développe tout à fait la thèse des scolastiques sur la légitimité de la guerre : il pose quatre conditions qui montrent que sa doctrine est semblable à celle des canonistes du Moyen âge.

Calvin (1509-1564) envisage la société séculière comme Bellarmino. La guerre est une punition administrée par le prince contre ses ennemis; d'ailleurs le problème fondamental n'est guère qu'effleuré dans son « Institution. » On reconnaît toute la rigueur de Calvin lorsqu'il discute la parole du Christ qu'il ne faut pas résister au mal : l'idée au fond lui répugne, et il l'interprète comme voulant dire qu'il faut faire preuve de douceur et modération. Ce n'est pas de son Église qu'il faut attendre un enseignement pacifiste.

Luther (1483-1546) avait été beaucoup plus préoccupé par ces questions. Il fait la même distinction que Bellarmino et Calvin. Les hommes appartiennent à deux royaumes; si tous étaient dans le royaume de Dieu, on n'aurait besoin de magistrats, ni d'épées. Luther insiste sur les devoirs des princes; sa doctrine est au fond celle de Calvin, mais c'est un logicien moins rigide qui parle, un esprit plus large et plus humain. D'autre part, il y a chez Luther beaucoup plus de soumission devant les autorités de ce monde; il n'aurait pas été partisan d'un contrôle de la diplomatie. La guerre faite pour maintenir l'autorité des princes est légitime et il en arrive à une théorie antipacifiste. L'autorité politique décide s'il faut faire la guerre. Luther pose encore un critère moderne pour la légitimité de la guerre; l'offre d'un arrangement pacifique. Mais une théorie complète et logique ne se dégage pas des écrits de Luther sur la guerre. Il reprend la question l'année où les Turcs assiègent Vienne, quand ce grand danger menace l'Europe (1529). Le pouvoir séculier peut ordonner la guerre; le chrétien particulier doit s'en abstenir. Son écrit finit par une exhortation vigoureuse pour combattre les Turcs.

Les Églises officielles maintiennent donc la légitimité de la guerre. Il est d'autant plus naturel que les éléments radicaux des sectes protestent avec indignation contre cet esprit de compromission et cette politique opportuniste. Les sectes ne sont pas du tout absorbées par les Églises nouvelles. Au contraire, un certain progrès de la liberté d'expression leur permet un développement plus important qu'au Moyen âge.

La première génération de la Réforme a compris à peu près toute tendance sectaire et radicale sous le nom d' « Anabaptistes, » et les luttes violentes que l'on sait, contre les « Wiedertäufer » de Münster, ont donné à cette secte une notoriété qui nous explique que ce nom fut employé pour désigner n'importe quelle tendance dissidente et sectaire.

Pour ce qui est de l'origine de l'Anabaptisme, il est très probable, quoique difficile à prouver, que le mouvement est une continuation directe des mouvements sectaires du Moyen âge. Ainsi des éléments et des tendances assez disparates s'y sont amalgamés, et ils ont été désignés sous le nom commun d' « Anabaptistes, » parce que la réprobation du baptême des enfants fut leur dogme caractéristique et en même temps une conception nouvelle, qui les distingua des sectes antérieures. Le fait que le mouvement ananaptiste apparaît à des endroits assez éloignés l'un de l'autre semble indiquer qu'il provient plutôt d'antécédents similaires entre eux que de l'extension d'une propagande unique. Les Anabaptistes des Pays-Bas, ou *Mennonites*, ont été généralement désignés sous ce dernier nom en dehors des Pays-Bas, d'après leur représentant le plus célèbre.

Menno Simons est né en Frise en 1492. Il fut prêtre, mais l'enseignement catholique non plus que le protestant ne purent le satisfaire. Il embrassa la doctrine des Anabaptistes; en 1536 il quitta l'Église catholique et devint le vrai fondateur des Mennonites qui existent aujourd'hui. Il mourut en 1559. Le problème qui nous occupe est discuté par lui, mais nulle part d'une manière approfondie, toujours avec quelque chose d'hésitant et de réservé. Il aurait sans doute préféré se borner à une simple protestation contre l'emploi des armes, en général. Il emploie l'argument d'Érasme : l'exemple des animaux qui ne se font jamais la guerre entre eux. Mais il doit avoir vu qu'un chrétien qui refuse de prendre les armes entre en conflit avec l'autorité même de l'État; il devait envisager aussi les conséquences inévitables de son antimilitarisme : un chrétien, sujet d'un État faisant la guerre, en payant ses impôts destinés à soutenir une organisation militaire, agit contrairement aux paroles du Christ. La question est très sérieuse avec les États modernes, qui réclament le concours de tous les citoyens pour s'organiser. C'est ainsi que Menno est amené à une solution intermédiaire du problème. Mais il ne fait qu'esquisser cette solution qui est loin d'être idéale : il faut distinguer les chrétiens, qui doivent être « libérés » du service militaire, et les enfants du monde, qui s'y soumettent; cela est contraire au principe d'égalité; il n'y aurait qu'une petite minorité dont le refus de porter les armes pourrait être toléré sans inconvénient. Il y aurait une congrégation « élue, » ce qui ne cadre que trop bien avec les idées du Vieux Testament. Menno insiste sur la doctrine des deux royaumes et des deux princes. Dans un autre ouvrage, dirigé contre Jan Van Leiden, le prophète de Münster, il dit expressément qu'il est interdit aux chrétiens de porter les armes. Il inculque aux « chrétiens » un antimilitarisme absolu; le Seigneur saura susciter les aides nécessaires.

L'ardeur des Mennonites diminua graduellement, mais ils sont par principe pacifiques et même pacifistes; ils ont contribué à renforcer les rangs des amis de la paix de l'époque contemporaine.

Les *Sociniens* sont les rationalistes parmi les sectaires de la Réforme. Ils étudient la Bible, et en interprètent les textes d'après les règles de la logique et de l'exégèse. Rien de mystique ni d'édifiant chez eux. On ne peut guère s'imaginer un contraste plus frappant que celui qui existe entre le style de Menno Simons et celui de Fausto Sozzini. Et cependant ils arrivent essentiellement à des conclusions identiques.

Le fondateur de cette secte, *Lelio Sozzini*, naquit à Sienne en 1525 et mourut jeune à Zürich en 1562; cette secte n'a jamais eu un grand nombre d'adhérents et la Contre-Réforme catholique eut raison du Socianisme dans le pays où il s'était développé, en Pologne. C'est le neveu de Lelio, Fausto Sozzini (1539-1604), connu sous le nom de Socinus, qui a exposé les opinions des sociniens sur la guerre et la paix, dans un ouvrage spécial, « Ad Jac. Palaeologi Librum, cui titulus est Defensio verae sententiae de Magistratu Politico etc. pro Racoviensibus Responsio. » Son style est d'une verbosité fatigante; c'est un pédagogue diffus dont les raisonnements sont parfois ridicules. Son attitude est nettement antimilitariste, mais il s'arrête à des compromissions bizarres.

Est-il permis au chrétien d'intenter des procès? Non, car le chrétien doit souffrir même l'injustice. Cette question de procès peut sembler étrange, mais en principe il y a un rapport intime avec les problèmes qui nous occupent. Le chrétien doit se fier à Dieu et à son aide. Il ne peut exercer aucune magistrature. Socinus est réduit à établir la distinction entre le domaine du monde et celui de Dieu et de ses enfants. La question de la guerre et du service militaire est discutée assez sommairement au chapitre VI de la première partie. Il prêche la fraternité humaine; une guerre n'est pas légitime par le fait d'être commandée par l'autorité supérieure. Puis il revient à ce problème au chapitre I de la troisième partie, où il élargit considérablement la discussion. Il discute d'abord de l'impôt, et sa solution n'est guère élégante; la monnaie de l'impôt n'est plus à nous, elle est au prince! Puis il fait une distinction entre ce qui est permis au prince et ce qu'un particulier peut faire. Les Chrétiens n'osent pas prendre les armes, mais ils ne peuvent refuser de payer l'impôt. C'est le prince qui décide son emploi. Socin n'examine pas les critères d'une guerre juste; il laisse cet examen « au Roi, au Prince et aux autorités officielles. » Pour lui il y a deux morales, celle des « chrétiens » et celle des autres, qui sont toutes deux, paraît-il, légitimes.

Il faut obéir à l'autorité officielle quand elle n'ordonne pas quelque chose de contraire aux commandements divins, sinon il ne faut plus obéir. La conscience seule peut nous indiquer ce devoir de refuser l'obéissance; Socin n'en discute pas les critères en détail.

Il n'y a pas de patrie en ce monde; c'est vers le ciel que le chrétien se sent attiré. Donc Socin nie la légitimité d'un sentiment patriotique, ce qui est assez rare dans la littérature qui nous occupe.

Socin discute aussi la légitimité de la guerre défensive; ne vaut-il pas mieux tuer des ennemis que de laisser tuer des compatriotes? Sa réponse est qu'il ne faut pas faire le mal pour qu'il en résulte le bien, encore moins pour qu'il en résulte le mal. Il condamne très énergiquement ceux qui prennent les armes pour revendiquer leur liberté religieuse. Il faut obéir à Dieu plutôt qu'aux hommes. Mais il est étrange de voir Socin proposer un accommodement; il recommande d'employer les armes afin de repousser l'ennemi par la terreur que lui inspirerait leur caractère martial. L'idée paraît bizarre, et cependant l'idée qui est à la base du vieil adage « Si vis pacem, para bellum » n'est pas très différente.

L'examen du problème par Socin n'offre guère une conception complète et logique. Les solutions sont en partie contradictoires, d'autres ne peuvent tenir devant l'épreuve de la réalité. Il en est de même pour les autres sectes du XVIe et du XVIIe siècle, ainsi pour celle des *Frères moraves.*

L'origine de cette secte remonte au milieu du XVe siècle, mais elle se développe durant le siècle suivant.

En 1433, les Hussites modérés, ou Calixtins, avaient fait leur paix avec Rome, et catholiques et calixtins s'étaient ligués pour écraser les Taborites radicaux. La victoire, toutefois, ne fut complète qu'en apparence. Plusieurs congrégations continuèrent leur vie en cachette, et les dangers et persécutions provoquèrent l'exaltation de la foi et des opinions extrêmes chez les « jamnici » ou « caverniers, » ainsi appelés d'après leurs refuges dans les montagnes. Pendant cette période, ils engagèrent des relations avec les Vaudois. On eut en vue une fusion des deux sectes, mais une persécution violente des Vaudois d'Autriche fit échouer le projet. En 1457 ou 1458 fut fondée l' « Unitas fratrum, » organisation typique des sectes de tendance mystique : toute participation aux fonctions publiques leur était interdite; une « Église » ne fut pas instituée, seulement une communion spirituelle entre tous les croyants, avec le sacerdoce universel; dans la vie la « praxis pietatis » était considérée comme plus importante que la pureté des doctrines; il y a même des traces d'un certain communisme.

L'histoire des *Frères* moraves est très mouvementée; ils se sont répandus en Bohême et en Moravie. Ils subirent des persécutions sérieuses et cherchèrent asile surtout en Pologne. Leur nombre s'accrut cependant jusqu'à la « Lettre de Majesté » de Rodolphe II, qui leur accordait la liberté confessionnelle.

Dès 1490, on peut constater chez les Frères une tendance à un compromis avec le monde. Ils abandonnent la doctrine antimilitariste à outrance de Chelcic et de Huss. Ils engagèrent des pourparlers avec Luther et se rapprochèrent de sa doctrine. Ils furent également en négociation avec Érasme, à qui ils envoyèrent une mission. Plus tard, la guerre de Trente Ans les a chassés de la Bohême et ils se sont réfugiés en Pologne, en Irlande et en Amérique. Leurs tendances humanitaires et mystiques ont sans doute contribué à faire des Frères Moraves des adeptes de la doctrine pacifiste.

Des Anabaptistes s'étaient peut-être réfugiés en Angleterre; en tout cas ils y avaient trouvé des adhérents. Ils ont certainement professé les doctrines antimilitaristes, qui formaient une partie essentielle de leurs convictions religieuses. Vers 1570 nous rencontrons la secte des « Familistes » (ou « Family of God »), qui se rattache également à l'Anabaptisme. Les adhérents condamnaient le port des armes, mais puisqu'ainsi ils éveillèrent l'attention générale, ils admirent plus tard le port des bâtons. C'est également pendant le règne d'Élisabeth que la secte des « Independents » surgit sous l'inspiration de Robert Browne. L'histoire ultérieure des Independents montre que l'antimilitarisme n'était pas partie intégrante de leur doctrine; dans cet ordre d'idées ils ont été sous l'inspiration de l'Ancien Testament. Mais d'autre part leur accentuation de l'élément personnel dans la vie religieuse, leur opposition acharnée contre toute Église organisée, les portaient vers une manière de voir qui a toujours fait des congrégations des Independents un sol très favorable aux vues pacifistes et même antimilitaristes. Au fond, c'est plutôt l'organisation de la vie religieuse qui intéresse les Independents, alors qu'en fait de doctrine ils ne possèdent guère d'originalité, et il est donc très naturel qu'actuellement ils se nomment « Congregationalists, » insistant ainsi sur la forme de leur organisation.

Dans la grande commotion religieuse et politique qui secoua le peuple anglais au XVIIe siècle, une foule de nouvelles sectes surgirent; on en connaît plus de cent. Il n'y en a pas beaucoup qui ont embrassé les doctrines antimilitaristes ou même pacifistes. Au contraire, tout comme les Independents dont nous venons de parler, la plupart cherchent leur inspiration dans l'Ancien Testament; ils forment le « peuple élu, » appelé à lutter contre le roi païen et ses conseillers dépravés. Les seules sectes qui continuent la tradition antimilitariste de l'Anabaptisme sont les « Quinto-monarchistes » et les « Quakers. »

Les « Fifth Monarchy men » sont ceux qui attendent l'arrivée du cinquième empire dont parle Daniel (chap. II, 44), celui qui succèdera aux quatre empires historiques. C'est l'empire du Christ, qui durera éternellement. On voit les tendances chiliastes de cette secte, qui d'ailleurs n'a pas eu beaucoup d'importance, surtout si on la compare à l'autre secte qui vient d'être nommée.

Aucune secte religieuse ne présente à beaucoup près le même intérêt pour notre étude que celle de la *Société des Amis*, ou *Quakers*.

C'est le type le plus développé des religions mystiques. Les Quakers cherchent leur inspiration dans la « lumière intérieure, » à l'aide de laquelle Dieu lui-même les éclaire. La voix intérieure est plus importante même que la parole de la Bible; c'est elle qu'il faut toujours suivre. Mais d'autre part cette voix intérieure ne doit pas être confondue avec les instincts et les appétits égoïstes; l'homme a besoin d'éducation, d'instruction; seulement, il ne faut dominer ni contraindre personne; c'est par la persuasion qu'il faut tâcher de gagner des adhérents. On voit ainsi les tendances « pacifiques » des Quakers; douceur, mansuétude, modestie, la parole à voix basse, forment leur caractéristique extérieure. Réprouvant toute violence, ils prêchent la non-résistance au mal, et ils sont ainsi devenus les apôtres constants d'un antimilitarisme prononcé. Adhérents fervents d'une propagande de persuasion, ils ont produit une littérature pacifiste abondante, et ce sont eux aussi qui ont fondé les premières sociétés de la paix au début du XIXe siècle. Dans l'organisation de la vie religieuse, ils repoussent toute forme extérieure; aucune Église organisée, aucun sacerdoce, pas même un local solennellement consacré au culte; leur « meeting-house » a l'air d'une salle de conférences ou de discussion; le service divin — si on peut employer ce terme — est sans aucune cérémonie; il s'ouvre en silence, et si aucun des assistants n'est « moved to speak » par la voix intérieure, il se termine également en silence. Aucune contrainte n'est exercée envers les enfants, même pour leur imposer les croyances de leurs parents. La religion doit être absolument personnelle et sincère.

Et la religion n'a pas de valeur si elle ne se traduit pas dans la vie, dans les actes; c'est « the godly life » qu'il s'agit de réaliser, la vie dont Jésus-Christ nous a donné l'exemple; bien faire, laisser parler; souffrir en silence et en humilité; ne jamais démentir sa conviction; mener une vie sobre et utile; vaincre le mal et les malfaiteurs par la persuasion et la douceur — tel est l'idéal moral du Quaker. Il a exercé une influence profonde sur ses adhérents, et même en dehors, et à plusieurs points de vue le libéralisme absolu des Quakers en matière de religion, leur aversion pour tout ce qui peut rendre extérieurs, et peut-être superficiels, les rapports avec Dieu, semblent gagner du terrain de nos jours.

Le fondateur de la secte fut *George Fox* (1624-91), type de religieux exalté qui fut en même temps une personnalité supérieure. Les Quakers ont des connexions évidentes avec les autres sectes de tendances mystiques qu'ils ont plus ou moins complètement absorbé. Exposés à des persécutions sévères à cause de leur opposition à tout rite extérieur et au paiement des dîmes ecclésiastiques, les Quakers ont beaucoup souffert, non seulement en Angleterre, mais aussi dans les colonies d'Outre-mer, par exemple au Massachusetts, où quelques-uns avaient cherché asile dès 1656, afin de faire de la propagande. On peut comprendre qu'ils étaient considérés comme insupportables; leur exaltation se manifesta, dans ces premiers temps, d'une manière irritante; leur refus de porter les armes, de payer les dîmes, s'allia avec leur insistance sur certaines formes extérieures qui avaient un air d'insubordination; ainsi ils tutoyaient tout le monde sans distinction, même le roi et les fonctionnaires royaux; ils refusaient de se découvrir devant qui que ce soit.

Fox, en 1651, avait fait preuve d'antimilitarisme en refusant de devenir officier : c'était une conséquence et une application de sa conviction religieuse personnelle. Aucune contrainte extérieure, voilà ce que vise Fox; c'est une attitude plus avancée que celle des chrétiens primitifs qui étaient restés dans l'armée parce que « chacun devait demeurer dans son état; » si la voix intérieure d'un Ami exigeait le refus de porter les armes, il fallait s'en abstenir à n'importe quel prix.

Mais d'autre part, ceux qui ne sont pas poussés par l'Esprit à la même attitude intransigeante, sont toujours considérés comme membres de la société. On ne peut pas assez insister sur le fait que les Quakers ne professent pas de doctrines fixes et immuables; ils n'ont jamais adopté de confessions de foi, ni imposé de règles rigides de conduite. Leur particularité a été bien indiquée ainsi : « Apart from points of doctrine, which can be more or less definitely stated (not always with unanimity), Quakerism is an « atmosphere, » a manner of life, a method of approaching questions, a habit and attitude of mind. »

En 1689 la « Toleration Act » mit fin aux persécutions dirigées contre les Quakers. Depuis cette époque leur intransigeance a diminué à plusieurs égards : on peut constater chez eux la même évolution qui caractérise tant d'autres sectes religieuses ou politiques; l'apôtre-fondateur déclare la révolte; ses successeurs font leur paix avec le monde. Alors que les premiers Quakers s'étaient considérés comme la « True Church, » et que par conséquent la propagande était pour eux une sainte obligation, une mission imposée par la volonté de Dieu, les générations postérieures se croient plutôt « a peculiar people; » ils demandent plutôt des exceptions en leur faveur qu'une conversion du monde. La tolérance qu'ils exigent pour eux-mêmes est accordée aux autres. En outre, les Quakers devinrent de plus en plus prospères par leur commerce; ils deviennent très bourgeois, et la « respectabilité » est considérée comme un idéal; de plus en plus les particularités extérieures, en ce qui touche les habits, la conduite — par exemple le tutoiement — sont abandonnées. Leur « Testimony against War » continue, toutefois, à occuper une place prépondérante parmi leurs doctrines. Il est donc important d'étudier en détail leur attitude à ce sujet.

Leur doctrine des débuts a été exposée par *Robert Barclay* (1648-1690). Il n'avait que vingt-sept ans lorsqu'en 1675 il publia son « Apology » où il expose d'abord quinze « Theses Theologicae, » qu'il développe ensuite avec beaucoup d'érudition et dans un style clair et concis. Les deux dernières thèses nous intéressent surtout.

Dans la quatorzième, Barclay rejette toute immixtion de l'autorité civile et séculière dans les affaires de la conscience; mais la « liberté de conscience » ne doit aucunement servir de prétexte pour des actions qui pourraient nuire à d'autres. C'est en vertu du même principe qu'il rejette tout emploi de la force dans ce domaine. Il n'y a pas réprobation absolue de l'emploi de la force dans les affaires ordinaires; mais la force et la contrainte extérieure n'ont rien à faire dans les « Matters of Judgment or Worship, » thèse qui révèle une hauteur de vues exceptionnelle au XVIIe siècle. Après un examen historique des persécutions des chrétiens primitifs et une polémique vigoureuse contre la politique de persécution des Protestants, Barclay fait un tableau émouvant de la résistance passive des Quakers dont la conviction profonde est celle-ci : une attitude courageuse, mais absolument sans défiance et sans recours à la force, est non seulement conforme à la parole du Christ, mais encor la seule méthode efficace pour vaincre, ou plutôt convaincre, le malfaiteurs; la puissance de Dieu se manifeste ainsi, et la littérature quakerienne abonde en exemples et anecdotes de « conversions miraculeuses, » « d'interventions de Dieu, » provoquées par semblable attitude. C'est ce principe fondamental qui porte le Quaker à la réprobation de toute résistance au mal, de toute guerre et de tout combat.

Il est assez étonnant de trouver le développement de ce principe dans la dernière Proposition de Barclay qui s'intitule : « Concerning Salutations and Recreations, » et qui parle d'abord de l'emploi de « titres flatteurs; » de luxe en habits, de jeux, sports, comédies, etc., de serments. Le dernier point, enfin, est ainsi conçu :

« That it is not lawful for Christians to resist Evil, or to War or Fight in any case » (p. 515).

Le point de départ est le sermon sur la Montagne; puis sont cités les Pères de l'Église, et toute une série de témoignages de la Bible sont énumérés, en première ligne les paroles de Jacques (Lettre, IV, 1) qui reviennent constamment dans la littérature quakerienne, comme l'argument suprême : la guerre est une conséquence du péché; il faut lutter contre la guerre en tant que manifestation du mal. L'examen de Barclay ne présente d'ailleurs aucun trait intéressant et il vaut mieux le suivre là où il dépasse le domaine religieux proprement dit.

Nous rencontrons alors une reconnaissance des difficultés pratiques qui entourent le problème, difficultés qui résultent du fait que même les « Amis » sont obligés de vivre dans une société policée, au sein de laquelle ils ne forment encore que la minorité. Barclay reconnaît qu'une défense même par la force peut être admissible; mais la non-résistance représente une étape d'évolution plus élevée. C'est la même manière de voir que nous avons constatée chez Fox, dont Barclay était un ami intime : « Wear the sword as long as thou canst » avait dit Fox à un jeune homme qui lui avait demandé conseil à ce sujet. Et en discutant le problème de l'obéissance à l'autorité civile commandant la guerre, « for the defence of our Country, Body, Wives, Children and Goods, » Barclay se place toujours à ce même point de vue; il faut faire la part de l'imperfection humaine.

C'est sur la *personnalité* qu'insiste la morale quakerienne. Les critères ne doivent pas être cherchés en dehors de nous; c'est de la conscience, c'est de la responsabilité personnelle envers Dieu que dépend la question de savoir si, oui ou non, la guerre de défense peut être considérée comme légitime. C'est ce qui explique aussi que l'attitude quakerienne envers la guerre n'a pas été absolument intransigeante et sans compromission. Non seulement, les Quakers, l'ère exaltée de la fondation passée, ont payé les impôts qui servent à entretenir, entre autres choses, la force armée; mais ils admettent fréquemment qu'il peut y avoir des cas où l'emploi de la force serait admis; ce sont là des conséquences regrettables de l'état général de culpabilité, de péché, où se trouve encore le genre humain; c'est notamment une conséquence de son organisation politique.

Cette adaptation aux circonstances de la vie ne se fait que petit à petit. Au début, à l'âge de l'exaltation, l'intransigeance fut le trait caractéristique des « Amis. » D'autre part, l'esprit propagandiste était encore très fort. Fox avait été un missionnaire actif; il visita l'Amérique à plusieurs reprises, afin de voir les différentes colonies de Quakers qui s'y étaient formées. Il alla aussi en Allemagne. La secte se répandit aux Pays-Bas, où les Quakers sont entrés en relations avec les Mennonites et avec une autre secte de tendance mystique et antimilitariste, les « Rhijnsburger Collegianten; » au Palatinat, où le refus de ses membres de faire du service militaire, et même de payer les impôts, provoquèrent des persécutions sévères. C'est pendant cette ère des persécutions tant en Angleterre qu'en Allemagne, que l'idée surgit de fonder en Amérique une société particulière des Quakers, dans laquelle ils pourraient développer librement leur originalité et réaliser « the godly life. » Parmi eux se trouva un homme haut placé, qui posséda les moyens de réaliser cette tentative généreuse. C'est ainsi que fut tentée William Penn's « Holy Experiment. »

William Penn (1644-1718)[1] est une des grandes figures de l'histoire de l'Internationalisme. C'est une personnalité intéressante et attachante que ce fils d'un homme de la cour royale, lui-même ami du duc d'York, plus tard le roi Jacques II, qui malgré sa position mondaine embrasse des doctrines religieuses considérées comme subversives et se proclame hautement Quaker, membre d'une secte persécutée, et qui ira jusqu'à mettre ses revenus importants au service de ses coreligionnaires. William Penn est allé en prison pour ses convictions.

Il fut un homme d'action, et il fonda un État qui porte son nom; il avait fait la guerre dans sa jeunesse; il fut aussi auteur. Il a beaucoup écrit; son style est facile, mais inégal et les contradictions n'y sont pas rares. Ses ouvrages paraissent encore dans de nouvelles éditions.

Sa personnalité doit avoir été remarquable: on voit qu'elle s'impose partout où il paraît, à la Cour, parmi les colonistes de Pensylvanie, vis-à-vis des Indiens. Il est vrai qu'il ne savait guère juger les hommes et qu'il était souvent malheureux dans le choix de ses aides; de là des difficultés et des froissements. Mais tout allait bien quand il était sur place.

Penn avait des revenus importants et son père lui avait laissé, en outre, une créance sur le roi anglais de £ 16 000, somme impor-

1. Biographies (entre autres ouvrages) : Th. Clarkson, *Memoirs of the private and public life of W. P.*, 2 vol., London, 1813; M. Colquhoun Grant, *Quaker and Courtier, the life and work of W. P.*, London, 1907. — Editions de ses ouvrages : *A collection of the works of W. P.*, 2 vol., London, 1726. — *The Peace of Europe, the Fruits of Solitude and other writings* (Everyman's Library), London, 1915. Références à cette édition.

tante à l'époque : en considération du service ainsi rendu, Penn obtint en 1681, âgé seulement de trente-sept ans, une « charter » — concession d'une large région sur la côte Atlantique des possessions américaines du roi. La région se trouvait à l'ouest de la rivière Delaware et comprenait entre autres territoires les possessions antérieures des Hollandais et des Suédois. Dorénavant la Province devait s'appeler la Pennsylvanie. Penn partit seulement une année plus tard, accompagné d'un grand nombre de Quakers, non seulement d'Angleterre mais aussi des Pays-Bas et d'Allemagne, où l'on avait fait une propagande active dans l'intérêt de son entreprise.

Sa méthode de colonisation [1] se distingua de toutes les autres : en premier lieu, il proclama une liberté absolue de religion. Il ne fit aucune distinction de nationalité. Secondement, et surtout, il procéda d'une manière tout à fait nouvelle à l'égard des Indiens. Il acheta leurs terres au lieu de les leur prendre, et même à un prix qu'ils trouvèrent raisonnable. Pour règler des litiges éventuels, il institua un tribunal d'arbitrage composé de six colons et de six Indiens. Il écrivit à ses premiers commissionnaires de la Province : « Be tender of offending the Indians. — Make a friendship and league with them. Be grave; they love not to be smiled upon. »

Il repousse tout recours aux armes : « Nous ne pouvons pas nous battre, car nous sommes convaincus que tout combat est foncièrement immoral et nous ne voulons rien faire d'injuste, même pour une cause que nous croyons juste. S'il n'y a pas d'autre alternative, nous pouvons souffrir. »

En rédigeant la constitution de Pennsylvanie, Penn y proclama la liberté absolue de conscience. Il n'admit pas même l'obligation de suivre un service religieux quelconque. Seul le blasphème fut interdit. Il consacra également la liberté politique; il écrit à un de ses amis, en ce qui concerne la liberté et les privilèges : « J'ai l'intention, ce qui est extraordinaire, de ne laisser aucun pouvoir de nuire ni à moi-même ni à mes successeurs. La volonté d'un seul homme ne doit pas empêcher le bien de tout un pays. »

Pendant soixante-dix ans les Quakers ont gouverné la Pennsylvanie. C'est une histoire intéressante, car elle révèle combien il est

1. Sur l'histoire de Pennsylvanie, voir surtout Rufus M. Jones, *The Quakers in the American Colonies* (Book V : *The Quakers in Pennsylvania, by Isaac Sharpless*), 1911.

difficile pour une société pacifiste d'être fidèle à ses principes au milieu de sociétés militaristes. Ainsi en 1689 lorsque la guerre avec la France paraissait possible, le représentant de Penn dans la colonie, Blackwell, demanda au Conseil de la province les ressources nécessaires pour établir une force défensive. Un des colons répondit qu'il ne pouvait voir « aucun danger excepté d'ours et de loup. » Un autre déclara : « J'aimerais plutôt être ruiné que de violer ma conscience; » toutefois, il ajouta prudemment qu'il ne voulait pas entraver les décisions du gouverneur si celui-ci était d'avis de faire quelque chose. Vingt ans plus tard, en 1709, le gouverneur demanda 150 soldats à la Pennsylvanie comme contingent pour l'armée commune des colonies ou bien une somme de 4 000 francs. Une partie des Quakers déclara alors que, bien qu'ils ne pussent allouer des crédits de guerre ils se sentaient obligés d'appuyer le gouvernement. Et l'Assemblée se rallia à cette manière de voir, à condition toutefois que la somme fût mise en dépôt jusqu'à ce qu'on ait obtenu l'assurance qu'elle ne serait pas employée pour la guerre. Le gouverneur repoussa cette condition, et l'Assemblée se sépara sans son consentement. A d'autres occasions, l'Assemblée trouva un moyen d'esquiver la difficulté. Ainsi en 1711 une allocation fut faite « for the Queen's use » en réponse à une demande pour une expédition militaire; un des chefs de l'Assemblée déclara après coup : « Nous n'avons rien vu de contraire à nos principes en allouant de l'argent au gouvernement de la Reine quel que dût être son emploi, cet emploi étant de sa compétence, non de la nôtre. »

Cette attitude fut maintenue plus tard. Il est assez bizarre de voir qu'en 1745, à l'occasion de la guerre avec la France, l'Assemblée de Pennsylvanie vota un crédit de 4 000 francs « for bread, beef, porc, flower, wheat and other grains » au lieu de voter des mesures d'armement. Le gouverneur interpréta les mots « other grains » comme comprenant la poudre! Plus tard on trouve souvent dans l'histoire de l'Assemblée des votes de crédits « for the King's use. »

Il est remarquable que les Quakers quoique restant en minorité en Pennsylvanie ont constamment été élus membres de l'Assemblée de la Province malgré leurs principes bien connus. Ils étaient tous considérés comme des hommes pondérés, en qui on pouvait avoir confiance, et nous avons vu par ce qui précède qu'ils trouvaient souvent moyen de concilier leurs convictions avec l'état actuel du monde. Lorsque ces convictions étaient menacées par des luttes, ils essayaient de maintenir une attitude pacifiste. Souvent ils furent exposés à des pillages de part et d'autre. Nous trouvons fréquemment la déclaration suivante de leur réunion : « Alors que nous ne condamnons pas le recours aux armes par d'autres, dans les circonstances actuelles du monde, nous sommes nous-mêmes en principe opposés au port des armes. »

On peut donc dire que lorsque Penn publia en 1693 son « Essay towards the present and future peace of Europe by the establishment of an European Diet, Parliament, or Estates, » il avait prouvé en pratique la possibilité d'établir un État pacifique, il est vrai, dans des circonstances exceptionnelles et tout à fait différentes de celles de l'Europe. Étant données toutefois les bonnes volontés réciproques, l'expérience ne sembla pas de prime abord désespérée.

On se trouvait en 1693 au milieu d'une guerre européenne provoquée par l'agression de Louis XIV contre l'Empereur. Penn commence par décrire les avantages de la paix; puis il pose son principe fondamental. « War cannot in any sense be justified, but upon wrongs received, and right, upon complaint, refused. » Il développe ensuite sa conception d'une société policée : « Le gouvernement est un remède contre la confusion, une restriction de toutes sortes de désordres, poids justes et balance égale, de sorte que l'un ne doit endommager l'autre ni soi-même par ses excès.

« Aucun homme n'est juge dans sa propre cause... en dehors de la société, tout homme est son propre roi; il fait ce qui lui plaît à ses propres risques et périls, mais lorsqu'il se crée une société, il soumet cette souveraineté (« Royalty ») aux exigences de l'ensemble et en retour il en reçoit la protection. »

On retrouve ici le raisonnement de Hobbes. Mais alors que Hobbes s'est arrêté devant le problème international en désespoir de cause, et s'est borné à méditer le problème intérieur d'un État, Penn va au bout de sa pensée, et applique le même principe aux relations entre les États de l'Europe en général. Sa conception est sociale, la paix résulterait d'une bonne organisation de la société européenne basée sur la justice. Voici sa conclusion : « If the sovereign princes of Europe, who represent that society, or independent state of men that was previous to the obligations of society, would, for the same reason that engaged men first into society, viz., love of peace and order, agree to meet by their stated deputies in a general diet, estates, or parliament, and there establish rules of justice for sovereign princes to observe one to another; and thus to meet yearly, or once in two or three years at farthest, or as they shall see cause, and to be styled, the Sovereign or Imperial Diet, Parliament, or State of Europe; before which sovereign assembly should be brought all differences depending between one sovereign and another that cannot be made up by private embassies before the sessions begin; and that if any of the sovereignties that constitute these imperial states shall refuse to submit their claim or pretensions to them, or to abide and perform the judgment thereof, and seek their remedy by arms, or delay their compliance beyond the time prefixed in their resolutions, all the other sovereignties, united as one strength, shall compel the submission and performance of the sentence, with damages to the suffering party, and charges to the sovereignties that obliged their submission. To be sure, Europe would quietly obtain the so much desired and needed peace to her harassed inhabitants; no sovereignty in Europe having the power and therefore cannot show the will to dispute the conclusion; and, consequently, peace would be procured and continued in Europe » (p. 7-8).

Il revient plus tard à sa conception fondamentale :

« By the same rules of justice and prudence by which parents and masters govern their families, and magistrates their cities, and estates their republics, and princes and kings their principalities and kingdoms, Europe may obtain and preserve peace among her sovereignties. For wars are the duels of princes » (p. 20).

Penn a été impressionné par le succès des États fédératifs en Europe, notamment par le succès des Provinces-Unies des Pays-Bas. En se basant sur sa conception sociale, il en arrive donc à recommander une organisation fédérative de l'Europe. Il propose la création d'une diète européenne de 90 membres; l'Empire allemand aurait 12 représentants, la France 10, l'Espagne également 10, l'Angleterre, ce qui veut dire la Grande-Bretagne, 6, la Suède et les Pays-Bas 4, chacun, etc. Les détails ne nous intéressent guère [1]. Cette diète qui prendrait ses décisions à une majorité des trois quarts,

1. Voir p. 11.

serait chargée de résoudre des litiges et dans le cas où un État ne se soumettrait pas à la décision de l'Assemblée, les autres États, nous l'avons déjà vu, se réuniraient pour la soumission de l'État récalcitrant et l'exécution de la sentence. Penn n'est donc pas opposé à un recours éventuel à la force. Toutefois il ne fait qu'effleurer le problème, mais sa solution ne semble guère conforme aux principes d'un Quaker. Il a peut-être raisonné comme ses coreligionnaires de Pennsylvanie qu'au besoin d'autres se chargeraient de la tâche ingrate et, au fond, antireligieuse, d'employer la force au service du droit. Peut-être a-t-il aussi espéré que la réduction des forces armées serait une des conséquences logiques de l'établissement de semblables confédérations.

D'une manière générale, on ne peut dire que le traité de Penn va tout à fait au fond du problème. Il a cependant soulevé dans un des chapitres une question fondamentale, je veux dire, celle de savoir quelle serait la base et le point de départ de l'organisation prévue. Il trouve cette base dans le *statu quo*, sans prendre position lui-même quant au moment exact qu'il faudrait choisir pour le fixer. Voici ce qu'il dit :

« But I easily foresee a question that may be answered in our way, and that is this : What is right? Or else we can never know what is wrong; it is very fit that this should be established. — But that is fitter for the sovereign states to resolve than me. — And yet that I may lead a way to the matter, I say that title is either by a long and undoubted succession, as the crowns of Spain, France, and England; or by election, as the crown of Poland and the Empire; or by marriage, as the family of the Stewarts came by England; the elector of Brandenburg to the Duchy of Cleve : and we, in ancient time, to divers places abroad; or by purchase, as hath been frequently done in Italy and Germany; or by conquest, as the Turk in Christendom, the Spaniards in Flanders, formerly mostly in the French hands, and the French in Burgundy, Normandy, Lorraine, French County, etc. This last title is, morally speaking, only questionable. It has indeed obtained a place among the rolls of titles, but it was engrossed and recorded by the point of the sword and in bloody characters. What cannot be controlled or resisted must be submitted to; but all the world knows the date of the length of such empires, and that they expire with the power of the possesser to defend them. And yet there is a little allowed to conquest too, when it has the sanction of articles of peace to confirm it : though that hath not always extinguished the fire, but it lies, like embers and ashes, ready to kindle so soon as there is fit matter prepared for it. Nevertheless, when conquest has been confirmed by a treaty, and conclusion of peace, I must confess it is an adopted title; and if not so genuine and natural, yet being engrafted, it is fed by that which is the security of better titles, consent » (p. 9).

On voit que Penn ne verse pas dans le raisonnement si utopique d'un de ses prédécesseurs, le duc de Sully, en croyant à la possibilité d'un remaniement territorial.

William Penn n'est pas le seul Quaker de cette période qui ait contribué positivement à la science de l'internationalisme. Un projet similaire au sien fut conçu par son coreligionnaire et ami *John Bellers* (1654-1725), connu aussi comme précurseur des penseurs socialistes de nos jours [1].

Bellers publia en 1710 une petite brochure *Some Reasons for an European State proposed to the Powers of Europe*, by an Universal Guarantee, and an Annual Congress, Senate, Dyet, or Parliament, to settle any Disputes about the Bounds and Rights of Princes and States hereafter. » Ce projet parut également au cours d'une guerre dévastatrice, celle de la succession d'Espagne. Il est curieux de voir notre auteur proposer pour la création de son organisation exactement la même méthode qui a été suivie par les Puissances Alliées et associées, lorsqu'elles ont fondé, il y a sept ans, la Société des Nations actuelle : « If the present Confederates begin among themselves, and then Invite into it all the Neutral Powers, it will draw on the Peace the farther (if not made before) and the more incline France itself to come into it.... » Substituez l'Allemagne à la France et vous aurez la situation de nos jours!

Dans les grandes lignes, la conception de Bellers ressemble de très près à celle de Penn. Il établit aussi le parallèle avec les États fédératifs existants.

1. Cf. Ed. Bernstein, *Sozialismus u. Demokratie in der englischen Revolution*, 4. Aufl. (1922), p. 326-363. — Ter Meulen, *Der Gedanke der Internationalen Organisation... 1300-1800*, p. 177-179 (avec citation).

« But as there is a necessity for raising gouvernment in towns and cities, for preserving the rights and properties of their inhabitants, by a peaceable deciding their disputes and for the same reason (and defence against their common enemies) to join Counties and Provinces into Kingdoms and States.

« So the advantages would be the same and greater to the kingdoms and States of Europe, if such an Union can be raised by them for deciding of any disputes which may happen among themselves; that for the future there may be a full stop to the effusion of Christian blood, which has often been poured out upon small occasions of offence. »

En ce qui concerne un aspect particulier du problème, Bellers tire des conclusions plus précises que Penn, je veux dire en ce qui concerne une réduction des armements. « Now considering Europe as one government, every kingdom and State may be limited what troops or ships of war they may keep up, that they may be disabled from invading their neighbours, for without it the peace may be little better than a truce if than a cessation of arms. »

Il est aussi intéressant de voir que l'économiste J. Bellers étaie son raisonnement d'arguments d'ordre économique, aspect qui avait été complètement négligé par W. Penn. Par là il s'apparente à son prédécesseur français Êmeric Crucé.

Voici les paroles dans lesquelles il révèle le fond de sa pensée pacifiste : « It would be much more Glorious for a Prince to Build Palaces, Hospitals, Bridges, and make Rivers Navigable, and to increase the Number of his people, than by pouring out Humane Blood as Water, to Invade his Neighbours. »

CHAPITRE VIII

AMOS COMENIUS — MOUVEMENT DES ACADÉMIES : LEIBNIZ — FRANC-MAÇONNERIE

En 1614 un ouvrage curieux parut à Cassel : *Allgemeine u. General Reformation der gantzen weiten Welt. Beneben der Fama Fraternitatis des löblichen Ordens des Rosenkreutzes, an alle Gelehrten und Häupter Europae geschrieben*[1]. On y trouve à la page 5 une discussion provoquée par le dieu Apollon entre les sept sages de la Grèce et « d'autres gens très érudits. »

L'empereur Justinien avait rapporté à Apollon que l'état du monde était désespérant; il avait demandé l'autorisation de faire une nouvelle loi « par laquelle il serait strictement interdit aux hommes de se faire des cruautés en abrégeant leur vie. » Suit une discussion des plus curieuses et des plus drôles. Les moyens les plus disparates sont proposés : Thales veut placer un « guckfensterlein » dans la poitrine de chaque homme, afin qu'il parle et agisse « à cœur ouvert; » ce qui est adopté à l'unanimité. Homère et Horace prient que l'on ait d'abord l'occasion de « laver » les cœurs, et il est décidé d'ajourner pendant huit jours la promulgation de la nouvelle ordonnance, pour laisser le temps à ce nettoyage. Interviennent Hippocrate, Galène et autres autorités médicales, qui signalent les dangers graves de semblable opération. Il faut donc renoncer à cet admirable projet. Que faire?

Solon propose un nouveau partage de la terre. Chilon veut abolir l'or et l'argent. Cléobule estime qu'il vaut mieux abolir le fer.

D'autres remèdes sont également proposés, mais au fond il n'y a guère de conclusion au débat. Tout le petit livre est inspiré d'un scepticisme résigné pour ne pas dire d'un cynisme amer.

1. Lange, *ouvr. cité*, p. 344 et suiv.

La publication de l'opuscule fit sensation; surtout la référence dans le titre à l'ordre honorable de la *Rosenkreutz* piqua la curiosité : toute une littérature s'occupa de la question de savoir ce qu'était cet ordre, quelles en avaient été les origines, etc. Des controverses à ce sujet ont continué pendant plus de deux cents ans, et il en est encore aujourd'hui qui sont passionnés par ce problème.

Nous savons maintenant qui était l'auteur de la brochure; c'était un jeune théologien luthérien Johann Valentin Andreae. Ce n'était pas un ouvrage original, mais seulement une traduction d'un des *Ragguagli di Parnasso,* de Trajano Boccalini (1556-1613). Nous savons aussi que l'ordre des « Rosenkreuzer » n'a jamais existé, malgré tous les efforts faits pour le découvrir. Descartes s'y est efforcé en vain; Leibniz de même. On sait maintenant que c'est là une des plus grandes mystifications que connaisse l'histoire.

On peut voir dans les écrits d'Andreae des symptômes d'internationalisme et de pacifisme; ensuite, dans l'écho vraiment stupéfiant qu'évoquèrent ces publications, la preuve d'une acceptation assez générale d'idées similaires au commencement du XVIIe siècle. Non pas qu'il s'agisse d'un mouvement conscient des esprits vers l'internationalisme. C'est une tendance beaucoup moins définie, de caractère plus vaste et plus flottant.

Elle part de l'impression tragique que « the world is out of joint. » Le mouvement de réforme religieuse du XVIe siècle est en déclin visible; il n'a pas donné ce qu'on pouvait en espérer; les guerres de religion ont dégénéré en de simples disputes dynastiques et territoriales. Des hommes de bonne volonté commencent à se demander quelle peut être la racine des maux qui travaillent l'humanité. Ils ressentent le besoin d'approfondir le problème. D'autre part les nouvelles sciences, l'astronomie, la physique, surtout la chimie mystérieuse, encore à ses débuts, piquent la curiosité. On veut apprendre davantage dans ce domaine, on veut échanger des expériences, des impressions, des manières de voir.

Or, la liberté d'association n'existe pas, et comme ces chercheurs sont aristocrates ils désirent un isolement distingué.

C'est ainsi qu'il faut s'expliquer l'origine des nombreuses « Académies » et « Sociétés » fermées et en partie secrètes que connurent les XVIe et XVIIe siècles.

Les « Académies » sont d'origine italienne. Les premières avaient été fondées à Florence à l'époque de Cosme et de Laurent de Médicis. Il est probable qu'Andreae, qui avait étudié aux universités de Lombardie, les a connues. On connaît des sociétés secrètes dans de nombreux pays : en Allemagne, et en Angleterre, où elles se cristallisèrent dans la constitution définitive de la « Royal Society for the Promotion of Science » (1662). Le champ des études fut vaste et varié. L'ambition dominante est la curiosité scientifique et la conciliation des confessions, conciliation pour laquelle *Comenius* dévoua toute une vie laborieuse.

Ce supra-confessionalisme, ce souci d'un large esprit de sentiment religieux fournit la base d'un *humanitarisme* qui est très proche de l'internationalisme et du pacifisme.

Nous connaissons trop peu les Académies et les Sociétés dont il vient d'être parlé pour pouvoir déterminer de plus près l'atmosphère qui y domina. Il est peut-être permis de les assimiler à la Franc-maçonnerie, qui sous plusieurs rapports continua leurs traditions dès le commencement du XVIIIe siècle; et il faut pour le moins constater que les adeptes de ces Sociétés formèrent un public instruit, prêt à accepter avec sympathie les idées et les projets internationalistes.

Nous allons dire quelques mots de deux représentants des tendances qui viennent d'être indiquées et qui occupent une place importante dans l'histoire des idées internationalistes : Amos Comenius et Gottfried Wilhelm Leibniz.

Comenius[1] est célèbre comme fondateur de la pédagogie moderne. Il mérite, en outre, une place dans l'histoire de l'internationalisme parce que ses efforts avaient pour objet de lier les peuples dans un élan commun pour l'amélioration générale de l'humanité. Il naquit en 1592 à Nivnitz, en Moravie. Ce n'est qu'âgé de vingt ans qu'il put fréquenter une école supérieure. Il fut ministre de ses coreligionnaires, les Frères Moraves, et après la défaite de la Montagne Blanche en 1620 il dut, avec 30 000 familles de sa confession, chercher asile en Pologne. Il fut directeur de lycée, puis évêque des Frères. Il accomplit diverses missions à l'étranger, puis la guerre le chassa de pays en pays; il passa les quatorze dernières années de sa vie, jusqu'en 1670, dans les Pays-Bas hospitaliers. Comme les

1. Lange, *ouvr. cité*, p. 477-490.

humanistes du XVIe siècle, Comenius est un Européen : son esprit large et ouvert, son zèle pour l'enseignement, son fonds de religiosité supra-confessionnel, le rapproche également d'eux. Il est un représentant remarquable du mouvement « iréniste » au XVIIe siècle dont le but était d'adoucir les oppositions confessionnelles et d'accentuer le fond commun de charité et de sentiments chrétiens. Cet irénisme est déjà proche du pacifisme : il en est la modalité confessionnelle. Comenius a vu de près la guerre; il ne la combat pas directement, mais il est internationaliste; cependant, malgré sa large culture intellectuelle, son fonds indestructible de sensibilité domine souvent, et son internationalisme devient un humanitarisme sentimental, à base religieuse, si bien que son influence s'est exercée exclusivement sur le terrain moral et intellectuel. Dans son premier écrit *Cesta pokoje* il parle de la paix religieuse; il faut avoir recours à l'amour et non à la force, il faut être conciliant et pacifique.

Dans son traité *Via lucis*, écrit à Londres vers 1641-42, il se fait l'avocat d'une langue mondiale; c'est une des premières fois que paraît l'idée d'une langue auxiliaire autre que le latin, idée pour laquelle tant d'efforts ont été dépensés depuis. La langue est un lien de sociabilité, et Comenius revient sur ce problème dans sa *Panegersia*.

Ce « réveil universel » devait être l'introduction à une grande œuvre « pansophique » que Comenius n'arriva jamais à rédiger. Elle provoqua à Londres l'institution d'une Académie, qui n'eut, cependant, qu'une vie éphémère.

La préface de la *Panegersia* s'adresse aux européens; il faut porter la lumière à tous les peuples. C'est une saisissante proclamation de la solidarité européenne. Pourquoi la terre, qui est au point de vue naturel une unité, ne le serait-elle pas au point de vue moral? Nous retrouvons ici la conception des stoïciens. Comenius essaie même d'indiquer l'évolution sociale : comme remède contre les discordes, on a essayé de réduire plusieurs pays sous un seul sceptre; mais cela n'a jamais réussi d'une manière heureuse; un homme ne peut suffire à cette tâche.

Comenius indique la voie de la fédération pour préparer la paix, mais les enseignements de l'histoire le découragent. Il ne pouvait guère voir à son époque une garantie de paix dans la démocratie. Elle l'est en réalité parce qu'il existe entre les peuples une solidarité des intérêts qui n'a jamais uni les dynasties ou les oligarchies. Comenius se borne à prêcher l'amélioration morale. Il n'a pas une conception nette d'ordre politique. En 1667 les envoyés de la Grande-Bretagne et des Pays-Bas s'étaient réunis à Breda, pour négocier la paix. Comenius écrivit alors *l'Ange de la paix*, ouvrage qui n'a aucune portée politique.

Entre temps Comenius avait engagé une polémique très vive avec le socinien Daniel Zwicker, polémique intéressante pour nous sur un seul point et sur lequel d'ailleurs Comenius se déclare d'accord avec son adversaire. Zwicker avait combattu le recours aux armes. Pour Comenius non plus, les chrétiens n'osent pas repousser la violence par la violence. Il revient sur ce problème dans son dernier grand ouvrage *Unum necessarium*, qui fut son testament spirituel et son œuvre la plus caractéristique. Est-il permis aux chrétiens d'avoir recours à la force? Il attaque la « raison d'État » qui prend des ombres pour des objets et profane arbitrairement le droit divin. Que faut-il faire devant une nécessité absolue de guerre? Comenius professe un antimilitarisme très net, qu'il n'hésite pas à appliquer aux relations entre États. Il insiste encore sur l'unité du genre humain et on dirait qu'il devine la théorie moderne de l'unité biologique du genre humain, qui de nos jours a été approfondie sur la base de recherches scientifiques, afin de prouver que la guerre détruit même les États qui l'entretiennent. C'est dans son *Unum necessarium* qu'il remercie Dieu de l'avoir fait optimiste, « vir desiderorium, » ce qui lui a permis de se vouer à l'instruction et à l'éducation. En un mot, Comenius est l'un des initiateurs du large courant d'humanitarisme qui est caractéristique au XVIIIe siècle, en France, en Angleterre, en Allemagne.

Sous plusieurs rapports, le célèbre philosophe allemand *G. W. Leibniz* (1646-1716)[1] continue et développe les efforts de Comenius. Mais c'est une tout autre personnalité. Leibniz n'est pas dominé par le sentiment, au point où l'avait été Comenius, il a l'esprit plus critique et ses aspirations ne s'épuisent pas dans la prédication : il réalise. Leibniz avait beaucoup d'initiative et son renom scientifique lui créa des adhésions importantes et même parmi les princes de son temps.

1. Sur les opinions politiques de L., voir surtout Pfleiderer, *G. W. Leibniz, als Patriot, Staatsmann und Bildungsträger*, Leipzig, 1870.

Leibniz a développé sa conception des relations internationales dans la préface de son *Codex juris gentium diplomaticus* (Hanovre, 1693). Il commence en citant la manière de voir de Hobbes, « écrivain très pénétrant. » « Il a constaté, » dit-il, « qu'entre les divers États et nations il y a guerre perpétuelle: ceci n'est pas tellement absurde, pourvu que cette doctrine ne nous pousse pas à reconnaître le droit de nuire, mais qu'elle provoque la prudence et la réserve dans les actions à l'égard des autres » (p. 1). C'est dans la même préface qu'il cite pour la première fois l'anecdote à laquelle sont revenus plusieurs autres auteurs, celle du cabaretier hollandais qui avait comme enseigne de son auberge, appelée « La Paix perpétuelle, » le tableau d'un cimetière. En effet, ce n'est qu'après la mort qu'on trouve la paix absolue et éternelle.

On voit donc que Leibniz n'a pas versé dans l'utopisme si caractéristique de bien des internationalistes. Il a dû voir que le mot « paix » avait des significations différentes et que dans les relations internationales ce mot ne veut pas dire repos et quiétisme non plus qu'absence de lutte, qui est un élément indispensable de la vie humaine, mais plutôt l'idéal d'une organisation internationale dans laquelle la guerre armée est considérée comme un crime contraire aux principes d'une société civilisée.

Aussi Leibniz n'a-t-il pas renoncé à l'espoir d'arriver à semblable organisation. Il suivait avec attention les événements de son époque et, dès sa jeunesse, il a développé certaines idées sur la pacification qui présentent un grand intérêt pour notre étude. Le point de départ était le souci patriotique qui l'inspirait en voyant l'Allemagne tomber sous la dépendance de la France de Louis XIV, à cause des dissensions entre les Princes et par suite de la désorganisation qu'avaient créée les traités de Westphalie. En 1670, à l'âge de vingt-quatre ans, Leibniz ébaucha un plan d'après lequel les princes d'Europe, au lieu de s'entre-déchirer, se réuniraient dans une sorte de croisade contre l'Empire ottoman. Si l'entreprise aboutissait, la France recevrait l'Égypte; ainsi la soif de conquêtes de Louis XIV serait satisfaite. Ce plan fut même soumis à Louis XIV qui avait à cette époque des démêlés sérieux avec le Sultan. Il fit appeler Leibniz à Paris, mais le philosophe ne fut point reçu par le roi. Les difficultés avec la Turquie avaient déjà été aplanies, et le projet de Leibniz ne fut jamais sérieusement considéré. Il devait rejoindre les cent autres plans de partage de la Turquie[1].

Quelques années plus tard, en 1676, au moment où s'ouvrit le congrès de Nimègue, Leibniz développe dans un autre ouvrage latin, cette fois pseudonyme, « Caesarini Fuerstenerii, Tractatus de Jure suprematus ac Legationis principum Germaniae, » une sorte de fédération internationale, sous la direction du Pape, comme chef spirituel, et de l'Empereur, comme chef temporel. Les autres princes garderaient néanmoins leur pouvoir souverain, seulement leurs litiges seraient réglés par un « Sénat » institué par le Concile chrétien.

« S'il existait un conseil permanent ou un Sénat créé par ce Concile, chargé de veiller aux intérêts généraux de la chrétienté, ce qui se fait maintenant par les alliances, et, comme on les appelle, la médiation et les garanties, pourrait alors être décidé par un pouvoir public fondé par le Pape et l'Empereur en qualité de chefs de la chrétienté; donc par le moyen d'une entente amicale et d'une manière plus pratique et convenable qu'actuellement[2]. »

Leibniz n'a pas davantage approfondi son projet, et les idées qu'il avait formulées dans l'enthousiasme de sa jeunesse, semblent avoir été abandonnées très vite par le philosophe. Cela ne l'empêchait pas toutefois de suivre avec attention les travaux des internationalistes. Il se rappelait encore à un âge avancé qu'il avait lu dans sa jeunesse le « Nouveau Cynée, » dont il ignorait l'auteur. Il connaissait les œuvres de l'abbé de Saint-Pierre, et il fut pendant plusieurs années en correspondance suivie avec le prince Ernest de Hesse-Rheinfels[3], qui avait publié en 1673 un gros ouvrage, de plus de 800 pages, dans lequel il préconisait un projet de pacification entre les catholiques. Le prince avait voulu fixer le siège du Tribunal international catholique dans la ville de Lucerne. Leibniz dit dans une de ses lettres : « Pour moi je serois d'avis de l'établir à Rome même, et d'en faire le Pape président, comme en effet il faisoit autrefois figure de juge entre les princes chrétiens. Mais il faudroit en même temps que les Ecclésiastiques reprissent leur ancienne autorité, et qu'un interdit et une excommunication fît trembler des Rois et des Royaumes, comme du tems de Nicolas Ier ou de

1. Cf. Djuvara, *Cent projets de partage de la Turquie*, Paris, 1914.
2. Citation chez Ter Meulen, *ouvr. cité*, p. 208.
3. Voir *Briefwechsel mit Ernst v. Hessen-Rheinfels...* hgb. von Rommel. Frankfurt a. M., 1847.

Grégoire VII. Et pour y faire consentir les protestants, il faudroit prier sa Sainteté de rétablir la forme de l'Église telle qu'elle fut du tems de Charlemagne, lorsqu'il tenait le Concile de Francfort; et de renoncer à tous Conciles tenus depuis, qui ne sauroient passer pour oecuméniques. Il faudroit aussi que les Papes ressemblassent aux premiers évêques de Rome. Voilà des projets qui réussiront aussi aisément que celui de M. l'abbé de Saint-Pierre, mais puisqu'il est permis de faire des romans, pourquoi trouverons-nous sa fiction mauvaise, qui nous ramènerait le siècle d'or. (Lettre à Grimarest, Hanovre, juin 1712. *Opera*, éd., Dutens, Genève, 1768, vol. V, p. 65-66.)

Dans une autre lettre Leibniz résume ainsi sa manière de voir au sujet de semblables projets : « Il est très sûr que si les hommes vouloient, ils se pourroient délivrer de ces trois grands fléaux, la guerre, la peste et la famine. Quant aux deux derniers, chaque Souverain le peut; mais contre la guerre il faudroit cet accord des Souverains qu'il est difficile d'obtenir. Cette matière curieuse pouvoit recevoir de plus grands embellissemens, sur-tout par l'histoire. » (11 février 1715; *ibid.* 20-21.)

Leibniz était également, vers la fin de sa vie, en correspondance avec l'abbé de Saint-Pierre de qui nous aurons à reparler, et dont il critiquait les plans de pacification; dans une de ses lettres, il ébauche une idée nouvelle visant une prévention des guerres : « Il faudroit que tous ces Messieurs donassent caution bourgeoise, ou déposassent dans la banque du tribunal, un Roi de France, par exemple, 100 millions d'écus, et un Roi de la Grande-Bretagne à proportion, afin que les sentences du tribunal pussent être exécutées sur leur argent, en cas qu'ils fussent réfractaires[1]. »

Le philosophe de l'harmonie ne perdit jamais de vue la nécessité d'une coopération internationale. Au cours de sa vie si bien remplie, caractérisée par une activité scientifique dévorante, il fit beaucoup pour rapprocher les esprits; surtout il s'est acquis de très grands mérites par la création d'*Académies*. En 1700 il persuada, par l'intermédiaire d'une princesse qu'il connaissait, le roi Frédéric Ier de Prusse, de fonder l'Académie des Sciences à Berlin. Il vit dans de semblables associations bien organisées, qui se dévoueraient à des

1. Lettre à Grimarest du 4 juin 1712, citée plus haut. *Opera*, éd. Dutens, V, p. 66.

sujets scientifiques et pratiques, le meilleur moyen pour l'intensification des forces spirituelles; conformément à son idée fondamentale de l'harmonie, il voulait réunir les éléments divers au service d'un but d'unité. Les forces dispersées des individus étaient d'après lui « comme qui dirait du sable sans chaux. »

On a bien caractérisé l'importance de l'activité de Leibniz en ce domaine dans les termes suivants[1] :

« Toutes ces tentatives, dont une seule eut un succès immédiat, ne furent donc pas stériles; les germes semés par Leibniz aux quatre coins de l'Europe devaient tôt ou tard fructifier.... Les Académies qu'il s'efforçait de fonder dans les différents pays n'étaient dans sa pensée que les fragments épars et provisoires d'une vaste Académie européenne, d'une sorte de fédération internationale des savants dont elles eussent constitué simplement des collèges distincts.... Il est resté toujours fidèle, malgré les malheures de son pays et les blessures de son patriotisme, à cet idéal généreux et humanitaire; il a toujours été un *cosmopolite* au vrai et bon sens de ce mot, un citoyen de l'univers. Il écrivait par exemple : « Pourveu qu'il se fasse quelque chose de conséquent, je suis indifférent que cela se fasse en Allemagne ou en France, car je souhaite le bien du genre humain; je suis, non pas φιλέλλην ou φιλορομαίος, mais φιλάνθρωπος. »

La création des Académies du XVIIe et du XVIIIe siècle a surtout eu pour effet d'élargir le cercle des milieux dans lesquels les idées internationalistes peuvent trouver un écho sympathique. Dans le même ordre d'idées, il ne faut pas oublier la *Franc-Maçonnerie*, qui dès la fin du XVIIe et le début du XVIIIe siècle prit un développement considérable. Nous n'avons pas ici à faire la critique des opinions si diverses sur les origines de cette association. Il existe sans doute un certain lien entre les Académies dont nous venons de parler et la Franc-Maçonnerie. On a pu établir également une connexité avec le mouvement des sectes du moyen âge, surtout avec celle des Vaudois dont nous avons vu l'importance au point de vue de notre étude.

A l'âge de l'absolutisme où nous sommes, la liberté d'association n'existait point, d'où la nécessité pour ceux qui poursuivaient des

1. Couturat, *Logique de Leibniz*, Paris, 1901, p. 527-528.

buts plus ou moins contraires au pouvoir existant, de former des sociétés secrètes. Il faut dire aussi qu'à tout âge, bien des personnes trouvent une satisfaction particulière dans des rites mystérieux. Ce qui nous intéresse dans la Franc-Maçonnerie, c'est la tendance égalitaire et cosmopolite qui la caractérise et surtout l'esprit de tolérance qui est la thèse fondamentale des Loges[1].

Les historiens sérieux de la Franc-Maçonnerie trouvent l'origine du mouvement organisé des Francs-Maçons dans la création de la loge anglaise en 1717. Cette origine se rattache de près au développement du déisme anglais qui rejetait la révélation chrétienne et repoussait tout lien dogmatique. Ce principe fut facilement reconnu en Angleterre, où le « Toleration Act » de 1689 avait proclamé le principe de la liberté religieuse des dissidents.

Voilà la formule qu'on trouve consacrée par les *Constitutions* anglaises des Francs-Maçons (1723) : ... « Quoique dans les anciens temps les maçons fussent tenus d'être de la religion du pays où ils étaient, cependant on a jugé maintenant qu'il est plus convenable de les obliger seulement à être de la religion dont tous les honnêtes gens conviennent, qui est de permettre à chacun d'embrasser les opinions qu'il croit les plus saines et les plus raisonnables, opinions qui peuvent rendre un homme bon, équitable, sincère et humain envers ses semblables, de quelque lieu et en quelque croyance qu'ils puissent être. De sorte que par un principe si excellent, la maçonnerie deviendra le centre de l'union parmi les hommes et l'unique moyen d'établir une étroite et solide amitié parmi des personnes qui, en dehors d'elle, fussent constamment demeurées séparées les unes des autres » (*op. cit.*, p. 728).

Déjà, au sein des Académies, on a pu constater des tendances qui allaient plus loin encore, et les Francs-Maçons en deviennent bientôt les adeptes convaincus; ils étaient les adversaires impitoyables de l'absolutisme; pour eux la patrie n'imposait pas un étroit exclusivisme. Enfin le maçonnage a toujours considéré la guerre comme un outrage et ne pouvait pas ne pas combattre la politique égoïste qui montrait dans tout peuple étranger un ennemi naturel.

La Franc-Maçonnerie se recrutait dans les classes dirigeantes de

1. *Cf. Nys*, La Franc-maçonnerie et le Droit international, *Revue de droit international et de législation comparée*, 1907 (Bruxelles).

la société, mais elle trouvait surtout ses adeptes au sein de la nouvelle bourgeoisie riche qui assumait alors, dans les pays dirigeants de l'Europe occidentale, la direction de la vie intellectuelle et commerciale et, dans certains pays, la direction politique des nations.

Ainsi se formait au début du XVIIIe siècle un public sinon nombreux, en tout cas actif et conscient, qui avait l'esprit ouvert et même sympathique à l'égard des thèses du pacifisme et de l'internationalisme. Nous avons déjà parlé des nombreuses sectes religieuses; nous venons de voir le monde scientifique s'orienter dans le sens d'une coopération intellectuelle entre les nations; en partie sous l'inspiration de la Franc-Maçonnerie, les classes dirigeantes et surtout la nouvelle bourgeoisie s'orientent vers les mêmes tendances. Le XVIIIe siècle et surtout la littérature dite des « philosophes » est toute pénétrée de ces idées.

CHAPITRE IX

DIX-HUITIÈME SIÈCLE — PACIFISME ET INTERNATIONALISME DES PHILOSOPHES

I. — PACIFISME.

Les idées nouvelles qui se manifestent dès la fin du XVIIe siècle, d'abord en Angleterre, puis en France, pour passer finalement en Allemagne, expriment dans le domaine social et politique les aspirations d'une nouvelle classe. C'est la bourgeoisie dont l'avènement s'annonce et qui, en prenant de plus en plus conscience d'elle-même, tend à opposer un nouvel idéal à celui de la royauté et de l'aristocratie dont elle ressent la domination et l'air de supériorité — idéal de paix et de travail créateur, opposé à celui du gentilhomme portant l'épée comme serviteur du roi.

Addison (1672-1719) crée dans ses *Essays* du *Spectator* (1711-12) la figure du marchand de Londres Sir Andrew Freeport dans la bouche de qui nous entendons l'affirmation suivante : « He is acquainted with commerce in all its parts; and will tell you that it is a stupid and barbarous way to extend dominion by arms; for true power is to be got by arts and industry. I have heard him prove, that diligence makes more lasting acquisitions than valour, and that sloth has ruined more nations than the sword. »

Nous prenons connaissance de l'opinion personnelle d'Addison par un autre passage dans lequel il parle des manières de se disputer : « There is a way of managing an argument, which is made use of by states and communities, when they draw up a hundred thousand disputants on each side, and convince one another by dint of sword. A certain grand monarch was so sensible of his strength in this way of reasoning, that he writ upon his great guns — Ratio ultima Regum. « The logic of kings; » but, God be thanked, he is now pretty well baffled at his own weapons. When one has to do with a philosopher of this kind, one should remember the old gentleman's saying, who had been engaged in an argument with one of the Roman emperors. Upon his friend's telling him, that he wondered he would give up the question when he had visibly the better of the dispute; « I am never ashamed, » says he, « to be confuted by one who is master of fifty legions. »

Swift a rendu la guerre ridicule à plusieurs reprises notamment dans sa satire mordante, *Gulliver's Travels* (1726). La littérature anglaise du XVIIIe siècle suit la voie ainsi ouverte, et on pourrait faire une jolie anthologie des déclarations anti-guerrières des auteurs britanniques.

La même manière de voir s'était déjà révélée en France chez les précurseurs des philosophes. *Pascal* avait fait jouer son ironie contre la guerre et la raison d'État : « Le larcin, l'inceste, le meurtre des enfants et des pères, tout a eu sa place entre les actions vertueuses. Se peut-il rien de plus plaisant qu'un homme ait droit de me tuer parce qu'il demeure au delà de l'eau et que son prince a querelle avec le mien, quoique je n'en aie aucune avec le leur.... Pourquoi me tuez-vous? Eh quoi! ne demeurez-vous pas de l'autre côté de l'eau? Mon ami, si vous demeuriez de ce côté je serais un assassin. Cela serait injuste de me tuer de la sorte, mais puisque vous demeurez de l'autre côté, je suis un brave et cela est juste. »

La Bruyère n'est pas moins catégorique. On se rappelle de sa fable des chats :

« Si l'on vous disait que tous les chats d'un grand pays se sont assemblés par milliers dans une plaine et qu'après avoir miaulé tout leur saoul, ils se sont jetés avec fureur les uns sur les autres et ont joué ensemble de la dent et de la griffe, que de cette mêlée sont demeurés de part et d'autre neuf à dix mille chats sur la place, qui ont infecté l'air à dix lieues de là par leur puanteur, ne diriez-vous pas : « Voilà le plus abominable sabbat dont on ait jamais ouï parler. »

Chez *Fénelon* nous trouvons des thèses qui rappellent celles de Comenius. Il écrit dans ses *Lettres sur la Religion* (chap. III) :

« Dieu a placé les hommes dans une société afin qu'ils s'aiment comme les enfants d'une famille et d'un père communs. Chaque grande nation sur la grande terre ne forme qu'une branche de cette grande famille. L'amour du père commun doit se faire sentir et se manifester; il doit dominer sans entrave dans la société de ses enfants. »

Le *Télémaque* de Fénelon enseigne une politique sage et modérée, opposée à l'esprit de conquête. Dans son *Examen de conscience sur les devoirs de la Royauté,* Fénelon développe ainsi sa pensée sur le problème de la paix et de la guerre :

« Il faut toujours se souvenir des maux que coûtent au dedans et au dehors de son État les grandes conquêtes, qu'elles sont sans fruit, et du risque qu'il y a à les entreprendre; enfin, de la vanité, de l'instabilité, du peu de durée des grands empires; il n'est pas permis d'espérer qu'une puissance supérieure à toutes les autres demeure longtemps sans abuser de cette supériorité; un prince bien sage et bien juste ne doit jamais souhaiter de laisser à ses successeurs, qui seront, selon toutes les apparences, moins modérés que lui, cette continuelle et violente tentation d'une supériorité trop déclarée. Pour le bien même de ses successeurs et de ses peuples, il doit se borner à une espèce d'égalité. Il est vrai qu'il y a deux sortes de supériorité; l'une extérieure qui consiste en étendue de terres, en places fortifiées, en passages pour entrer dans les terres de ses voisins, etc. Celle-là ne fait que causer des tentations aussi funestes à soi-même qu'à ses voisins, qu'exciter la haine, la jalousie et les ligues. L'autre est intérieure et solide; elle consiste dans un peuple plus nombreux, mieux discipliné, plus appliqué à la culture des terres et aux arts nécessaires. Cette supériorité d'ordinaire est facile à acquérir, sûre, à l'abri de l'envie et des ligues, plus propre même que les conquêtes et que les places à rendre un peuple invincible. On ne saurait donc trop chercher cette seconde supériorité, ni trop éviter la première qui n'a qu'un faux éclat. »

Vauban[1], qui avait connu de près la guerre, oppose le ridicule des conquêtes et leurs conséquences désastreuses aux bienfaits d'une paix dont on jouirait dans un État richement peuplé et travaillant à la prospérité du roi et du Royaume. La paix doit être la situation normale d'un État, la guerre au contraire n'est que l'extrémité à laquelle on ne doit recourir que pour défendre l'État ou ses droits et seulement en cas de danger. Cette opinion exprimée par Vauban

1. Intérêt présent des États de la Chrétienté, cité chez Constantinescu-Bagdat, *De Vauban à Voltaire* (Études d'histoire pacifiste, III), Paris, 1925, p. 31. — Comp. cette étude également en ce qui concerne les auteurs suivants.

sur l' « état normal » de l'État est intéressante parce qu'elle contraste avec le principe de Louis XIV, qui avait demandé une fois aux États provinciaux de Languedoc de lui voter un impôt extraordinaire parce que, au cours de l'année précédente, il n'avait pas fait de guerre.

Chez les philosophes français proprement dits, les boutades contre la folie guerrière, les critiques de l'esprit de conquête ne se comptent plus. *Montesquieu* définit ainsi le droit de conquête : « C'est un droit nécessaire, légitime et malheureux, qui laisse toujours à payer une dette immense pour s'acquitter envers la nature humaine[1]. » Nous voyons ici que Montesquieu ne repousse pas toute guerre. Il a développé davantage sa pensée dans deux de ses *Lettres persannes* (L. XCIV-V). On lit dans la première :

« Le droit public est plus connu en Europe qu'en Asie; cependant on peut dire que les passions des princes, la patience des peuples, la flatterie des écrivains en ont corrompu tous les principes.

« Ce droit, tel qu'il est aujourd'hui, est une science qui apprend aux princes jusqu'à quel point ils peuvent violer la justice sans choquer leurs intérêts. Quel dessein, Rhedi, de vouloir, pour endurcir leur conscience, mettre l'iniquité en système, d'en donner des règles, d'en former des principes, et d'en tirer des conséquences!

« La puissance illimitée de nos sublimes sultans, qui n'a d'autre règle qu'elle-même, ne produit pas plus de monstres que cet art indigne qui veut faire plier la justice, tout inflexible qu'elle est.

« On dirait, Rhedi, qu'il y a deux justices toutes différentes; l'une qui règle les affaires des particuliers, qui règne dans le droit civil; l'autre qui règle les différends qui surviennent de peuple à peuple, qui tyrannise dans le droit public; comme si le droit public n'était pas lui-même un droit civil; non pas, à la vérité, d'un pays particulier, mais du monde. »

Dans *L'esprit des lois* (I, 3), Montesquieu formule, à l'égard de la guerre, le principe suivant : « Le droit des gens est naturellement fondé sur ce principe que les diverses nations doivent se faire dans la paix le plus de bien et dans la guerre le moins de mal possible. » Au temps relativement innocent du XVIIIe siècle, Montesquieu a déjà vu le danger des armées permanentes et la folie de la surenchère des armements. Qu'aurait-il dit de notre époque?

1. Voir entre autres Laurent, *Histoire du Droit des gens*, XI, 602.

Qui ne connaît pas le tableau de la guerre dans lequel Voltaire exerce sa verve satirique contre les excès de la politique des rois. Il raconte les aventures de Candide[1].

« Rien n'était si beau, si leste, si brillant, si bien ordonné que les deux armées. Les trompettes, les fifres, les haut-bois, les tambours, les canons, formaient une harmonie telle qu'il n'y en eut jamais en enfer. Les canons renversèrent d'abord à peu près six mille hommes de chaque côté; ensuite la mousqueterie ôta du meilleur des mondes environ neuf à dix mille coquins qui en infectaient la surface. La baïonnette fut aussi la raison suffisante de la mort de quelques milliers d'hommes. Le tout pouvait bien se monter à une trentaine de mille âmes. Candide, qui tremblait comme un philosophe, se cacha du mieux qu'il pût pendant cette boucherie héroïque.

« Enfin, tandis que les deux rois faisaient chanter des *Te Deum*, chacun dans son camp, il prit le parti d'aller raisonner ailleurs des effets et des causes. Il passa par-dessus des tas de morts et de mourants, et gagna d'abord un village voisin; il était en cendres; c'était un village abare que les Bulgares avaient brûlé, selon les lois du droit public. Ici les vieillards criblés de coups regardaient mourir leurs femmes égorgées, qui tenaient leurs enfants à leurs mamelles sanglantes; là des filles éventrées, après avoir assouvi les besoins naturels de quelques héros, rendaient les derniers soupirs; d'autres à demi brûlées criaient qu'on achevât de leur donner la mort. Des cervelles étaient répandues sur la terre à côté de bras et de jambes coupées. »

Lorsque l'habitant de Sirius, Micromégas (*ibd.*, p. 108), arrive sur la terre, il est frappé par l'intelligence des philosophes qu'il rencontre et il leur dit : « O atomes intelligents, dans qui l'Être éternel s'est plu à manifester son adresse et sa puissance, vous devez, sans doute, goûter des joies bien pures sur votre globe; car ayant si peu de matière, et paraissant tout esprit, vous devez passer votre vie à aimer et à penser; c'est la véritable vie des esprits. Je n'ai vu nulle part le vrai bonheur, mais il est ici, sans doute. » A ce discours tous les philosophes secouèrent la tête; et l'un d'eux, plus franc que les autres, avoua de bonne foi que, si l'on en excepte un petit nombre d'habitants fort peu considérés, tout le reste est un assem-

1. *Romans de Voltaire*, éd. Firmin-Didot (1887), p. 117.

blage de fous, de méchants et de malheureux. Nous avons plus de matière qu'il ne nous en faut, dit-il, pour faire beaucoup de mal, si le mal vient de la matière; et trop d'esprit si le mal vient de l'esprit. Savez-vous bien, par exemple, qu'à l'heure que je vous parle, il y a cent mille fous de notre espèce, couverts de chapeaux, qui tuent cent mille autres animaux couverts d'un turban, ou qui sont massacrés par eux, et que, presque par toute la terre, c'est ainsi qu'on en use de temps immémorial? Le Sirien frémit, et demanda quel pouvait être le sujet de ces horribles querelles entre de si chétifs animaux. Il s'agit, dit le philosophe, de quelques tas de boue grands comme votre talon. Ce n'est pas qu'aucun de ces millions d'hommes qui se font égorger prétende un fétu sur ces tas de boue. Il ne s'agit que de savoir s'il appartiendra à un certain homme qu'on nomme « Sultan, » ou à un autre qu'on nomme, je ne sais pourquoi, « César. » Ni l'un ni l'autre n'a jamais vu ni ne verra jamais le petit coin de terre dont il s'agit; et presque aucun de ces animaux, qui s'égorgent mutuellement, n'a jamais vu l'animal pour lequel il s'égorge.

« Ah! malheureux! s'écria le Sirien avec indignation, peut-on concevoir cet excès de rage forcenée! Il me prend envie de faire trois pas, et d'écraser de trois coups de pied toute cette fourmilière d'assassins ridicules. Ne vous en donnez pas la peine, lui répondit-on; ils travaillent assez à leur ruine. Sachez qu'au bout de dix ans, il ne reste jamais la centième partie de ces misérables; sachez que, quand même ils n'auraient pas tiré l'épée, la faim, la fatigue, ou l'intempérance les emportent presque tous. D'ailleurs, ce n'est pas eux qu'il faut punir, ce sont ces barbares sédentaires qui du fond de leur cabinet ordonnent, dans le temps de leur digestion, le massacre d'un million d'hommes et qui ensuite en font remercier Dieu solennellement. Le voyageur se sentait ému de pitié pour la petite race humaine, dans laquelle il découvrait de si étonnants contrastes. »

On retrouve le même raisonnement et en partie les mêmes expressions dans d'autres ouvrages de Voltaire, par exemple dans son *Dictionnaire portatif* sous l'article « Guerre ». Cela n'empêche qu'à d'autres endroits Voltaire s'est moqué très spirituellement des projets de paix perpétuelle. Avec raison il était sceptique quant à l'authenticité du « Grand Dessein » de Henri IV; il lançait des boutades sarcastiques contre le bon abbé de Saint-Pierre. Dans un petit ouvrage, *De la paix perpétuelle* « par le Dr Goodheart, » qui date de 1769, et qui sans doute vise les nombreux projets de paix, qui, nous le verrons tout à l'heure, abondent au XVIIIe siècle, il conclut en disant que la guerre parmi les hommes est inévitable comme entre tous les autres animaux carnivores.

Diderot, fidèle à son esprit plus optimiste et positif, envisage le problème de la guerre du point de vue historique. L'esprit de conquête a caractérisé le passé; il n'est pas certain qu'il en sera de même à l'avenir, Diderot applique, dirait-on, un critère sociologique, en déclarant : « Une guerre au milieu de différentes nations commerçantes est un incendie nuisible à toutes. C'est un procès qui menace la fortune d'un grand négociant et qui fait pâlir ses créanciers. » (*Fragments politiques.*) Diderot entrevoit déjà le principe tout moderne de l'interdépendance des nations. Dans son article « Paix » de l'*Encyclopédie*, il développe le même point.

L'élève royal des philosophes, *Frédéric II*, exprime, comme l'avait fait Voltaire, des jugements contradictoires. Nous lisons dans une de ses lettres : « J'ai lu aujourd'hui l'article de l'Encyclopédie sur la guerre. Je crois qu'une époque viendra à laquelle on va déléguer des apôtres qui prêcheront contre la folie de la surenchère des armements. » Mais dans son *Anti-Machiavel*, il déclare que la guerre est légitime, tant la guerre de précaution, guerre préventive, que la guerre pour soutenir des prétentions légitimes : « Comme il n'y a point de tribunaux supérieurs aux rois, c'est aux combats à décider de leurs droits et à juger de la validité de leurs raisons. Les Souverains plaident les armes à la main. C'est donc pour maintenir l'équité dans le monde que les guerres se font, ce qui en rend l'usage sacré et d'une utilité indispensable[1]. » Et dans sa correspondance on lit : « L'homme restera, malgré les philosophes, la plus méchante bête de l'univers. Il y aura toujours des guerres, comme il y aura toujours des procès, des banqueroutes, des pestes et des tremblements de terre. » (*Ibid.*, p. 600.)

Rousseau ne nie pas que les guerres ne puissent avoir certains résultats heureux : « Un peu d'agitation donne du ressort aux âmes, et ce qui fait vraiment prospérer l'espèce est moins la paix que la liberté. » (*Contrat Social*, ch. IX). D'autre part, dans son *Discours*

1. Cité chez Laurent, *l. c.*, XI, p. 548.

sur l'Économie politique nous lisons : « Ces dangereux établissements [militaires] s'accroissent depuis quelque temps avec une telle rapidité dans tous nos climats qu'on ne peut prévoir que la dépopulation prochaine de l'Europe, et tôt ou tard la ruine des peuples qui l'habitent. »

Nous aurons l'occasion de voir dans un instant l'opinion ou plutôt les opinions de Rousseau à l'égard du projet de l'abbé de Saint-Pierre; elles sont aussi quelque peu contradictoires.

C'est une preuve frappante du progrès des idées pacifistes en France qu'en 1766 un anonyme ait fait remettre à l'Académie Française les fonds nécessaires pour une médaille d'or destinée à celui qui, au jugement de cette compagnie, aurait le mieux traité le sujet suivant :

« Exposer les avantages de la Paix, inspirer de l'horreur pour les ravages de la guerre, et inviter toutes les nations à se réunir pour assurer la tranquillité générale. »

Le prix a été décerné à M. de la Harpe, dont l'ouvrage ne présente pas à vrai dire un très grand intérêt. Aussi l'Académie avait-elle beaucoup hésité. Une autre réponse due à la plume de M. Gaillard auteur d'une *Histoire de la rivalité de la France et de l'Angleterre*, était certainement plus intéressante et plus importante; heureusement l'Académie fut à même de récompenser également l'ouvrage de M. Gaillard. L'auteur constate d'abord les progrès de l'humanité vers la paix : « Je crois voir » dit-il « de siècle en siècle une lente et pénible succession d'efforts tendant à la paix générale[1]. » Il discute les différents moyens jusqu'ici appliqués : équilibre, alliances, traités de garantie et les rejette. Il voit la possibilité d'une solution du problème sur la base des mêmes principes qui ont présidé à la constitution des États policés : c'est la fédération universelle qui seule peut régler la paix. Ici le raisonnement pacifiste aboutit directement à la conception internationaliste.

Plus nous nous approchons de la grande crise de 1789, plus fréquentes deviennent les déclarations pacifistes chez les auteurs les plus divers, historiens comme Raynal, économistes comme Quesnay, Turgot, Necker. On pourrait en constituer une riche anthologie, et on pourrait trouver aussi un recueil analogue des

1. Voir Ter Meulen, *ouvr. cité*, p. 259-262.

déclarations pacifistes chez les auteurs allemands de la dernière moitié du XVIIIe siècle[1]. L'idée de la paix perpétuelle est apparemment devenue si populaire qu'un auteur allemand, Embser, s'est vu obligé de publier en 1779 un ouvrage portant le titre suivant : *Die Abgötterei unseres philosophischen Jahrhunderts. Erster Abgott : Ewiger Friede* (Mannheim, 1779). C'est la première critique du pacifisme, une apologie sincère de la guerre : « Ainsi Rousseau, Gaillard, Raynal et vingt autres philosophes nagent gaiement sur le courant argenté de l'éloquence. » L'auteur se demande : « La paix éternelle n'a-t-elle pas nécessairement des conséquences abominables. La guerre n'est-elle pas le ressort et à certains égards, le seul ressort de la grandeur humaine? n'est-elle pas le meurtrier et d'autre part, le créateur des nations? » Il croit pouvoir répondre affirmativement à ces questions. Presque vingt ans plus tard, il trouve nécessaire (dès 1797) de reprendre le même thème dans un nouvel ouvrage, *Die Widerlegung des ewigen Friedensprojekts*, Mannheim, 1797. » C'est Kant qui a provoqué alors notre auteur.

En résumé les philosophes s'élèvent contre la guerre au nom de la raison. Mais leurs protestations n'ont pas la même force morale que celle qui se base sur le sentiment religieux.

D'autre part, ils voient tous que dans l'état actuel de la société, la guerre doit être considérée comme inévitable. Mais très peu d'entre eux sont allés au fond du problème et ont proposé les remèdes radicaux qu'il aurait fallu appliquer. Ils ont laissé cette tâche aux auteurs internationalistes.

II. — Internationalisme constructif.

Il n'y a aucun siècle où on trouve un nombre aussi grand de projets de paix perpétuelle que le siècle des philosophes. L'âge était optimiste, il croyait au progrès du genre humain[2]. D'autre part, il était épris d'idées générales, il aimait à présenter un ensemble de doctrines. L'échange d'idées ne se faisait pas encore dans des congrès, où la critique immédiate peut se faire sentir et dans lesquels on insiste principalement sur des modalités d'espèces et sur des réformes réalisables, en apparence modestes.

1. Comp. entre autres Meinecke, *Weltbürgertum und Nationalstaat.*
2. Cf. Bury, *The Idea of Progress*, London, 1920.

Il est impossible d'examiner ici de près tous les projets connus : il est même superflu de le faire parce que nous possédons un exposé complet, ou presque complet des divers projets, dans le grand ouvrage de M. Ter Meulen : *Der Gedanke der Internationalen Organisation in seiner Entwicklung.* (Haag, 1917.) L'auteur a fait dans ce domaine œuvre de pionnier. Peu de projets ont échappé à son attention et il en a saisi les traits caractéristiques. Peut-être pourrait-on lui faire le reproche de ne pas toujours présenter les projets dans leur cadre historique, je veux dire dans leur relation directe avec le courant d'opinion pacifiste qui en forme la base morale et intellectuelle. Il néglige aussi quelque peu le tableau des conditions sociales et des événements historiques qui les entourent.

Le projet qui domine la discussion et auquel se rattachent en général les plans des autres auteurs est celui de l'Abbé de Saint-Pierre. Il existe à son sujet une littérature abondante[1].

L'Abbé de Saint-Pierre était né en 1658 en Normandie dans une bonne famille noble; il fut élevé par une tante qui était abbesse d'un couvent à Rouen. Déjà à quinze ans, il étudiait les lois et coutumes locales, et il fit fonction d'arbitre pour plusieurs litiges parmi les habitants de son canton. Il devint prêtre, mais sans jamais exercer une grande activité religieuse. Comme noble, il pouvait obtenir des bénéfices, ce qui lui permit de vivre assez largement. Plus tard, il devint aumônier de la duchesse d'Orléans.

Il fut déiste, adversaire du catholicisme et il n'aimait pas les études théologiques : bien au contraire, il partagea la passion de son époque pour les sciences. Il voulait appliquer à la morale et à la politique les méthodes scientifiques et même mathématiques. Il vint en 1680 à Paris et se lia avec Fontenelle, qui fut son ami intime. Il se voua de plus en plus à des études politiques et conçut l'espoir de devenir un jour ministre, mais n'ayant pas réussi il se résigna, pensant agir sur les hommes d'État par ses écrits. En 1695, il fut élu membre de l'Académie Française sans avoir rien publié. C'était la protection de Fontenelle qui lui avait procuré cette distinction. Il fréquenta plusieurs salons fameux de l'époque, qui louèrent

1. Les meilleurs ouvrages sont ceux de Seroux-d'Agincourt, *Exposé des projets de paix perpétuelle de l'Abbé de Saint-Pierre* (1905), qui contient en outre des extraits de certains projets antérieurs, et surtout Drouet, *L'Abbé de Saint-Pierre*, Paris, 1912.

sa modestie; il dit lui-même : « Je vois jouer tout à mon aise les premiers rôles et je les vois d'autant mieux que je vais partout et que l'on ne me remarque nulle part. » En 1712, comme secrétaire de M. de Polignac, il s'en alla à Utrecht. C'est à cette occasion qu'il publia son projet de « paix perpétuelle. » La guerre de la succession d'Espagne et toutes les misères qu'elle avait causées à la France et à l'Europe avait concentré l'attention de l'abbé sur le problème de la paix. Il avait fait une première ébauche en 1707. Maintenant il publie son ouvrage, dont deux volumes paraissent à Utrecht, sous une forme très développée. Nous sommes en 1713, un troisième volume fut imprimé quelques années plus tard (1717)[1]. Ils comptent tous les trois ensemble 1 200 pages; ils sont franchement illisibles. Le style est prolixe, les répétitions y abondent. Heureusement l'auteur en a préparé un *Abrégé* en 1729[2] qui se distingue, il est vrai, de l'ouvrage complet à certains égards.

Le projet de Saint-Pierre se rattache intimement au *Nouveau Cynée* de Crucé. La référence au projet de Sully (« Henri le Grand ») n'est que de style; l'auteur a probablement cru rehausser le prestige de son plan. D'autre part, il n'est pas certain qu'il ait connu l'ouvrage de Crucé; mais les idées de l'abbé sont essentiellement identiques à celles de cet auteur. Seulement Crucé s'est borné aux généralités et n'a pas poursuivi plus avant son travail, tandis que l'objet principal de l'Abbé fut de formuler les règles pratiques pour l'établissement de la diète européenne. Dans plusieurs autres travaux, Saint-Pierre a traité des questions qui s'apparentent à ce projet; ainsi le tome XV de ses *Ouvrages de Politique et de Moralité* contient un livre intitulé *Règles pour discerner le droit du tort, le juste de l'injuste, entre nations et nations.* Il qualifie lui-même cet ouvrage de « sorte de préface à un code de droit international. » Saint-Pierre établit ici le parallèle des relations juridiques entre individus au sein d'un même État et les relations juridiques entre États. Nous retrouvons le même point de vue dans son *Abrégé* (p. 11 et suiv.):

1. *Projet pour rendre la paix perpétuelle en Europe*, Utrecht, 1713. 2 vol. — *Projet de traité pour rendre la paix perpétuelle entre les souverains chrétiens*, Utrecht, 1717.

2. *Abrégé du projet de paix perpétuelle, inventé par le roi Henri le Grand, aprouvé par la reine Élisabeth, par le roi Jaques son successeur, par les Républiques et par divers autres potentats. Aproprié à l'état présent des affaires générales de l'Europe*, Rotterdam, 1729.

« Les familles qui vivent dans des sociétés permanentes et qui ont le bonheur d'avoir des lois et des juges armés tant pour régler leurs prétentions, que pour leur faire exécuter mutuellement par une crainte salutaire, ou les lois de l'État, ou leurs conventions réciproques, où (*sic*) le jugement de leurs Juges; ont sûreté entière que leurs prétentions futures seront réglées sans qu'ils soient obligés de prendre jamais les armes les uns contre les autres. »

C'est un point de vue social ou plutôt sociologique qu'il applique au problème envisagé.

Nous donnerons une analyse sommaire de son projet tel qu'il l'a exposé dans son *Abrégé*. Il n'y aura aucune paix durable sans la signature des cinq articles fondamentaux qu'il a élaborés, mais, d'autre part, ces articles garantiront une paix « inaltérable. » Ces propositions ont une importance toute particulière pour la France, l'Angleterre et l'Empire. Il s'engage à prouver ceci « mathématiquement, comme on fait en géométrie. » Les traités de paix antérieurs ont été peu solides parce qu'ils ont été conclus sous contrainte : il y aura, sans doute, des guerres nouvelles si on n'accepte pas ces cinq articles.

« En un mot, comme les mêmes causes des guerres passées subsistent pour l'avenir sans aucuns préservatifs nouveaux qui soient suffisans, ce seroit une grande imprudence de penser qu'elles ne produiront pas des effets semblables. Le bois est sec, le feu en est proche, le vent souffle la flame sur le bois, pourquoi ne s'allumeroit-il pas? Ainsi nulle sûreté pour la continuation de la paix.... »

« Mais si l'on peut faire envisager à celui qui veut recommencer la Guerre, en premier lieu qu'il y a un moïen de rendre la Paix solide et perpétuelle en Europe; en second lieu, qu'une Paix solide et perpétuelle lui épargneroit de grands fraix; en troisième lieu, qu'elle lui procureroit des avantages incomparablement plus réels et plus grands que l'obtention de ses prétentions par la Guerre. Alors loin de songer à la Guerre, il songera à prendre les moïens de rendre la Paix durable. »

Et l'abbé conclut « mathématiquement » : « Or ces moïens consistent à la signature du Traité fondamental. » Voici maintenant le texte de son Traité fondamental :

« Premier article. — Il y aura désormais, entre les Souverains qui auront signé les cinq articles suivans, une alliance perpétuelle. »

Chaque article est suivi « d'éclaircissements »; il énumère à propos du premier article les avantages de cette Alliance perpétuelle. Voici comme il continue :

« Or pour faciliter la formation de cette Alliance, ils sont convenus de prendre pour point fondamental la possession actuelle et l'exécution des derniers traités; et se sont réciproquement promis, à la garantie les uns des autres, que chaque Souverain qui aura signé ce Traité fondamental sera toujours conservé lui et sa maison dans tout le territoire qu'il possède actuellement.

« Ils sont convenus que les derniers Traités, depuis et compris le Traité de Münster, seront exécutés et que pour la sûreté commune des États de l'Europe, les renonciations faites dans le Traité d'Utrec pour empêcher les Couronnes de France et d'Espagne de s'unir jamais sur une même tête, seront exécutées selon leur forme et teneur.

« Et afin de rendre la Grande Alliance plus solide, en la rendant plus nombreuse et plus puissante, les Grands Alliés sont convaincus (sans doute faute d'impression pour *convenus*) que tous les Souverains Chrétiens seront invités d'y entrer par la signature de ce Traité fondamental. »

L'abbé prend donc pour base le *statu quo*, tout comme Crucé, alors qu'il se distingue ainsi de Sully, qui avait prévu, nous l'avons constaté, un remaniement territorial. Il est vrai que Saint-Pierre fait semblant de suivre le Grand Dessein et il le cite même dans le titre de son ouvrage. Probablement, il voulut se parer de l'autorité et du nom d'Henri IV : en réalité son projet est tout à fait différent. Il avait sans doute raison; le *statu quo* est le seul point de départ possible d'une pacification. Mais l'abbé a vu la nécessité de modifications éventuelles au cours de l'histoire, lorsque l'organisation prévue aurait obtenu une solidité plus grande (Cf. art. III). Dans son projet primitif, Saint-Pierre avait voulu garantir le maintien de la constitution intérieure de chaque État, autre ressemblance avec Crucé; il paraît plus tard avoir abandonné cette idée.

Dans son deuxième article, l'abbé indique brièvement certains détails de l'organisation. Nous n'avons pas besoin d'y insister. Le troisième article est plus intéressant. Il est en tout cas très radical :

« 3e ARTICLE. — Les Grands Alliés, pour terminer entr'eux leurs diférens présens et avenir, ont renoncé et renoncent pour jamais, pour eux et pour leurs successeurs, à la voie des Armes; et sont convenus de prendre toujours dorénavant la voie de Conciliation par la médiation du reste des Grands Alliés dans le lieu de l'Assemblée générale. Et en cas que cette médiation n'ait pas de succès, ils sont convenus de s'en rapporter au jugement qui sera rendu par les plénipotentiaires des autres Alliés perpétuellement assemblés, et à la pluralité des voix pour la définition, cinq ans après le Jugement provisoire » (p. 27).

Dans les éclaircissements, Saint-Pierre se révèle très optimiste. Il croit que les litiges ne seront que « très peu importants. » Il sera possible de les prévoir et d'y remédier à temps.

« 4e ARTICLE. — Si quelqu'un d'entre les Grands Alliés refusoit d'exécuter les jugemens et les règlemens de la Grande Alliance, négocioit des Traités contraires, faisoit des préparatifs de Guerre, la Grande Alliance armera et agira contre lui offensivement, jusqu'à ce qu'il ait exécuté les dits Jugemens ou Réglemens, ou donné sûreté de réparer les torts causés par ses hostilités, et de rembourser les fraix de la Guerre suivant l'estimation qui en sera faite par les Commissaires de la Grande Alliance » (p. 30).

Dans son éclaircissement il ajoute : « ... Le Prince imprudent, qui ne connoit pas assez son intérêt, a besoin d'une crainte salutaire pour le guider comme enfant vers son vrai intérêt, c'est-à-dire, vers la continuation de la Société (p. 36). »

Enfin le cinquième article institue l'Assemblée perpétuelle des Plénipotentiaires : « Les Alliés sont convenus que les Plénipotentiaires, à la pluralité des vois pour la définition, régleront dans leur Assemblée perpétuelle tous les articles qui seront jugés nécessaires et importans, pour procurer à la Grande Alliance plus de solidité, plus de sûreté, et tous les autres avantages possibles; mais l'on ne pourra jamais rien changer à ces cinq articles fondamentaux; que du consentement unanime de tous les Alliés » (p. 32-33).

Dans l'abrégé, que nous suivons ici, l'abbé se contente de quelques indications, d'ordre tout à fait général, sur l'organisation de l'Alliance. Dans son ouvrage primitif, il était entré beaucoup plus avant dans les détails, par exemple sur la répartition des voix, le règlement des délibérations, etc. Le siège de l'Assemblée ou du « Sénat » est fixé à Utrecht.

Le bon abbé fut très optimiste quant à la réalisation de ses projets; il dit même : « Cinq ou six mois suffiront pour former l'Alliance... l'on seroit sûr que celui qui refuseroit de signer y consentiroit bientôt, de peur d'être traité par l'Alliance Générale comme ennemi déclaré » (p. 36).

Il avait été plus réservé et sûrement plus sage dans son projet primitif de 1712 :

« ... Je soutiens présentement par des raisons de proportion, fondées sur la nature même des hommes, qu'il est absolument impossible qu'il (c'est-à-dire le traité d'un arbitrage permanent) ne s'exécute pas un jour; la seule chose qui est incertaine, c'est le temps où il s'exécutera et j'ose dire que ce temps est plus proche que l'on ne croit. »

L'abbé de Saint-Pierre fut un propagandiste infatigable et très remuant. A toute occasion on le voit s'adresser aux princes ou hommes d'État de son époque en faveur de ses idées. Son plus grand mérite est peut-être celui d'avoir soulevé sur le problème un débat international. Très souvent on rend hommage à ses excellentes intentions, même si on conserve des doutes quant à la possibilité d'y donner suite. Nous avons appris que Leibniz[1] fut plutôt critique à l'égard de certaines modalités du projet; il voulait donner une place plus grande à l'Empire et à la Papauté; ses idées à lui étaient puisées dans l'histoire du Moyen âge. Les avocats du principe de l'équilibre furent opposés évidemment au projet de Saint-Pierre, qui se basait sur un principe fédératif. Nous savons que ces projets furent néanmoins discutés, mais probablement sans grand sérieux, à quelques congrès européens.

Un homme d'État français, le *marquis d'Argenson*, qui fut ministre des Affaires étrangères (1744-1747) pendant la guerre de succession d'Autriche, n'a pas hésité à prendre fait et cause pour le plan de Saint-Pierre. Voici ce qu'il dit :

« Il est certain, que les Princes Chrétiens, bien unis une fois en une espèce de république chrétienne, suivant le projet de Henri IV détaillé par l'abbé de Saint-Pierre, auraient bien mieux à faire que de se battre à s'entre-détruire comme ils font[2]. »

D'Argenson avait ébauché lui-même un plan qui toutefois doit

1. Voir plus haut, p. 290.
2. Cité, Ter Meulen, *op. cit.*, p. 212.

être qualifié de franchement utopiste. Il est vrai que ses écrits sont antérieurs à son avènement au pouvoir. Son activité politique paraît l'avoir rendu plus sceptique. Mais il est intéressant de voir les développements dont il accompagne son plan; il aborde le problème même, au point de vue politique. Il veut organiser une émigration d'Europe en Asie et en Afrique. Il recommande la construction d'un canal entre la Méditerranée et la Mer Rouge, et il prévoit la possibilité d'abolir les droits de douane dans la « République européenne de l'abbé de Saint-Pierre, en sorte que les marchandises entrassent et sortissent aussi librement que l'air. »

On trouve dans l'ouvrage de M. Ter Meulen encore d'autres preuves du grand intérêt soulevé par les travaux de Saint-Pierre. Le récit des relations de l'abbé et du roi Frédéric II de Prusse est très intéressant. Saint-Pierre avait été enthousiasmé par l' « Anti-Machiavel » (1739). Aussi sa déception fut d'autant plus grande lorsque Frédéric II envahit la Silésie l'année suivante. L'abbé ne pouvait cacher sa désillusion, et la conséquence en fut la publication d'une réfutation de son projet qui fut probablement officieuse. L'écrit fut intitulé *Anti-Saint-Pierre ou réfutation de l'énigme politique de l'abbé de Saint-Pierre.* Et lorsque l'abbé persista dans sa critique, Frédéric II réagit en écrivant à Voltaire en 1742 :

« L'abbé de Saint-Pierre, qui me distingue assez pour m'honorer de sa correspondance, m'a envoyé un bel ouvrage sur la façon de rétablir la paix en Europe et de la constater à jamais. La chose est très praticable; il ne manque, pour la faire réussir, que le consentement de l'Europe et quelques autres bagatelles semblables. »

Comme tant d'autres prophètes plus ou moins méprisés par les contemporains, Saint-Pierre a eu sa résurrection après sa mort. Une critique très courageuse de l'administration de Louis XIV, qu'il publia pendant la Régence, avait entraîné son exclusion de l'Académie Française. La conséquence en fut qu'à sa mort, en 1743, aucun éloge n'avait été prononcé sur lui. Quelque trente ans plus tard, en 1775, d'Alembert profita de la réception de Malesherbes pour réparer cet oubli. Il insista notamment sur la beauté de son caractère :

« L'utilité était le seul but de ses travaux; jamais personne parmi les auteurs qui se donnent pour les plus indifférents sur la renommée, ne fut moins occupé de sa propre gloire et moins susceptible des illusions les plus secrètes de l'amour-propre.... On ne l'accusera pas d'avoir augmenté le nombre de ceux qui parlent de philosophie sans la pratiquer, et qui, comme il le disait dans son langage familier mais expressif, chantent l'office du couvent sans en observer la règle[1]. »

D'Argenson ne fut pas le seul homme d'État du XVIIIe siècle qui s'occupa de la pacification de l'Europe. On peut citer le cardinal *Albéroni* (1664-1752), qui était d'origine italienne; il entra au service du duc de Parme, qui le présenta à la cour d'Espagne. Comme tant d'autres de ses contemporains, il changea de maître, et en 1715, il devint premier ministre d'Espagne, appuyé par la femme de Philippe V, qui était elle-même d'origine italienne, princesse de Parme; il fut nommé cardinal en 1717. Son administration intérieure fut active et prévoyante, mais elle se basait sur une politique ambitieuse et peu scrupuleuse. Sa chute en 1719 fut bien méritée par les désastres qu'il avait provoqués.

On a attribué plusieurs projets de réorganisation européenne au cardinal Albéroni. Son *Testament politique*, publié une année après sa mort est sans doute apocryphe; mais le « Système de paix générale dans la présente conjoncture, » qui avait été publié déjà en 1735, paraît être authentique. Le point de départ de ce plan est formé par la proposition d'une croisade contre les Turcs. De là l'auteur déduit la nécessité de créer une diète perpétuelle. En voici les stipulations essentielles[2] :

« I. Il y aura à l'avenir une Diète Perpétuelle, composée des ministres ou députés de toutes les Puissances chrétiennes. Elle se réunira à Ratisbonne sous les règlements et formes de procédure en usage actuellement pour la Diète Germanique.

« II. Toutes les controverses qui pourraient surgir entre les Princes ou États chrétiens pour un motif de religion, de succession, de mariage ou pour toute autre cause ou prétexte, seront tranchées par le nombre de voix exigé par la Constitution de l'Empire. Ces décisions doivent être prononcées dans le terme d'une année, à partir du jour où l'affaire sera soumise à la Diète.

« III. Dans le cas où l'une de ces puissances en litige refuserait

1. Ter Meulen, *op. cit.*, 220-221.

2. Cf. Vesnitch dans *Revue d'histoire diplomatique*, 1912, p. 352. Ter Meulen, *l. c.*, p. 222.

de se soumettre aux décisions de la Diète qui doivent être notifiées en forme authentique, dans un délai de six mois, alors cette Puissance sera considérée comme perturbatrice de la tranquillité publique, et la Diète procédera contre elle, par l'exécution militaire, jusqu'à ce qu'elle se soumette à ses décisions et répare tous les dommages et toutes les dépenses de la guerre, faites à cette occasion. Le contingent à fournir par chaque prince ou État dans un cas pareil sera réglé sur la base établie par l'Empire. »

Prudemment l'auteur ajoute : « Le temps seul pourra démontrer quel sort sera réservé à mes intentions et à mes vœux. »

Albéroni s'est borné à esquisser l'organisation d'une fédération. Il n'en a pas approfondi les problèmes fondamentaux, il néglige complètement celui des modifications éventuelles de l'état territorial.

Nous pouvons constater le grand intérêt suscité par ces projets par la publication d'un livre allemand dû au Pr Eobald Toze. Il publia d'abord ce livre en 1752 sous le titre suivant : *Die allgemeine Christliche Republik in Europa nach den Entwürfen Heinrichs des Vierten, Königs von Frankreich, des Abts von Saint-Pierre, und anderer vorgestellet, nebst einigen Betrachtungen über diese Staatsverfassung, worin ihre Möglichkeit untersucht und von den guten und bösen Folgen, die daraus entstehen würden, gehandelt wird,* et il l'a réédité sous un titre nouveau, quelque peu modifié, en 1763. Probablement le motif de la réédition fut la conclusion de la Paix de Hubertsbourg (1763). Le raisonnement de Toze est surtout intéressant en ce qui concerne sa discussion du problème des sanctions, Il trouve les projets sympathiques et nobles et il souligne qu'ils sont opposés au principe de la souveraineté nationale. Il estime que le projet de Saint-Pierre serait particulièrement dangereux si l'alliance devait se tourner contre des États étrangers à la Fédération, et les contraindre à y entrer. D'une manière générale, ajoute l'auteur, on doit redouter que le principe de l'application de la force pour exécuter les décisions des autorités fédérales ne dégénère en guerre. — C'est une manière de voir qu'on entend souvent dans la bouche de plusieurs pacifistes contemporains[1].

J.-J. Rousseau, dont nous connaissons les opinions pacifistes,

1. Voir aussi Ter Meulen, p. 236-238.

est peut-être l'auteur du XVIIIe siècle qui est allé, à certains égards, le plus au fond du problème. Il l'envisage au point de vue social.

« La première chose, » écrit-il dans un article qui n'a été publié que récemment, « que je remarque en considérant la position du genre humain, c'est une contradiction manifeste dans sa constitution, qui la rend vacillante. D'homme à homme, nous vivons dans l'état-civil et soumis aux lois; de peuple à peuple, chacun jouit de sa liberté naturelle[1]. »

C'est l'anarchie internationale déjà constatée par Hobbes qu'a vue Rousseau. Mais alors que Hobbes avait désespéré de cet état de choses, Rousseau voit le paradoxe de cette situation et dans des passages inspirés du pacifisme que nous lui connaissons déjà, il dépeint en paroles éloquentes l'unité fondamentale de l'Europe, son interdépendance comme nous disons aujourd'hui.

En 1761 il s'était chargé, sur la demande de Mme Dupin, l'amie de Saint-Pierre, de publier un extrait de l'ouvrage de l'Abbé. Il ne se borna pas à traduire les pensées du bon abbé dans son style vigoureux et coloré : il y mit du sien.

Voici son point de départ :

« ... Toutes les Puissances de l'Europe forment entre elles une sorte de système qui les unit par une même religion, par un même droit des gens, par les mœurs, par les lettres, par le commerce, par une sorte d'équilibre qui est l'effet nécessaire de tout cela, et qui, sans que personne songe en effet à le conserver, ne serait pourtant pas si facile à rompre que le pensent beaucoup de gens. »

Et il continue : « Joignez à cela la situation particulière de l'Europe plus également peuplée, plus également fertile, mieux réunie en toutes ses parties; le mélange continuel des intérêts que les liens du sang et les affaires du commerce, des arts, des colonies, ont mis entre les souverains; la multitude des rivières et la variété de leurs cours, qui rend toutes les communications faciles; l'humeur inconstante des habitants, qui les porte à voyager sans cesse et à se transporter fréquemment les uns chez les autres; l'invention de l'imprimerie et le goût général des lettres, qui a mis entre eux une communauté d'études et de connaissances; enfin la multitude et la petitesse des états, qui, jointe aux besoins du luxe et à la diversité

2. Ter Meulen, p. 253 et suiv.

des climats, rend les uns toujours nécessaires aux autres. Toutes ces causes réunies forment de l'Europe non seulement, comme l'Asie ou l'Afrique, une idéale (nous dirions plutôt « fictive ») collection de peuples qui n'ont de commun qu'un nom, mais une société réelle qui a sa religion, ses mœurs, ses coutumes et même ses lois, dont aucun des peuples qui la composent ne peut s'écarter sans causer aussitôt des troubles. »

L'*Extrait* fut lu non seulement en France, mais plus encore peut-être en Allemagne, et il exerça une influence profonde sur les esprits cultivés de cette nation. Lessing, Herder, Wieland, Kant ont subi l'influence de Rousseau. L'apostrophe de Schiller « An die Freude » en est inspiré :

> Seid umschlungen, Millionen.
> Diesen Kuss der ganzen Welt.
> Brüder — überm Sternenzelt.
> Muss ein lieber Vater wohnen.

Nous savons maintenant que l'*Extrait* n'exprime pas fidèlement l'opinion de Rousseau. C'était, pour ainsi dire, un ouvrage commandé. Personnellement il fut plus sceptique quant aux idées de l'abbé sur l'organisation internationale à créer. Il a écrit en même temps que l'Extrait un *Jugement sur le projet de Saint-Pierre*[1], qui n'a été publié qu'après sa mort. Nous y lisons :

« Un simple gentilhomme offensé dédaigne de porter ses plaintes au tribunal des maréchaux de France; et vous voulez qu'un roi porte les siennes à la diète européenne? Encore y a-t-il cette différence que l'un pèche contre les lois et expose doublement sa vie, au lieu que l'autre n'expose que ses sujets; qu'il use, en prenant les armes, d'un droit avoué de tout le genre humain, et dont il prétend n'être comptable qu'à Dieu seul.

« ... Je demande s'il y a dans le monde un seul souverain qui, borné ainsi pour jamais dans ses projets les plus chéris, supportât sans indignation la seule idée de se voir forcé d'être juste, non seulement avec les étrangers, mais même avec ses propres sujets. »

Rousseau croit que la pacification ne se fera que par les armes d'un monarque puissant et il conclut :

1. *Œuvres*, éd. Dupont, 1823, V, 445-449. — Cf. Ter Meulen, p. 253-58.

« ... Admirons un si beau plan, mais consolons-nous de ne pas le voir exécuter; car cela ne peut se faire que par des moyens violents et redoutables à l'humanité. »

Toutefois le problème continuait à retenir l'attention de Rousseau. Dans le *Contrat Social* (1762) il se borne à étudier les problèmes de la démocratie intérieure en vantant les avantages des petits États où la démocratie directe peut s'exercer. Il avait l'intention d'aborder le problème international dans une suite de cet ouvrage. Il voulait y démontrer comment la sécurité des petits États pouvait être garantie par l'établissement d'une confédération. Dans son *Émile* (III, p. 233) il indique le plan de cet ouvrage qui n'a jamais vu le jour :

« ... Nous examinerons enfin l'espèce de remèdes qu'on a cherchés à ces inconvénients par les ligues et confédérations, qui, laissant chaque État son maître au dedans, l'arment au dehors contre tout agresseur injuste. Nous rechercherons comment on peut établir une bonne association fédérative, ce qui peut la rendre durable et jusqu'à quel point on peut étendre le droit de la confédération, sans nuire à celui de la souveraineté.... »

Rousseau exprime ici des idées en cours auprès des contemporains. Deux auteurs qui avaient publié leurs livres quelques années plus tôt avaient abordé le problème international du point de vue économique. *Saintard*, auteur anonyme d'un roman politique, et *Ange Goudar*, qui avait aussi écrit, entre autres ouvrages, un roman, *L'Espion Chinois* (1765), avait insisté sur l'importance de cette question. Saintard critiqua aussi le principe de l'Équilibre, mais il s'attacha surtout à démontrer l'importance pour la pacification de « l'immunité générale du commerce et de la liberté des mers. » Goudar, auteur économiste fécond, exprime des idées analogues. Dans son ouvrage, *La Paix de l'Europe, ou projet de pacification générale, combiné par une suspension d'armes de vingt ans entre toutes les puissances politiques*, par M. le chevalier G... (Amsterdam, 1757), il insiste sur la solidarité européenne et préconise notamment la conclusion d'une trève de vingt ans comme introduction à la paix définitive.

C'est l'esprit des *économistes* ou *physiocrates* qui s'allie au pacifisme. L'idée fondamentale des économistes est l'harmonie des intérêts économiques. Ainsi ils sont opposés à l'esprit nationaliste du mercantilisme. En Angleterre Hume et Adam Smith sont les avocats célèbres de ces idées. En France Quesnay est le chef de l'école, dont le représentant le plus intéressant, surtout au point de vue des idées internationalistes, est *Turgot.* Nous connaissons les idées de Turgot sur l'internationalisme surtout par l'admirable biographie de Condorcet. Turgot croyait que par le commerce se développant toujours, les nations se rapprocheraient les unes des autres : « A la fin toutes les nations reconnaîtront les mêmes principes, elles possèderont les mêmes connaissances et s'uniront pour assurer le progrès général et le bien commun. »

En Allemagne aussi, des idées analogues se font jour du temps de la Révolution. En 1791, *Schlettwein,* avocat du physiocratisme, publie : *Die wichtigste Angelegenheit für Europa, oder System eines festen Friedens unter den Europäischen Staaten*[1]. C'est un plaidoyer pour la fédération européenne, sur une base essentiellement économique.

Ainsi le débat s'élargit; les auteurs n'envisagent plus le problème exclusivement politique, comme le faisait l'abbé de Saint-Pierre : les considérations économiques annoncées par Crucé entrent en jeu.

D'autres projets — nous avons déjà parlé de celui de Gaillard, qui partait d'un principe pacifiste — abordent le problème du point de vue juridique. C'est surtout le cas du grand philosophe anglais Bentham, et ainsi le débat pacifiste s'allie à l'évolution du droit international.

Nous reparlerons de Bentham après avoir suivi le développement de cette science au XVIIe et au XVIIIe siècle.

1. Ter Meulen, *op. cit.,* p. 308-313.

CHAPITRE X

DROIT DES GENS ET DROIT DE LA NATURE

L'œuvre de Hugo Grotius a ce trait commun avec d'autres grandes œuvres intellectuelles, c'est qu'elle donna des impulsions très variées et en apparence divergentes. Trois écoles différentes de la science qu'il avait fondée se réclament de l'autorité de son nom; l'école historique, l'école du droit naturel, et une école intermédiaire dont les représentants sont généralement qualifiés de « Grotiens[1]. »

Nous ne pouvons suivre ici en détail le développement de ces écoles. Pour nous, il faut voir l'influence de la « Doctrine pacifique » sur la science du droit. Deux questions surtout sont intéressantes : le débat sur la légitimité de la guerre; la conception des auteurs au sujet des rapports entre les États.

L'école historique a eu le grand mérite de donner une base solide à la science, en étudiant de près le droit existant; elle étudie ce droit dans la pratique et les coutumes des États, mais surtout dans les traités-contrats entre les États souverains. En insistant sur l'importance du droit existant, elle est menacée d'un grand danger; ses auteurs deviennent facilement les esclaves des précédents. Le droit existant, soit conventionnel, soit simplement coutumier, fut pour beaucoup d'entre eux intangible, un droit définitif. Ainsi leur enseignement revêt un caractère, dirait-on, bureaucratique, terre-à-terre, respectueux envers l'ordre existant. Schücking[1] a déjà cité dans cet ordre d'idées le mot fameux de Feuerbach : « Ueber dem Gedanken an das Recht ist der an das Richtige vergessen. » Pour revenir au problème de la guerre, celle-ci est acceptée comme un

1. Cf. Rivier, dans *Handbuch des Völkerrechts*, hgb. v. Holtze ndorff, (1885), p. 440 et suiv.
2. *Organisation der Welt*, p. 536,

fait historique, partant légitime. Les auteurs en étudient les modalités, ce qu'ils appellent *le droit de la guerre*; ils ne se soucient pas *du droit à la guerre.* La guerre est acceptée comme un fait et même comme un procédé juridique.

Au fond, il en est de même des théories de ces auteurs par rapport à l'organisation internationale, à la communauté des États. Préoccupés avant tout de questions d'espèce, ils ne levèrent que rarement les yeux jusqu'aux vues d'ensemble; ils n'examinèrent pas non plus les bases même de leur science et ses principes fondamentaux. C'est par une étude de leurs idées sur la solution des différends internationaux que l'on peut, par implication, arriver à des conclusions indirectes au sujet de leurs théories générales et de leurs principes.

L'école historique procède plutôt d'Alberico Gentili que de Hugo Grotius; en tout cas il en est ainsi de *Richard Zouch* (1590-1660), le premier jurisconsulte qui traite le droit international entier dans un manuel. Le titre indique le point de vue de l'auteur : « Juris et Judicii fecialis, sive iuris inter gentes, et questionum de eodem explicatio, Qua quae ad Pacem et Bellum inter diversos Principes, aut Populos spectant, ex praecipuis Historico-jure-peritis, exhibentur » (Oxford, 1650)[1]. D'une part ce n'est pas seulement le droit de la guerre et de la Paix, ce n'est pas le problème de la guerre, c'est le droit international en général, que veut étudier l'auteur; d'autre part, il veut exposer ce droit « ex praecipuis Historico-jure-peritis, » donc pas d'après des principes philosophiques, mais sur la base des précédents historiques. C'est à Zouch que revient l'honneur d'avoir trouvé la désignation correcte du droit international : *Jus inter gentes.* Il n'est d'ailleurs pas bien certain que Zouch, plus que d'autres initiateurs ou inventeurs, ait compris tout ce que sa formule implique de progrès au point de vue de la méthode; il n'y insiste pas avec la force que l'on aurait attendu chez quelqu'un qui sait qu'il apporte quelque chose de nouveau et d'important.

Zouch ne pourra jamais figurer au premier rang des internatio-

1. Édition nouvelle, reproduction photographique de l'édition originale, dans *Classics of International Law*, edited by J. B. Scott, Washington, 1911 (Carnegie Institution). Elle est munie d'une introduction par Th. E. Holland et accompagnée d'une traduction anglaise. — Sur Zouch, cf. en outre *Les Fondateurs du Droit international*, éd. Pillet, p. 269-330, par G. Scelle.

nalistes du passé. Il n'a pas la hauteur de vues, ni la vaste science de Grotius; il n'a ni la personnalité vigoureuse de Gentili, ni la profonde philosophie de Suarez.

Richard Zouch naquit en 1590; il fut, tout en plaidant du barreau de Londres, professeur à Oxford. Plus tard il devint juge à la Haute Cour de l'Amirauté. Ce fut un auteur extrêmement fertile. Il publia toute une série de manuels de la science du droit[1], et c'est dans cette série que paraît, en 1650, son *Jus inter gentes*. Dans le grand conflit de son époque, entre le Roi et le Parlement, ses sympathies furent certainement du côté royaliste; il tâche cependant de louvoyer, et M. Holland qualifie son attitude d' « ambiguous. » Il mourut en 1660.

A part sa contribution à l'internationalisme par sa formule « Jus inter gentes, » l'ouvrage de Zouch ne fournit pas une matière riche à nos recherches. Son examen de la légitimité de la guerre est singulièrement terne et sommaire[2]; il ne nous retiendra pas. Zouch n'émet point de théorie sur la société internationale. Dans la première partie de son livre, Zouch expose sa manière de voir; il n'envisage les rapports internationaux qu'au point de vue des nations individuelles; la communauté internationale ne semble pas exister pour lui. Même là où il discute « la procédure entre nations et les questions de la paix, » il n'établit pas de théorie générale, il cite plutôt des opinions diverses. La seule indication d'un avis personnel d'ordre général, se trouve dans la phrase suivante : « Et cependant il n'y a pas de répugnance naturelle entre les hommes; c'est la tradition qui les pousse à la concorde ou à la discorde[3]. » Mais la pensée très fertile ainsi indiquée n'est ni approfondie, ni élaborée. Il a hâte d'arriver aux questions d'espèce.

Il enregistre l'arbitrage comme une procédure usitée et entièrement légitime afin de vider les litiges entre États ou Princes souverains. Mais il ne l'envisage pas comme une fonction de la société internationale, comme un commencement encore rudimentaire de l'organisation de cette société.

Pour résumer, Zouch n'apporte pas une contribution importante

1. Voir la liste complète de ses ouvrages dans l'Introduction de M. Holland (Éd. de 1911 du *Jus inter gentes*, p. VII-IX).

2. Voir Pars 2 *De judicio inter gentes*, Sect VI, *De Quostionibus Belli*, éd. de 1911, p. 116. Trad. ang., p. 112.

3. Pars II, sect. 1, § 4, 1.

à l'évolution des théories internationalistes, et en cela il n'est que le premier d'une longue série de représentants de l'école historique.

D'autres auteurs appartenant à l'école historique ont contribué toutefois positivement à l'internationalisme, surtout *Samuel Rachel* (1628-1691), originaire du Schleswig-Holstein et envoyé plénipotentiaire au congrès de Nimègue en 1676. Rachel a surtout combattu le chef de l'école du droit naturel, Pufendorf; il a insisté sur l'importance des coutumes et surtout des traités internationaux. Dans son ouvrage (*De Jure naturae et gentium dissertationes duae*, 1676), il a exprimé le vœu de voir s'établir par une entente entre les peuples un collège fécial par lequel « des controverses survenues entre nations seraient d'abord exprimées, discutées et réglées; à moins qu'une nécessité extrême n'ouvre la voie à la guerre, semblable guerre ne serait entreprise que contre celui qui n'exécute pas la sentence ou d'autre manière s'oppose à l'autorité et aux décrets du collège » (§ CXIX). Nous voyons donc que le fait d'appartenir à l'école historique n'empêcha pas Rachel de se placer au même point de vue que Grotius, qui, nous le savons, a recommandé la création d'un collège d'arbitres.

Leibniz, dont nous avons déjà parlé, a fourni une base solide aux thèses de l'école historique par la publication de son : *Codex juris gentium diplomaticus* (Hanovre, 1693). Nous savons que cela ne l'a pas empêché de concevoir la possibilité d'un développement du droit international jusqu'à la création d'une organisation entre les États. Mais la plupart des auteurs appartenant à l'école historique s'abstiennent d'énoncer des idées générales; ils sont absorbés par des questions d'espèces. Il ne faut pas nier cependant que plusieurs d'entre eux ont rendu de très grands services à la science, mais il n'y a guère chez eux de trace ni d'influence de la doctrine pacifiste. L'un d'eux, et le plus éminent, *G. F. de Martens* (1756-1821) a fondé le recueil des traités, qui, continué par ses successeurs, embrasse toute l'époque contemporaine. Il a systématisé la science du droit international, en même temps qu'il lui a créé une méthode sûre et scientifique.

C'est dans l'*École du droit naturel* que nous pouvons constater une véritable influence des doctrines pacifistes. Cette école se réclame surtout de Grotius comme fondateur. Il faut brièvement insister sur quelques points capitaux de la conception du droit naturel chez le jurisconsulte hollandais.

Pour Grotius le *ius naturale* est un *dictatum rectae rationis.* Ce n'est donc pas une « loi, » comme d'après Suarez, qui avait parlé de *Deo legislatore.* Le grand néerlandais est un fils de la Réforme lorsqu'il tâche ainsi de poser des bases strictement rationnelles pour le droit. D'autre part, Grotius avait traité le droit des gens comme étant en dehors du droit de la Nature. Le droit des gens repose sur le consentement de tous les États ou du moins du plus grand nombre, et Grotius attache une grande importance à cette théorie.

Ses successeurs font dominer le droit de la Nature. Ils oublient trop souvent que ce droit n'a aucune existence réelle, qu'il n'est qu'une conception philosophique; ils prennent volontiers leurs théories pour des réalités, mais par contre le fait de professer ces théories donne à cette école une grande impulsion dans le sens idéaliste. C'est de cette école que part le mouvement des réformes; c'est surtout chez les penseurs du droit naturel que nous trouvons non seulement au XVIIe siècle, mais davantage encore au siècle suivant, l'expression de l'idéal internationaliste.

Samuel Pufendorf, fondateur de cette école, était un fils de pasteur, né en 1632. Précepteur des fils de l'envoyé suédois à Copenhague, il dut partager la captivité de son maître, lorsque le roi Charles-Gustave entra en guerre contre le Danemark. Il profita de ses loisirs involontaires pour composer son premier ouvrage *Elementorum jurisprudentiae universalis libri duo,* qui lui valut l'attribution d'une chaire nouvelle à l'Université de Heidelberg. La fondation de cette chaire fut une reconnaissance officielle de la science fondée par Grotius, et Pufendorf eut l'obligation de commenter le *De jure belli ac pacis.* Il publia en 1672 *De jure naturae et gentium libri octo,* fruit de ses études et de ses réflexions. Il publia d'autres travaux historiques, mais c'est son traité sur le droit de la nature et des gens qui a créé sa célébrité.

Pufendorf est beaucoup moins humaniste et juriste que son prédécesseur Grotius. Il va jusqu'à nier l'existence d'un droit des gens positif fondé sur les traités ou sur les coutumes. Déjà dans ses *Elementorum jurisprudentiae* il avait dit (§ 24) : « Jus gentium nihil aliud est quam jus naturae. » Dans son œuvre principale, il déclare : « Nous nions l'existence d'un droit des gens... il n'y a pas d'autorité supérieure qui puisse faire la loi : les traités n'ont pas d'autre importance que celle possédée dans les sociétés civiles par les contrats entre individus[1]. » C'est plutôt une éthique universelle qu'il nous expose par rapport aux droits et aux devoirs des hommes et des sociétés humaines qu'un traité de droit proprement dit. Donc s'il existe des règles pour les relations entres les États, il faut chercher la base de ces règles dans le droit naturel. Pufendorf fait observer expressément que l'état de la paix doit être précaire. La cause en est « la malignité des hommes. » Mais d'autre part, l'homme est un être sociable, et c'est sur ces bases que Pufendorf conseille le recours aux moyens amiables pour vider les conflits. Dans un chapitre spécial, « De modo litigandi in libertate naturali[2], » il recommande le procédé de l'arbitrage. Mais cela ne se présente aucunement comme une solution du problème international. Pourtant Pufendorf n'a pas lu en vain Hobbes. Avec lui il constate qu'au fond c'est l'anarchie qui existe dans le domaine international et il a peur de cette anarchie. Mais sans aucune conception d'ensemble, il ne peut pénétrer jusqu'à la racine du mal; il ne fait que prêcher et ne peut arriver qu'à des considérations entièrement utilitaires.

Pufendorf a trouvé une sanction efficace de la médiation; la menace d'une participation à la guerre aux côtés de la partie qui accepte la base de pacification. Où sont les garanties de la justice et de l'équité des propositions faites par ceux « quorum interest bellum cessare »? Ils se sont eux-mêmes constitués en médiateurs et leur fonction ne dérive pas de la société internationale. La conception est d'ordre tout à fait empirique, cela est inévitable puisque chez Pufendorf toute vue d'ensemble fait défaut. A tout prendre, dans cet ordre d'idée son mérite consiste surtout dans ceci : après Hobbes il a insisté sur les dangers que récèle l'anarchie internationale. Il a poussé indirectement les esprits à chercher le remède contre cet état de choses.

Pufendorf discute la légitimité de la guerre dans un chapitre du dernier livre de son *De Jure Naturae et Gentium* (VIII, VI, p. 879-85), intitulé *De Jure belli.* L'argumentation ne présente aucune originalité; il suit en général Grotius et il ne vaut pas la

1. *De jure naturae et gentium*, II, III, 23 (éd. de 1698), Amsterdam, p. 153.
2. V. XIII, p. 562-570.

peine d'analyser le chapitre tout entier. Nous retrouvons le raisonnement de Grotius, là où Pufendorf insiste sur les trois moyens auxquels il faut recourir avant de saisir les armes; les négociations directes, soumission du litige à des arbitres, le sort.

Pufendorf a laissé une philosophie du droit en général plutôt qu'un traité de droit international, et ses ouvrages sont surtout importants pour le développement du droit constitutionnel. Il ne peut prétendre à la place d'honneur qu'occupe Grotius, bien que de son temps son autorité fût immense. Dans l'évolution de l'internationalisme, il faut retenir son nom parce qu'il a assuré aux théroies du droit de la nature un empire presque incontesté pendant près d'un siècle. Il mourut en 1694.

Christian Wolff (1679-1754) fut l'élève de Leibniz, dont il popularisa les idées philosophiques dans des ouvrages volumineux. Wolff a peu d'originalité; ses idées sont des idées leibniziennes édulcorées, rendues accessibles au public. Son ouvrage capital de droit international s'intitule : *Institutiones juris naturae et gentium*. C'est un abrégé, quoique assez volumineux, d'ouvrages précédemment publiés. La quatrième partie expose le droit des gens[1].

Le point de départ des conceptions internationales de Wolff est le raisonnement suivant (formulé dans le paragraphe 1088 de l'ouvrage cité) : « Les différentes *Nations* (Gentes) étant considérées, les unes par rapport aux autres, comme des personnes libres qui vivent dans l'état de nature, et, n'ayant pu se libérer de l'obligation naturelle en se réunissant en sociétés civiles, elles sont obligées, soit envers elles-mêmes, soit envers les autres Nations aux mêmes devoirs auxquels chaque individu est tenu envers chaque autre, et de cette obligation naissent les mêmes droits que ceux qui appartiennent à chacun dans l'état de nature, et qu'on ne peut leur ôter, par conséquent entre elles le droit naturel. Le droit naturel appliqué aux Nations s'appelle le droit des gens nécessaire ou naturel. »

Sur cette base Wolff construit une conception grandiose des relations entre les peuples et les États (§ 1090). « Comme les Nations sont obligées de réunir leurs forces pour se perfectionner et perfectionner leur état, la nature a formé elle-même entre les Nations une sorte de société, à laquelle elles sont obligées de consentir, à cause

1. Pars Quarta. *De Jure Gentium* (Éd. de Leyde 1772, acc. d'une traduction française).

de la nécessité indispensable de l'obligation naturelle, en sorte que cette société paroit contractée par une quasi-convention. Cette société, formée entre les nations pour leur salut commun, s'appelle la *grande Société civile* (*Civitas maxima*), dont toutes les nations sont les membres, ou comme les citoyens. De là naît une espèce de droit que toutes conjointement ont sur chacune et qu'on peut appeler l'*empire universel* ou des *nations* (*imperium universale, sive gentium*); c'est le *droit de déterminer les actions de chacune pour procurer le salut commun et de contraindre chacune à remplir son obligation.* Et comme toute société doit avoir ses loix par lesquelles on détermine ce qui doit se faire toujours de la même manière pour le salut commun, *la grande société civile doit aussi avoir ses lois.* Comme de plus la loi naturelle prescrit le consentement à la grande société civile, elle supplée aussi à ce consentement dans l'établissement des lois. Car comme dans toute société civile les loix civiles doivent se former des loix naturelles, et que la loi naturelle elle-même indique comment cela doit se faire, de même aussi *c'est des loix naturelles qu'il faut former les loix civiles dans la grande société civile, de la même manière que dans une société civile particulière quelconque, suivant la théorie que prescrit la loi naturelle.* »

Wolff se rend compte de ce que sa « Civitas maxima » n'est au fond qu'une fiction ou, si l'on veut, un idéal. Il pose en principe que le droit des gens positif constitué par les traités et les coutumes doit se rapprocher autant que possible du droit naturel. De même que les individus sont obligés de s'unir et de coopérer entre eux pour se perfectionner et perfectionner leur État, de même les nations doivent sortir de leur état d'isolement et joindre leurs forces pour atteindre les fins que la loi naturelle leur impose. Il existe donc entre elles une société naturelle à laquelle chacune est présumée consentir, et qui repose ainsi, comme les autres sociétés, sur un quasi-pacte. Wolff se pose la question de savoir par quels organes la grande société pourra imposer à ses membres les règles de conduite rendues nécessaires par le but poursuivi en commun. Il a recours à une fiction : un chef de la « Civitas maxima, » qui serait investi du pouvoir législatif, et qui suivrait en tout les inspirations de la raison.

Il s'abstient toutefois d'approfondir cette idée, admettant probablement qu'il s'aventurait sur un terrain trop peu solide. Il se contente d'indiquer certaines obligations des nations entre elles comme « le droit de commerce mutuel »; il admet même que ce droit est imparfait, qu'il ne constitue au fond qu'une pure tolérance toujours révocable. Wolff s'exprime avec la même prudence en discutant le problème de l'intervention, ou celui de la conduite à tenir à l'égard de peuples d'une civilisation inférieure. « Il faut s'efforcer, » dit-il, « de développer la civilisation et la culture chez les peuples barbares. Mais nous n'avons pas le droit de leur imposer nos idées et nos mœurs par la violence! Nous ne sommes pas autorisés à travailler au perfectionnement d'autrui contre son gré[1]. »

Lorsque Wolff discute la légitimité de la guerre, nous le voyons se heurter aux mêmes difficultés : l'opposition entre les conditions idéales de sa « Civitas maxima » et les dures réalités de la vie. Il repousse la légitimité de la guerre en principe et démontre l'injustice fondamentale de ses résultats (§ 99).

« La paix est opposée à la guerre; c'est donc un état où il n'y a point de guerre. Et puisqu'il faut ne léser personne, et par conséquent s'abstenir de toute injure, les hommes sont obligés à cultiver la paix; elle est conforme à la nature et la guerre y est contraire; ce n'est pas la nature qui y donne lieu, c'est la malice des hommes qui ne veulent pas satisfaire à leurs obligations. »

Et plus loin Wolff dit (§1159) :

« Il paraît par ce que nous avons dit sur le duel que la guerre n'est pas une matière convenable de décider les différends. C'est donc se tromper très fort que de croire que les différends des Rois ou des Nations doivent se décider par la force des armes, et que la dernière victoire est équivalente à la sentence portée par un juge. »

Si nous examinons quelles sont les modalités de solution prévues par Wolff, nous retrouvons simplement les thèses de Grotius. Comme lui, il pose le principe de la justice de certaines guerres dans lesquelles un État a acquis le droit de justicier. La « Civitas maxima, » qui en réalité n'existe pas, ne peut pas intervenir.

D'autre part, la distinction rigide établie par Wolff entre la guerre juste et la guerre injuste l'amène à établir également une distinction entre ce qui est permis et ce qui est prohibé dans la guerre. Tout est illicite de la part de celui qui fait une guerre injuste.

1. Voir *Les Fondateurs du Droit international* (par Olive), p. 447-479.

Au contraire, celui qui a entrepris une guerre juste a le droit d'user de tous les moyens sans lesquels il ne peut obtenir son droit. Tel est le double principe qui domine la matière.

Au fond Wolff ne fut pas un esprit pénétrant. C'est pourquoi son attitude dans ces grandes et grosses questions devient hésitante. Il a formulé toutefois certaines thèses générales d'une manière si saisissante qu'elles sont devenues populaires. Il s'est déclaré contre la guerre : « Si la guerre, dit-il, est entreprise à la fois sans juste cause et sans intérêt sérieux, elle est contraire non seulement à la justice, mais à l'humanité, et celui qui en est l'auteur peut être traité comme un ennemi commun par toutes les Nations » (§ 626-27). Ce sont de semblables déclarations qui sont restées dans l'esprit des lecteurs et qui ont pu influencer l'opinion publique.

Si Wolff a vulgarisé la philosophie de Leibniz, *Emer de Vattel* [1] a popularisé l'œuvre juridique de Wolff. Les vulgarisations convenaient au public du siècle philosophique. Il fallait écrire clairement, agréablement, si possible spirituellement. Montesquieu a créé sa popularité en faisant « de l'esprit sur les lois. » De Vattel dit lui-même que le but de son ouvrage était de rendre accessibles au public éclairé les principes du droit des gens, « cette matière si noble et si importante ».

Le titre de son ouvrage, publié à Leyde en 1758 et qui eut une grande vogue, en indique le but et le caractère. Le voici : *Le droit des gens ou principes de la loi naturelle* appliqués à la conduite et aux affaires des Nations et des souverains, par M. de Vattel. Ouvrage qui conduit à développer les véritables intérêts des Puissances. »

Au fond, c'est plutôt un manuel de politique qu'un traité juridique et scientifique. On trouve chez lui très peu de références aux traités. Ainsi Vattel se distingue nettement des adeptes de l'école historique. D'autre part, il combat catégoriquement l'assimilation complète du droit des gens au droit naturel, telle que Pufendorf l'avait préconisé. Vattel exprime surtout son admiration pour les idées de Wolff. Ce sont elles qu'il voulut donner au public éclairé. Cependant il ne les accepte pas toutes; ainsi il qualifie la conception d'une Civitas maxima de « fiction. » Dans sa préface il écrit (p. 8) :

1. Cf. *Les Fondateurs du Droit International* (par Mallarmé), p. 487-601.

« Je ne reconnais point d'autre société naturelle entre les Nations, que celle-là même que la nature a établie entre tous les hommes. Il est de l'essence de toute société civile (*Civitatis*) que chaque membre ait cédé une partie de ses droits au corps de la société, et qu'il y ait une autorité capable de commander à tous les membres, de leur donner des lois, de contraindre ceux qui refuseroient d'obéir. On ne peut rien concevoir, ni rien supposer de semblable entre les Nations. Chaque État souverain se prétend, et est effectivement, indépendant de tous les autres. Ils doivent tous, suivant M. Wolff lui-même, être considérés comme autant de particuliers libres, qui vivent ensemble dans l'état de nature et ne reconnoissent d'autres loix que celles de la nature même, ou de son auteur. Or la Nature a bien établi une société générale entre tous les hommes, lorsqu'elle les a faits tels qu'ils ont absolument besoin du secours de leurs semblables, pour vivre comme il convient à des hommes de vivre; mais elle ne leur a point imposé précisément l'obligation de s'unir en société civile proprement dite. »

Vattel occupe donc une situation intermédiaire; il peut être caractérisé comme étant « Grotien. » Son importance dans l'histoire du droit des gens dépend surtout de son art de présentation. Il écrivit bien; son livre fut lu par le monde politique auquel il s'adressa. Grâce à lui le droit des gens est sorti du cercle toujours étroit de l'école pour entrer dans la société plus vaste et plus influente des hommes de lettres et du public. Ainsi il a contribué à former la pensée de ce public dont nous avons relevé la constitution au XVIIIe siècle. Vattel était neuchâtelois, né en 1714, mort en 1767. Il fut donc sujet du Roi de Prusse pendant quelques années; il servit dans la diplomatie prussienne, plus tard dans celle de la Saxe sans toutefois arriver à des situations importantes. Si nous étudions ici ses idées, c'est surtout pour pouvoir mesurer la propagation des idées internationalistes. Vattel peut être considéré comme une sorte de baromètre de la mentalité de son époque.

Constatons d'abord que si Vattel rejette la fiction de la *Civitas maxima*, il reconnaît expressément l'existence d'une « Société établie par la nature entre tous les hommes. » Mais puisque les hommes se sont réunis en société civile pour former un État, une nation à part, c'est, dit-il, « désormais à ce corps, à l'État, et à ses conducteurs de remplir les devoirs de l'humanité envers les étrangers, dans tout ce qui ne dépend plus de la liberté des particuliers, et c'est à l'État particulièrement de les observer avec les autres États » (§ 11, p. 4). Il arrive ainsi à une conception légèrement divergente de celle de Wolff. « Chaque État ou Nation est obligé de vivre avec les autres Sociétés ou États, comme un homme étoit obligé avant ces Établissements, de vivre avec les autres hommes, c'est-à-dire suivant les loix de la Société naturelle établie dans le genre humain; en observant les exceptions qui peuvent naître de la différence des sujets » (Préliminaires, § 11).

Cette société supérieure entre les États, Vattel l'appelle « Société des Nations. » C'est une formule qui est entrée depuis dans la langue courante française et qui de nos jours a reçu une consécration officielle.

Vattel définit les droits et les devoirs des Nations entre elles; elles sont obligées par la nature d'observer la justice. « La justice », dit-il (p. 130), « est la base de toute société, le lien assuré de tout commerce. La Société humaine, bien loin d'être une communication de secours et de bons offices, ne sera plus qu'un vaste brigandage si l'on n'y respecte pas cette vertu qui rend à chacun le sien. Elle est plus nécessaire encore entre les Nations, qu'entre les particuliers; parce que l'injustice a des suites plus terribles, dans les démêlés de ces Puissans Corps Politiques, et qu'il est plus difficile d'en avoir raison.

« Former et soutenir une prétention injuste, c'est faire tort seulement à celui que cette prétention intéresse; se moquer en général de la justice, c'est blesser toutes les Nations. »

Dans un chapitre important (liv. II, chap. XVIII, p. 217-228), Vattel discute les méthodes pour terminer les différends entre les Nations. Il plaide la cause de la médiation et de l'arbitrage, tout en formulant des réserves. « L'Arbitrage est un moyen très raisonnable et très conforme à la loi naturelle, pour terminer tout différend qui n'intéresse pas directement le salut de la Nation. Si le bon droit peut être méconnu des Arbitres, il est plus à craindre encore qu'il ne succombe par le sort des armes. Les Suisses ont eu la précaution, dans toutes les Alliances entre eux, et même dans celles qu'ils ont contractées avec les Puissances voisines, de convenir d'avance de la manière en laquelle les différends devront être soumis à des Arbitres, au cas qu'ils ne puissent s'ajuster à l'amiable. Cette sage précaution n'a pas peu contribué à maintenir la République Helvétique dans cet état florissant, qui assure sa liberté, et qui la rend respectable dans l'Europe. »

Nous trouvons sa réserve quant au recours à l'arbitrage dans la formule : « Pour terminer tout différend qui n'intéresse pas directement le salut de la Nation. » Vattel développe plus loin cette réserve : « Mais si l'on veut ravir à une Nation un droit essentiel, ou un droit sans lequel elle ne peut espérer de se maintenir; si un voisin ambitieux menace la liberté d'une République, s'il prétend la soumettre et l'asservir, elle ne prend conseil que de son courage. On ne tente pas même la voie des conférences sur une prétention si odieuse. On met dans cette querelle tous ses efforts, ses dernières ressources, tout le sang qu'il est beau d'y verser [1]. »

Et plus loin, il dit : « Comme en vertu de la liberté naturelle des Nations, chacune doit juger en sa conscience de ce qu'elle a à faire, et est en droit de régler, comme elle l'entend, sa conduite sur ses devoirs, dans tout ce qui n'est pas déterminé par les droits parfaits d'une autre (Préliminaires, § 20), c'est à chacune de juger si elle est dans le cas de tenter les voies pacifiques, avant que d'en venir aux armes » (*ibid.*, p. 222).

La Société des Nations n'a donc pas le droit d'imposer la volonté commune à un État particulier, pas plus que la « Civitas maxima » de Wolff. En principe, la souveraineté reste entière.

Dans le troisième livre « De la guerre, » qui forme le deuxième volume de son ouvrage, Vattel discute les critères de la justice d'une guerre. Au fond son raisonnement n'offre rien de nouveau; la guerre défensive est toujours légitime. Il admet même la guerre offensive sous certaines réserves. Voici son raisonnement : « Pour juger de la justice d'une guerre offensive, il faut d'abord considérer la nature du sujet qui fait prendre les armes. On doit être bien assuré de son droit pour le faire valoir d'une manière si terrible. S'il est donc question d'une chose évidemment juste, comme de recouvrer son bien, de faire valoir un droit certain et incontestable, d'obtenir une juste satisfaction pour une injure manifeste; et si on ne peut obtenir justice autrement que par la force des armes, la guerre offensive est permise. Deux choses sont donc nécessaires

1. Livre II, chap. XVIII, p. 221.

pour la rendre juste : 1° Un droit à faire valoir, c'est-à-dire, que l'on soit fondé à exiger quelque chose d'une Nation; 2° Que l'on ne puisse l'obtenir autrement que par les armes. La nécessité seule autorise à user de force. C'est un moyen dangereux et funeste. La nature, mère commune des hommes, ne le permet qu'à l'extrémité, et au défaut de tout autre. C'est faire injure à une Nation, que d'employer contre elle la violence, avant que de savoir si elle est disposée à rendre justice, ou à la refuser. Ceux qui, sans tenter les voies pacifiques, courent aux armes pour le moindre sujet, montrent assez que les raisons justificatives ne sont, dans leur bouche, que des prétextes; ils saisissent avidement l'occasion de se livrer à leurs passions, de servir leurs ambitions sous quelque couleur de droit[1]. »

Nous voyons que la doctrine de Vattel quant à la guerre n'est pas absolument concluante. Il s'en tient aux conseils plutôt qu'aux critères juridiques.

Charles G. Günther (1752-1832)[2], qui était fonctionnaire de la Saxe électorale, publia en 1787 et 1792 deux volumes d'un ouvrage resté inachevé : *Europäisches Völkerrecht in Friedenszeiten nach Vernunft, Verträgen und Herkommen mit Anwendung auf die teutschen Reichsstände.* Comme il l'indique, son ouvrage est basé sur la notion fondamentale que les États ensemble forment un système auquel s'appliquent les droits et les obligations du droit des gens naturel, et dans lequel il faut tenir compte en même temps des traités et des usages. Günther occupe donc, comme Vattel, une position intermédiaire. Lui aussi combat la conception de Wolff d'une *civitas maxima.* Il est cependant permis de parler d'une association volontaire des États. C'est la thèse de Vattel que nous retrouvons ici. Mais Günther va plus loin; il prévoit la possibilité de sanctions prises en commun. Les membres d'une association, et également chaque Nation faisant partie de la communauté internationale, « können im Fall sie ihren Pflichten keine Genüge tun, zu deren Beobachtung durch Zwangsmittel wechselseitig genötigt werden » (p. 157).

Günther rappelle l'organisation médiévale de l'Europe; celle-ci n'existe plus. Il est très sceptique quant à la possibilité de réaliser les projets de Sully, de Saint-Pierre et d'autres. « Sie dürften eine

1. Livre III, chap. III (vol. II, p. 13).
2. Cf. Ter Meulen, *ouvr. cité*, p. 276-279.

Schimäre bleiben. » Mais Günther préconise la création d'un tribunal commun qui serait même muni du pouvoir d'appliquer les sanctions : « Der Einwurf, dass dies dem Begriffe freier Völker entgegen sei, deren Haupteigenschaft darinnen bestehe, dass sie keinen Höhern weiter über sich haben, fällt weg, weil hier oben nicht von einer Universalmonarchie oder Vereinigung der Völker unter ein gemeinschaftliches Oberhaupt die Rede ist. Die Nationen dürften nur einen gemeinsamen Gerichtshof niedersetzen, der, unbeschadet im übrigen der Unabhängigkeit einer jeden einzelnen, bloss als Schiedsrichter zur Bestimmung der zweifelhaften wechselseitigen Rechte und Verbindlichkeiten und zur Beilegung der aus deren Nichtbeobachtung entspringenden Beschwerden mit hinlänglicher Gewalt versehen wäre. Eine ähnliche Einrichtung war ehemals das Gericht den Amphiktyonen bei den griechischen Staaten » (p. 188).

Dans une forme tout à fait générale, telle que la donne Günther, cette idée paraît comme la première indication de la voie suivie par le droit international aux XIXe et au XXe siècle. Günther abandonne l'idée de la création d'un État mondial, « d'une république chrestienne » et il fraie la voie à un progrès rendu possible si on l'accomplit par étapes et par des solutions d'espèce. En apparence modestes, ses réformes ont grandement servi l'évolution du droit international.

C'est au même point de vue qu'il faut envisager les projets de *Jeremy Bentham*. Ce grand philosophe (1748-1832), fondateur de la philosophie utilitariste anglaise, ne s'occupa point directement du droit international. Esprit ouvert, plein d'initiative, tourné plutôt vers les réformes pratiques que vers la spéculation, il vit très nettement la nécessité d'une réforme radicale des relations entre États. Dans ce domaine comme à l'intérieur des États, il voulait faire prédominer l'intérêt et le bonheur général, combattre l'égoïsme individuel, ainsi que l'égoïsme des États, qui avait si libre jeu sous le régime de l'anarchie internationale en vigueur.

Bentham a laissé parmi ses papiers un ouvrage inachevé *Principles of International Law*, ébauché en 1786-89, mais publié seulement en 1843 dans l'édition de ses œuvres complètes [1]. Cette ébauche

1. Works, publ. par John Bowring, Part. VIII, p. 535 et suiv. Cf. *Ter Meulen, ouvr. cité*, p. 288-296; Kraus, *Jeremy Bentham's Grundsätze für ein künftiges Völkerrecht u. einen dauernden Frieden*, 1915.

n'a donc pu exercer aucune influence à l'époque de sa rédaction, c'est-à-dire à la veille de la Révolution Française; elle peut nous servir seulement d'indice de l'évolution de la doctrine pacifique chez l'un des esprits les plus avancés et les plus avertis de l'époque. En voici l'analyse :

L'ouvrage se divise en quatre chapitres. C'est surtout le problème de la codification qui intéresse Bentham. Il y attache la plus grande importance dans le domaine international comme à l'intérieur de l'État. Dans le premier « Essay », « Objects of International Law, » il discute les objets du droit international, et il pose en principe que dans le domaine international, comme partout ailleurs, il s'agit de peser l'intérêt particulier de chacun par rapport à l'intérêt général. Puisque, entre les Nations, on ne peut parler de punition, il y a risque de guerre, « calamité sans mesure. » Cette dernière idée forme le point de départ du raisonnement du deuxième « Essay[1] », qui ne nous intéresse guère ici. Le troisième « Essay » est intitulé : « Of War, considered in respect of its causes and consequences. » Ici Bentham constate le fait fondamental : les États vivent dans l'anarchie : « There is no common superior ready chosen for them. » La conséquence en est que le risque de la guerre est permanent : « War is mischief upon the largest scale. » Néanmoins, il est concevable que la guerre se présente comme la seule possibilité : « If it appear that the injury in question is but a prelude to others, and that it proceeds from a disposition which nothing less than entire destruction can satisfy, and war presents any tolerable chance of success, how small soever, prudence and reason may join with passion in prescribing war as the only remedy in so desperate a disease » (p. 545).

Il y a certaines guerres qu'on pourra éviter, soit par la création d'un tribunal de paix, « bona fide wars, » soit par médiation, « wars of passion, wars of ambition, or of insolence or rapine. » On constate ici chez Bentham une tentative de classement des conflits à laquelle on est revenu de notre temps, pour assurer une solution pacifique pour un nombre aussi grand que possible de différends.

Le quatrième « Essay » est le plus intéressant pour nous; il s'intitule : « A Plan for an universal and perpetual Peace. » Bentham

1. Of Subjects, or of the Personal Extent of the Dominion of the Laws.

pose la question préalable de savoir si en abordant semblable problème, on verse dans l'utopie. Il répond : « What can be better suited to the preparing of men's minds for the reception of such a proposal than the proposal itself?... Let it not objected that the age is not ripe for such a proposal; the more it wants of being ripe; the sooner we should begin to do what can be done to ripen it; the more we shall do to ripen it. A proposal of this sort, is one of those things that can never come too early nor too late.... The sheets are dedicated to the common welfare of all civilized nations; but more particularly of Great Britain and France » (p. 546).

Il avance deux propositions fondamentales; la réduction et la limitation des forces armées; l'émancipation des colonies, surtout en ce qui concerne la Grande-Bretagne et la France. Il se propose donc des buts immédiats et restreints. C'est une nouvelle méthode qui s'annonce, comme chez Günther. Ces deux internationalistes ne suggèrent pas de plan général d'organisation universelle, mais des réformes par étapes.

En tout premier lieu Bentham veut assurer la pacification par l'institution d'un tribunal entre les États. Il propose :

« XIII. That the maintenance of such a pacification might be considerably facilitated by the establishment of a common court of judicature for the decision of differences between the several nations, although such court were not to be armed with any coercive powers.

« While there is no common tribunal, something might be said for this. Concession to notorious injustice invites fresh injustice.

« Establish a common tribunal, the necessity for war no longer follows from difference of opinion. Just or unjust, the decision of the arbiters will save the credit, the honour of the contending party. »

« Un arrangement maigre veut mieux qu'un procès gras. » Une autre réforme partielle reconnue comme essentielle aujourd'hui, est indiquée dans le n° XIV :

« That secresy in the operations of the foreign department ought not to be endured in England; being altogether useless, and equally repugnant to the interests of liberty and those of peace » (p. 547).

Dans la suite, Bentham développe en détail ses différentes propositions, et cite des précédents à l'appui; tel, le traité de 1787 entre la Grande-Bretagne et la France, fixant une limitation des forces navales; les fédérations existantes : États-Unis d'Amérique, Empire allemand, Confédération suisse. Il n'oublie pas les difficultés :

« If the simple relation of a single nation with a single other nation be considered, perhaps the matter would not be very difficult. The misfortune is, that almost everywhere compound relations are found » (p. 550).

Son plan pour le tribunal ou comme il l'appelle : « Congress or Diet » est très sommaire. Il ne nous retiendra pas, mais il est intéressant de voir comment l'auteur envisage le problème des sanctions. Voici ses suggestions lorsqu'il parle du tribunal (p. 554 et suiv.).

« Its power would consist : 1° In reporting its opinion; 2° In causing that opinion to be circulated in the dominions of each state; 3° After a certain time, in putting the refractory state under the ban of Europe.

« There might, perhaps, be no harm in regulating, as a last resource, the contingent to be furnished by the several states for enforcing the decress of the court.

« But the necessity for the employment of this resource would, in all human probability, be superseded for ever by having recourse to the much more simple and less burthensome expedient of introducing into the instrument, by which such court was instituted, a clause guaranteeing the liberty of the press in each state, in such sort, that the diet might find no obstacle to its giving in every state to its decrees and to every paper whatever, which it might think proper to sanction with its signature, the most extensive and unlimited circulation. »

C'est la sanction de l'opinion publique qui paraît pour Bentham la plus efficace.

Il termine son développement par une diatribe spirituelle contre la superstition des avantages que l'on pourrait retirer d'une guerre, même en cas de victoire :

« But splendour, greatness, glory, all these fine things may be produced by useless success and unprofitable and enervating extent of dominion obtained at the expense of opulence; and this is the way in which you manage so as to prove to yourself that the wa y to make a man run the quicker is to cut off one of his legs. And true enough it is, that a man, who has had a leg cut off and the stump healed, may hop faster than a man, who lies in bed with both legs broken, can walk. And thus you may prove that Britain is in a better case after the expenditure of a glorious war than if there had been no war; because France or some other country was put by it into a still worse condition. »

C'est la mentalité anglo-saxonne qui se révèle ici : des réformes pratiques et réalisables parce que partielles, plutôt que des plans généraux, plus ou moins visionnaires.

Il nous reste à examiner si la doctrine pacifique a exercé une influence quelconque sur la pratique des États au cours de l'époque de l'absolutisme. Il n'y a que très peu à relever. On trouve de temps à autre, mais très rarement, des clauses compromissoires dans certains traités. C'est là un point de l'histoire qui a été négligé jusqu'ici, mais qui mériterait un examen. Par clause compromissoire, on entend un article inséré dans un traité et consacrant le recours à l'arbitrage pour la solution de litiges, soit de litiges en général, soit de litiges d'un ordre déterminé; le fait que la période moderne est caractérisée par la domination des grandes puissances suffit à expliquer l'indifférence envers l'arbitrage. Il est intéressant de noter qu'en tant que nous connaissons des clauses compromissoires, elles ont surtout été conclues entre de petits États, comme les villes hanséatiques et les cantons suisses.

Faut-il relever le développement de la conception de la neutralité? En principe cette conception ne relève pas de l'idée d'une organisation internationale, qui enseigne la doctrine, « un pour tous, tous pour un, » et qui n'admet donc pas au fond la neutralité dans un conflit. Toutefois le principe de la neutralité consacre une limitation des ravages de la guerre et ouvre la possibilité pour certains États de se poser en conciliateurs impartiaux et pacifiques. A ce point de vue, il convient de rappeler les ligues de neutralité des États du Nord, qui furent conclues vers la fin du XVIIIe siècle, notamment pendant la guerre d'Indépendance américaine. Des idées sur le droit de la guerre s'y rattachent, qui auront cours au XIXe siècle, et qui seront alors consacrées en partie par des traités internationaux : abolition de la course, définition de la contrebande de guerre, immunité de la propriété privée en temps de guerre. Le dernier principe fut admis dans un traité particulier entre la Prusse et les États-Unis dès 1785.

Nous avons déjà dit que Bentham avait mentionné dans ses projets de 1789, un traité franco-anglais pour la limitation des forces navales en 1787[1]; le traité visa des circonstances particulières; des troubles étaient survenus en Hollande, la Prusse et la France appuyaient des partis opposés. La Grande-Bretagne se trouvait plutôt du côté de la Prusse et pour éviter des armements excessifs, la France et l'Angleterre avaient conclu un accord par lequel ces deux pays s'engageaient à ne pas dépasser leur armement de paix. Les troubles aux Pays-Bas cessèrent bientôt; l'accord se trouva sans objet. Ce fut une hirondelle qui ne fit pas le printemps.

1. Voir Wehberg, *Die internationale Beschränkung der Rüstungen* (Stuttgart, Berlin, 1919), p. 258.

CHAPITRE XI

LES RÉVOLUTIONS D'AMÉRIQUE ET DE FRANCE

Nous sommes en général trop subordonnés à l'horizon européen dans notre conception de l'histoire, soi-disant « universelle. » On oublie trop facilement que la Révolution Française fut précédée de la Révolution Américaine, et que dans les deux cas les mêmes principes avaient été en jeu : principe démocratique, principe des nationalités. Les colons américains ne voulurent pas céder aux autorités britanniques le privilège de régler leurs impôts. Ils s'insurgèrent pour se constituer en nation indépendante (1776). La Grande-Bretagne reconnut enfin, mais seulement après une guerre prolongée, l'indépendance américaine en 1783. En France, le Tiers-État appelé par le roi autocrate à l'aider dans ses embarras financiers, — appel qui impliqua une faillite morale, — proclama en 1789 la souveraineté du peuple, et lorsque l'Europe coalisée sous la direction des rois intervint dans l'intérêt de la royauté française, la France proclama l'indépendance et la souveraineté nationale (1792).

Ces événements modifièrent la conception de l'État, et le problème international se posa dès lors avec de nouvelles données. Jusque-là les internationalistes s'étaient bornés à étudier les relations entre princes dynastiques. Dorénavant ils se trouvent en face de nations. Sans doute le problème s'est compliqué, en tout cas en théorie; d'autre part, il remue davantage les esprits.

La jeune nation américaine avait consacré un principe d'organisation d'une grande importance au point de vue international. J'ai nommé le principe fédératif, qui jusque-là n'avait trouvé d'application qu'au sein de petites associations : confédération suisse et Provinces-Unies des Pays-Bas. Les treize États américains conservèrent chacun une individualité politique. C'était une Société des Nations *in nuce*; mais la République américaine ne posa pas encore le problème international d'une façon aiguë ou logique. L'esprit anglo-saxon est pratique, il préfère résoudre des problèmes immédiats plutôt que de discuter des principes généraux, qui le laissent en général indifférent.

La mentalité française est autre; elle veut aller au fond et au bout des problèmes, elle les pose d'une manière générale et doctrinale, et elle ne se contente pas de solutions partielles, mais va au plus vite jusqu'aux conséquences lointaines. Voilà pourquoi la Révolution Française joue, au point de vue des principes, un rôle beaucoup plus grand pour notre étude que la Révolution Américaine. La Révolution Française est dominée par l'esprit des philosophes qui est systématique et logique. D'autre part, la France placée au milieu de la conglomération européenne où les frontières sont disputées tout autrement qu'en Amérique — là il y a encore beaucoup de place — est portée et même obligée d'envisager hardiment les problèmes de la guerre et de la paix.

Lorsque la France a fait sa révolution, elle était convaincue qu'elle la faisait pour l'humanité tout entière[1]. Déjà en 1790, Camille Desmoulins écrivait : « Nous avons arraché les haies de division qui séparaient les Français entre eux et déjà il n'y a plus de provinces; espérons que bientôt la division des royaumes ne sera plus; il n'y aura plus qu'un seul peuple, qu'on appellera « le genre humain. » « Mirabeau lui-même, ce politique réaliste, déclara, dans son discours du 25 août 1790, qu'il appelait de tous ses vœux « le pacte de la fédération du genre humain. »

Ces idées, encore vagues au début de la Révolution, se cristallisèrent au cours de celle-ci, en des propositions et même des projets précis. Ainsi *Volney* (1757-1820), membre de la Constituante, a posé nettement les nouvelles données du problème international, dans une motion présentée le 18 mai 1790 à l'Assemblée dont il faisait partie :

« Jusqu'à ce jour, dit-il, l'Europe a présenté un spectacle affligeant d'orgueil apparent et de misère réelle; on n'y comptait que des maisons de princes et des intérêts de familles. Les nations n'y avaient qu'une existence accessoire et précaire; on portait en dot

1. Cf. Aulard, dans *La Paix par le Droit*, 1918, p. 271-278. *La Société des Nations et la Révolution française.*

des peuples comme des troupeaux. Pour les menus plaisirs d'une tête, on ruinait une contrée; pour les pactes de quelques individus, on privait un pays de ses avantages naturels....

« Vous changerez, messieurs, un état de choses si déplorable; vous ne souffrirez plus que des millions d'hommes soient le jouet de quelques-uns qui ne sont que leurs semblables, et vous rendrez leur dignité et leurs droits aux nations. La délibération que vous allez prendre aujourd'hui a cette importance qu'elle va être l'époque de ce grand passage. Aujourd'hui vous allez faire votre entrée dans le monde politique. Jusqu'à ce moment, vous avez délibéré dans la France et pour la France; aujourd'hui vous allez délibérer pour l'univers et dans l'univers. Vous allez, j'ose le dire, convoquer l'assemblée des nations.... »

Puis Volney présenta ce projet de décret :

« L'Assemblée déclare solennellement :

1. Qu'elle regarde l'universalité du genre humain comme ne formant qu'une seule et même société, dont l'objet est la paix et le bonheur de tous et de chacun de ses membres;

2. Que, dans cette grande société générale, les peuples et les États, considérés comme individus, jouissent des mêmes droits naturels et sont soumis aux mêmes règles de justice que les individus des sociétés partielles et secondaires;

3. Que, par conséquent, nul peuple n'a le droit d'envahir la propriété d'un autre peuple, ni de le priver de sa liberté et de ses avantages naturels;

4. Que toute guerre entreprise par un autre motif et pour un autre objet que la défense d'un droit juste est un acte d'oppression qu'il importe à toute la grande société de réprimer, parce que l'invasion d'un État par un autre État tend à menacer la liberté et la sûreté de tous.

Par ces motifs, l'Assemblée Nationale a décrété et décrète comme article de la Constitution française :

Que la nation française s'interdit de ce moment d'entreprendre aucune guerre tendant à accroître son territoire actuel. »

Le décret proposé ne fut pas expressément voté par l'Assemblée, mais son principe fut consacré par un article de la Constitution qui fut voté quatre jours plus tard (22 mai 1790). Cet article porte « que la nation française renonce à entreprendre aucune guerre dans la vue de faire des conquêtes et qu'elle n'emploiera jamais ses forces contre la liberté d'aucun peuple. »

Ainsi le droit d'autodisposition des peuples fut reconnu, et l'Assemblée l'appliqua en instituant toujours des consultations par plébiscites des populations admises à faire partie de la France. Les nations prirent la place des princes.

Le célèbre philosophe *Condorcet* (1743-94), élève de Turgot, collaborateur à l'*Encyclopédie*, est sans doute la figure la plus représentative des aspirations de la Révolution Française dans le domaine international. Condorcet avait obtenu, tout jeune, les plus grands succès littéraires. Il devint membre de l'Académie des Sciences; à l'âge de trente-neuf ans il fut élu à l'Académie Française. Alors il exprime dans son discours de réception son optimisme, sa foi touchante dans la possibilité d'un progrès continu[1]. Aux critiques qu'il prévoit, il répond :

« Cette douceur que vous nous reprochez, c'est elle qui a rendu les guerres plus rares et moins désastreuses, qui a mis au rang des crimes cette fureur des conquêtes, si longtemps décorée du nom d'héroïsme. C'est à elle enfin que nous devons la certitude consolante de ne revoir jamais ni ces ligues de factieux, plus funestes encore au bonheur des citoyens qu'au repos des princes, ni ces massacres, ces proscriptions des peuples, qui ont souillé les annales du genre humain. »

Dans sa « Vie de Turgot » publiée en 1786, Condorcet développe des idées analogues. Il est adepte fidèle de la doctrine de l'harmonie fondamentale des économistes, dont l'humanité deviendra de plus en plus consciente. Dans un autre ouvrage, « De l'influence de la Révolution d'Amérique sur l'Europe, » il exprime ses idées internationalistes, en critiquant, dans une certaine mesure, l'abbé de Saint-Pierre.

« Peut-être l'abbé de Saint-Pierre aurait-il été plus utile, si, au lieu de proposer aux souverains (monarques, sénats ou peuples) de renoncer au droit de faire la guerre, il leur eût proposé de conserver ce droit, mais d'établir en même temps un tribunal chargé de juger, au nom de toutes les nations, les différends qui peuvent s'élever entre elles, sur la remise des criminels, sur l'exécution des lois de

1. Cf. Bury, *The Idea of Progress* (London, 1920), p. 206 et suiv.

commerce, les saisies de vaisseaux étrangers, les violations de territoire, l'interprétation des traités, les successions, etc. Les différents États se seraient réservé le droit d'exécuter les jugements de ce tribunal, ou d'en appeler à celui de la force. Les hommes qui l'auraient composé auraient été chargés de rédiger un code de droit public fondé uniquement sur la raison et sur la justice, et que les nations confédérées seraient convenues d'observer pendant la paix. Ils en eussent formé un autre, destiné à contenir les règles qu'il serait de l'utilité générale d'observer en temps de guerre, soit entre les nations belligérantes, soit entre elles et les puissances neutres. Un tel tribunal pourrait étouffer des semences de guerre, en établissant dans l'état de paix plus d'union entre les peuples, et détruire ces germes de haine et cette humeur d'un peuple contre un autre, qui dispose à la guerre et en fait saisir tous les prétextes. »

Nous constatons ici plusieurs analogies avec les idées de Bentham.

Logiquement Condorcet fut un enthousiaste de la Révolution; il ne fit pas partie de la Constituante, mais il fut élu membre de l'Assemblée législative en 1791, et en avril 1792 c'est lui qui dépose « le projet d'une Exposition des Motifs qui ont déterminé l'Assemblée Nationale à décréter, sur la proposition formelle du roi, qu'il y a lieu à déclarer la guerre au roi de Bohême et de Hongrie. »

Condorcet explique comment la France pacifique a été amenée à déclarer la guerre :

« L'Assemblée Nationale a continué de vouloir la paix; mais elle dit préférer la guerre à une patience dangereuse pour sa liberté; elle ne pouvait se dissimuler que des changements dans la constitution, que des violations de l'égalité qui en est la base, étaient l'unique but des ennemis de la France; qu'ils voulaient la punir d'avoir reconnu, dans toute leur étendue, les droits communs à tous les hommes; et c'est alors qu'elle a fait ce serment, répété par tous les Français, de périr plutôt que de souffrir la moindre atteinte, ni à la liberté des citoyens, ni à la souveraineté du peuple, ni surtout à cette égalité sans laquelle il n'existe pour les sociétés, ni justice, ni bonheur. »

Condorcet fut également élu membre de la Convention; il n'adhéra à aucun des partis, siégeant comme « indépendant. » Chargé du rapport sur le projet de Constitution dite constitution des « Girondins, » il exprime les idées que nous lui connaissons déjà, dans les articles 1 et 2 :

« ARTICLE PREMIER. — La République française ne prendra les armes que pour le maintien de sa liberté, la conservation de son territoire et la défense de ses alliés.

ART. 2. — Elle renonce solennellement à réunir à son territoire des contrées étrangères, sinon d'après le vœu librement émis de la majorité des habitants et dans le cas seulement où les contrées qui solliciteront cette réunion ne seront pas incorporées et réunies à une autre nation, en vertu d'un pacte social, exprimé dans une constitution antérieure et librement consentie. »

Condorcet ne tarda pas à devenir suspect à cause de son indépendance. Il dut se réfugier chez une dame de sa connaissance; on sait son sort tragique.

Ce fut pendant sa captivité qu'il composa ce qu'on peut appeler son testament spirituel, « Esquisse d'un tableau historique des progrès de l'esprit humain », profession de foi dans la perfectibilité du genre humain, inspirée d'un optimisme ardent et émouvant. La guerre disparaîtra : « Quand, les besoins mutuels ayant rapproché tous les hommes, les nations les plus puissantes auront placé l'égalité entre les sociétés comme entre les individus, et le respect pour l'indépendance des États faibles, comme l'humanité pour l'ignorance et la misère, au rang de leurs principes politiques;... serait-il alors permis de redouter qu'il reste encore sur le globe des espaces inaccessibles à la lumière, ou que l'orgueil du despotisme puisse opposer à la vérité des barrières longtemps inaccessibles.... »

« Les peuples, plus éclairés, se ressaisissant du droit de disposer eux-mêmes de leur sang et de leurs richesses, apprendront peu à peu à regarder la guerre comme le fléau le plus funeste, comme le plus grand des crimes. On verra d'abord disparaître celles où les usurpateurs de la souveraineté des nations les entraînent, pour des prétendus droits héréditaires.

« Les peuples sauront qu'ils ne peuvent devenir conquérants sans perdre leur liberté; que des confédérations perpétuelles sont le seul moyen de maintenir leur indépendance; qu'ils doivent chercher la sûreté et non la puissance. Peu à peu les préjugés commerciaux se disperseront; un faux intérêt mercantile perdra l'affreux pouvoir d'ensanglanter la terre, et de ruiner les nations sous prétexte de les enrichir. Comme les peuples se rapprocheront enfin dans les principes de la politique et de la morale, comme chacun d'eux, pour son propre avantage, appellera les étrangers à un partage plus égal des biens qu'il doit à la nature ou à son industrie, toutes ces causes qui produisent, enveniment, perpétuent les haines nationales, s'évanouiront peu à peu; elles ne fourniront plus à la fureur belliqueuse, ni aliment, ni prétexte.

« Des institutions mieux combinées que ces projets de paix perpétuelle, qui ont occupé le loisir et consolé l'âme de quelques philosophes, accéléreront les progrès de cette fraternité des nations, et les guerres entre les peuples, comme les assassinats, seront au nombre de ces atrocités extraordinaires qui humilient et révoltent la nature, qui impriment un long opprobre sur le pays, sur le siècle dont les annales en ont été souillées. »

Condorcet fut réhabilité par la Convention elle-même. En avril 1795, lors de la réaction contre la Terreur qui l'avait mis à mort, la Convention décida d'acheter 3000 exemplaires de « l'Esquisse » pour les distribuer aux citoyens.

Nous avons dit que la Révolution Française remua bien des idées; elle fit naître même des conceptions cosmopolites qu'il faut distinguer nettement des idées internationalistes. *Anacharsis Cloots* (1755-94), comte prussien naturalisé français, était, comme Condorcet, membre de la Convention. Il se donna lui-même le titre « d'orateur du genre humain, » et préconisa la création d'un unique État mondial, dont la capitale serait Paris. Son État mondial recevrait le nom de « Germanie. » En 1793, il offrit ses « Étrennes de l'organisation du genre humain aux cosmopolites »; le livre est daté du « 1er nouvel an de la République, au chef-lieu du globe. »

« Sans une loi commune, les moindres différends dégénèrent en hostilités longues et atroces.... Le morcellement politique engendre l'anarchie, le despotisme, la dévastation. On sera un jour tellement convaincu de ce principe, que tous les individus s'empresseront de confondre leurs intérêts particuliers dans l'intérêt universel.... »

Cloots est franchement anti-guerrier : « Il faut apprendre à l'espèce humaine que toutes nos hostilités sont des guerres civiles, *hors la chasse aux tigres, aux loups et aux tyrans*. Je ne connaîtrai qu'une seule *nation*, tant que vous ne me ferez pas connaître *deux : le genre humain.* »

Et plus loin : « Le monde ne jouira d'une paix stable qu'avec la confédération de tous les individus de la famille commune.... La guerre fit les premiers esclaves, la guerre est l'élément des oppresseurs. Vainement avons-nous renoncé à toute conquête, les tyrans prévoient que l'exemple des individus de la Corse et du Comtat (d'Avignon) sera suivi par des millions d'autres individus. »

A la fin il s'écrie : « L'Univers casé en mille départements égaux perdra le souvenir de ses anciennes dénominations et contestations naturelles, pour conserver éternellement la paix fraternelle sous l'égide d'une loi qui, n'ayant plus à combattre des masses isolées et redoutables, ne rencontrera jamais la moindre résistance nulle part. L'Univers formera un seul État, l'État des Individus Unis, l'Empire immuable de la Grande Germanie, la République universelle. »

Il n'est pas très intéressant d'approfondir les idées de cet énergumène, qui fut guillotiné en 1794.

Avec l'abbé *Grégoire* (1750-1831), premier évêque constitutionnel, nous revenons au courant d'idées internationalistes proprement dit. Grégoire avait été élu représentant du Clergé aux États Généraux; il se rallia vite au Tiers-État et devint le premier prêtre assermenté. Pendant sa longue vie, il resta fidèle aux principes qu'il avait embrassés. Ce fut lui qui proposa la proclamation de la République, le 21 septembre 1792. Plus tard, il fut président de la Convention. A deux reprises il exposa à celle-ci ses idées internationalistes, en juin 1793 et en avril 1795, et avec le but exprès de compléter la déclaration des droits de l'homme et du citoyen, par ce qu'il appelle une « Déclaration du droit des gens. » Voici les articles principaux de cette déclaration, telle que Grégoire la publia, bien des années plus tard dans ses Mémoires[1] :

« ARTICLE PREMIER. — Les peuples sont entre eux dans l'état de nature; ils ont pour lien la morale universelle.

ART. 2. — Les peuples sont respectivement indépendants et souverains, quel que soit le nombre d'individus qui les composent et l'étendue du territoire qu'ils occupent. Cette souveraineté est inaliénable.

1. Henri Grégoire, *Mémoires*, 2 vol., Paris, 1837. La Déclaration est reproduite, I, 428-430.

ART. 3. — Un peuple doit agir à l'égard des autres comme il désire qu'on agisse à son égard; ce qu'un homme doit à un homme, un peuple le doit aux autres peuples.

ART. 4. — Les peuples doivent en paix se faire le plus de bien, et en guerre le moins de mal possible.

ART. 5. — L'intérêt particulier d'un peuple est subordonné à l'intérêt général de la famille humaine. »

Grégoire repousse le droit d'intervention :

« ART. 6. — Chaque peuple a le droit d'organiser et de changer les formes de son gouvernement.

ART. 7. — Un peuple n'a pas le droit de s'immiscer dans le gouvernement des autres. »

Puis il pose certains principes généraux :

« ART. 9. — Ce qui est d'un usage inépuisable ou innocent, comme la mer, appartient à tous, et ne peut être la propriété d'aucun peuple. »

« ART. 16. — Les ligues qui ont pour objet une guerre offensive, les traités ou les alliances qui peuvent nuire à l'intérêt d'un peuple, sont un attentat contre la famille humaine. »

Grégoire ne nie pas le « droit à la guerre » :

« ART. 17. — Un peuple peut entreprendre la guerre pour défendre sa souveraineté, sa liberté, sa propriété. »

Enfin Grégoire veut assurer les relations régulières entre les nations en consacrant le principe de Grotius, « pacta sunt servanda » :

« ART. 21. — Les traités entre les peuples sont sacrés et inviolables. »

Grégoire n'a donc pas formulé un projet d'organisation internationale; il ne prévoit pas une association entre les peuples. Il a seulement voulu établir certains grands principes devant régir les relations entre nations. Il a très bien vu combien était difficile cette matière :

« L'égoïsme national est aussi coupable que l'égoïsme individuel, déclarait-il dans son exposé des motifs; le patriotisme n'est point exclusif. » « A la vérité, ajoutait-il, les hommes éprouvent un plus grand besoin de se rapprocher que les peuples, parce qu'un peuple se suffit plutôt à lui-même qu'un individu, et même on a vu des nations vouloir rompre toute communication avec les autres; » mais toujours, « il est entre elles des rapports possibles » et ainsi,

« la loi de sociabilité entre les peuples n'est autre que la loi naturelle appliquée aux grandes corporations du genre humain. »

Aussi Grégoire a-t-il intitulé son projet « Déclaration du droit des Gens, » formule plus modeste que celle de l'abbé de Saint-Pierre et de ses successeurs.

La Convention n'adopta point la déclaration de Grégoire :

« J'invite la Convention à ne pas oublier la position de la France au milieu de l'Europe, » disait Barère en 1793, « vous n'êtes pas seulement une assemblée philosophique, vous êtes une Assemblée politique »; il ne faut pas « s'extravaser en opinions philantropiques. » En 1795, Merlin (de Douai), tout en rendant hommage aux intentions du projet, « pures comme l'âme de l'auteur, » formulait semblablement des réserves d'ordre pratique : pendant la guerre on fait la guerre; mais il convient aussi de préparer l'organisation de la paix, et il sera permis « à notre collègue Grégoire, en usant de la liberté de la presse, de faire imprimer son travail en son propre nom. »

Il est intéressant de constater que le projet de Grégoire a été l'objet d'une critique détaillée et intelligente de la part du plus grand maître du droit international de ce temps : *G. F. de Martens* (1756-1822), fondateur de l'École historique du droit des gens au XIXe siècle. Martens publia en 1796 son « Einleitung in das positive Europäische Völkerrecht, » ouvrage qui eut plusieurs éditions successives, et qui fut traduit en français en 1821[1]. Dans la préface de l'édition de 1796, Martens s'occupe du projet de Grégoire. Il est très sceptique. Il assimile le projet aux plans de paix perpétuelle. Le voir adopter par les représentants des nations lui paraît « höchstens nur ein lieblicher Traum. » Certains articles énoncent des thèses qui sont très vraies, mais aussi contestées, par exemple les articles 1, 2, 6, 10, 17, 21. L'expérience enseigne que quand même elle serait admise dans la théorie, les peuples pourront néanmoins se faire tout le mal possible. D'autres articles sont plutôt du domaine moral. Ils sont rarement niés, mais plus rarement suivis.

« Soll eine solche Déclaration du droit des gens ihres Zwecks nicht verfehlen, so muss sie theils auf die Abschaffung widerrechtlicher oder doch unzweckmässiger Gebraüche, theils auf die Festsetzung

1. *Précis du Droit des gens moderne de l'Europe*, Gottingue, 1821.

streitiger Grundsätze des allgemeinen Völkerrechts, theils auf die Einführung neuer, der Wohlfart der Völker nützlicher, Bestimmungen gerichtet sein. Zu dem allen fehlt es zwar nicht an Stoff, aber eine fast unübersteigliche Kluft trennt den Gedanken von der Ausführung und nicht selten die Studierstube vom Cabinet.

« Sollen so gefährliche Sätze die Substanz einer neuen Déclaration du droit des gens ausmachen, so erhalte der Himmel uns unsre vieille diplomatie mit allen ihren Lücken, mit allen ihren Wortstreitigkeiten, mit allen zum Theil altmodischen Verzierungen — wir würden beim Tausch nur verlieren, alte Schaumünzen gegen Assignate verwechseln. »

On voit ici combien la science du droit devient de plus en plus inaccessible aux principes de l'Internationalisme; nous avons pu constater qu'au XVIIIe siècle encore, la conception du droit de la nature avait engendré une tendance vers l'amélioration du droit positif. Avec Martens la science revient sur ses pas. Comme le dit si bien Schücking : « L'école historique a oublié « das richtige über das Recht. »

Tout autre est l'écho qu'ont trouvé les idées internationalistes caractéristiques du XVIIIe siècle et de la Révolution chez le plus grand philosophe allemand : Immanuel Kant.

CHAPITRE XII

IMMANUEL KANT, PHILOSOPHE DE L'INTERNATIONALISME

IMMANUEL *Kant* (1724-1804) vécut toute sa vie dans les limites de la province où il naquit, la Prusse orientale. Il ne sortit même qu'une seule fois de la ville de Koenigsberg où, après une jeunesse laborieuse, il devint, à l'âge de trente et un ans, professeur de philosophie. Il resta célibataire; sa vie était ordonnée comme une pendule bien réglée. Mais il suivait avec attention tout ce qui se passait dans le monde. On connaît l'anecdote peut-être inventée par Michelet : Kant faisait sa promenade de tous les jours vers la Porte orientale de la ville; un jour les bourgeois de Koenigsberg s'étonnèrent beaucoup de voir le philosophe diriger ses pas vers la porte occidentale. Ce fut au mois de mai 1789 : la Révolution Française avait éclaté.

Kant avait alors soixante-cinq ans. Il avait déjà abordé le problème de la guerre dans un écrit de 1784[1] : « Idee zu einer allgemeinen Geschichte in weltbürgerlicher Absicht. » Les guerres sont à ses yeux des « tentatives de la nature » tendant à faire sortir les États de la condition anarchique des sauvages, et à les pousser à une association dans une Société des Nations (« Völkerbund »). Au sein de semblable association, tous les États, même les plus petits, trouveront la sécurité de leur existence. On a ri des plans de Saint-Pierre et de Rousseau, surtout, peut-être, parce qu'ils crurent la réalisation de leurs projets très proche; néanmoins ils ont indiqué la seule issue possible de la misère : « ... Durch die Verwüstungen, die der Krieg anrichtet, noch mehr aber durch die Nothwendigkeit,

1. La littérature sur les idées internationalistes de Kant est abondante. Il faut renoncer à en donner une bibliographie. Son ouvrage principal dans ce domaine, *Zum ewigen Frieden*, a été traduit dans plusieurs langues.

sich beständig in Bereitschaft dazu zu erhalten, wird zwar die völlige Entwickelung der Naturanlagen gehemmt, dagegen nöthigen aber auch die Uebel die daraus entspringen, unsere Gattung, zu dem an sich heilsamen Widerstande vieler Staaten gegen einander ein Gesetz des Gleichgewichts aufzufinden und eine vereinigte Gewalt, mithin einen weltbürgerlichen Zustand der öffentlichen Staatssicherheit einzuführen. »

Kant revient souvent à la même pensée, qu'encore, à l'étape actuelle du développement humain, les guerres sont inévitables. Il dit dans « Muthmasslicher Anfang der Menschengeschichte » (1786) :

« Auf der Stufe der Cultur also, worauf das menschliche Geschlecht noch steht, ist der Krieg ein unentbehrliches Mittel, diese noch weiter zu bringen; und nur nach einer (Gott weiss wann) vollendeten Cultur würde immerwährender Friede für uns heilsam und auch durch jene allein möglich sein. Also sind wir an den Uebeln doch wohl selbst schuld, über die wir so bittere Klage erheben, und die heilige Urkunde hat ganz recht, die Zusammenschmelzung der Völker in eine Gesellschaft, und ihre völlige Befreiung von äusserer Gefahr, da ihre Cultur kaum angefangen hatte, als eine Hemmung aller ferneren Cultur und eine Versenkung in unheilbare Verderbniss vorzustellen. »

Ni la monarchie universelle, ni l'équilibre européen ne présentent des solutions tant soit peu durables. Kant qualifie la monarchie universelle de « monstrueuse »; (« Religion innerhalb der Grenzen der blossen Vernunft », 1793); et dans un autre petit ouvrage de la même année, il persifle spirituellement l'équilibre européen, qui n'est qu'un pur fantôme. Il exprime son optimisme fondamental en déclarant que les conditions idéales vaudront de plus en plus dans la réalité.

Les guerres sont pour ainsi dire des tremblements de terre qui petit à petit tendent à établir un état de stabilité : « Das ist, dit-il dans le premier ouvrage cité, die menschlichen Augen unbemerkte, aber beständig fortgehende Bearbeitung des guten Princips, sich im menschlichen Geschlecht eine Macht und ein Reich zu errichten, welches den Sieg über das Böse behauptet und unter seiner Herrschaft der Welt einen ewigen Frieden zusichert. »

Tout comme Condorcet, Kant a une foi inébranlable dans le progrès. Seulement les lignes de sa perspective ne sont pas aussi courtes que chez le philosophe français.

En 1795, la Prusse d'abord, puis l'Espagne, firent la paix à Bâle avec la France. A l'automne de la même année, Kant présenta les conclusions pratiques de ses spéculations sociologiques sur la guerre et la paix, dans son ouvrage « Zum ewigen Frieden. » On a cru, et probablement avec raison, qu'il voulut faire une sorte de parodie du traité de Bâle. Le titre et la préface rappellent l'anecdote de Leibniz, du cabaretier hollandais[1] :

« Ob diese satyrische Ueberschrift auf dem Schilde jenes holländischen Gastwirths, worauf ein Kirchhof gemahlt war, die Menschen überhaupt, oder besonders die Staatsoberhäupter, die des Krieges nie satt werden können, oder wohl gar nur die Philosophen gelte, die jenen süssen Traum träumen, mag dahin gestellt seyn. » L'auteur désire seulement que ses opinions, librement exprimées, ne soient pas considérées comme dangereuses pour l'État.

Puis, en suivant l'arrangement du traité de Bâle, Kant rédige d'abord quelques articles préliminaires :

« 1. Es soll kein Friedenschluss für einen solchen gelten, der mit dem geheimen Vorbehalt des Stoffs zu einem künstigen Kriege gemacht worden. »

Cet article est rédigé contre le traité franco-prussien, qui contenait, en effet, des articles secrets ou qui, en tout cas, avait été conclu avec la réserve que la Prusse aurait le droit de se dédommager de ses cessions à l'Ouest du Rhin par des agrandissements à l'Est.

« 2. Es soll kein für sich bestehender Staat (klein oder gross, das gilt hier gleichviel) von einem andern Staate durch Erbung, Tausch, Kauf oder Schenkung, erworben werden können. » Le commentaire de l'auteur est intéressant :

« Ein Staat ist nämlich nicht (wie etwa der Boden, auf dem er seinen Sitz hat) eine Haabe (*patrimonium*). Er ist eine Gesellschaft von Menschen, über die Niemand anders, als er selbst, zu gebieten und zu disponiren hat. Ihn aber, der selbst als Stamm seine eigene Wurzel hatte, als Pfropfreis einem andern Staate einzuverleiben, heisst seine Existenz, als einer moralischen Person, aufheben, und aus der letzteren eine Sache machen, und widerspricht also der Idee des ursprünglichen Vertrags, ohne die sich kein Recht über ein Volk denken lässt. »

1. Les citations sont faites d'après une édition de 1796 « Neue vermehrte Auflage, » Königsberg, 1796.

Dans son troisième article, Kant se déclare contre les armements :

« 2. Stehende Heere (*miles perpetuus*) sollen mit der Zeit ganz aufhören. »

Il ajoute un commentaire par lequel il s'oppose au principe même du service mercenaire et du service militaire obligatoire :

« Denn sie bedrohen andere Staaten unaufhörlich mit Krieg, durch die Bereitschaft, immer dazu gerüstet zu erscheinen; reitzen diese an, sich einander in Menge der gerüsteten, die keine Grenzen kennt, zu übertreffen, und, indem durch die darauf verwandten Kosten der Friede endlich noch drückender wird als ein kürzer Krieg, so sind sie selbst Ursache von Angriffskriegen, um diese Last loszuwerden; wozu kommt, dass zum Tödten, oder getödtet zu werden in Sold genommen zu seyn, einen Gebrauch von Menschen als blossen Maschinen und Werkzeugen in der Hand eines Andern (des Staats) zu enthalten scheint, der sich nicht wohl mit dem Rechte der Menschheit in unserer eigenen Person vereinigen lässt. Ganz anders ist es mit der freywilligen periodisch vorgenommenen Uebung der Staatsbürger in Waffen bewandt, sich und ihr Vaterland dadurch gegen Angriffe von aussen zu sichern. »

« Art. 4. — Es sollen keine Staatsschulden in Beziehung auf äussere Staatshändel gemacht werden. »

Parce qu'ainsi les États et les Princes sont tentés de faire la guerre.

Il se déclare contre l'intervention :

« Art. 5. — Kein Staat soll sich in die Verfassung und Regierung eines andern Staats gewaltthätig einmischen. »

Le sixième article vise la création d'un droit de la guerre plus humain.

Puis Kant passe aux articles définitifs; ils sont peu nombreux mais chacun d'eux va au fond du problème.

« I. — Die bürgerliche Verfassung in jedem Staat soll republikanisch seyn. »

On voit par le commentaire qu'en fait Kant, que par « constitution républicaine » il entend ce que nous appelons « constitution représentative. » Il définit ainsi la liberté : « Die Befugnis, keinen äuszeren Gesetzen zu gehorchen, als zu denen ich meine Beistimmung habe geben können. » Et il ajoute plus loin : « Alle Regierungsform nämlich, die nicht repräsentativ ist, ist eigentlich eine Unform. »

Kant veut qu'aucune guerre ne se fasse sans le consentement des participants, ce qui veut dire, du peuple lui-même.

II. — « Das Völkerrecht soll auf einen *Föderalism* freyer Staaten gegründet seyn. »

Voici le début du commentaire de Kant :

« Völker, als Staaten, können wie einzelne Menschen beurtheilt werden, die sich in ihrem Naturzustande (d. i. in der Unabhähgigkeit von äussern Gesetzen) schon durch ihr Nebeneinanderseyn lädiren, und deren jeder, um seiner Sicherheit willen, von dem anderen fordern kann und soll, mit ihm in eine, der bürgerlichen ähnliche Verfassung zu treten, wo jedem seyn Recht gesichert werden kann. Dies wäre ein Völkerbund, der aber gleichwohl kein Völkerstaat seyn müsste. »

Ici le philosophe de Koenigsberg montre définitivement la voie à l'internationalisme. Il s'abstient toutefois de formuler un projet d'organisation de sa « Fédération des peuples libres, » et peut-être avec raison, car le but est encore lointain dans sa pensée. Il ne parle pas même de la possibilité d'organiser le recours à l'arbitrage, ni de l'emploi de ce moyen. Il écarte tout détail. Dans un ouvrage de 1797, « Metaphysische Anfangsgründe der Rechtslehre, » Kant recommande la création d'un congrès des États, analogue aux États-Généraux des Pays-Bas d'alors. C'est la seule indication que nous trouvions sur l'organisation de son « Völkerbund. » A part cela, il se tient sur le terrain philosophique.

Son dernier article définitif pose également un principe important :

III. — « Das Weltbürgerrecht soll auf Bedingungen der allgemeinen Hospitalität eingeschränkt seyn. »

Dans son commentaire Kant constate, comme tant de ses prédécesseurs, l'existence d'une interdépendance entre les peuples :

« Da es nun mit der unter den Völkern der Erde einmal durchgängig überhand genommenen (engeren oder weiteren) Gemeinschaft so weit gekommen ist, dass die Rechtsverletzung an einem Platz der Erde an allen gefühlt wird; so ist die Idee eines Weltbürgerrechts keine phantastische und überspannte Vorstellungsart des Rechts, sondern eine nothwendige Ergänzung des ungeschriebenen Codex, sowohl des Staats-als Völkerrechts zum öffentlichen Menschenrechte überhaupt, und so zum ewigen Frieden, zu dem man sich in der continuirlichen Annäherung zu befinden, nur unter dieser Bedingung schmeicheln darf. »

Dans une annexe, « Von der Garantie des ewigen Friedens, » Kant s'exprime de nouveau contre la monarchie universelle. Il a foi dans la puissance de l'évolution qui établira une paix assurée entre les États. « La nature, dit-il, unit les peuples par le sentiment d'un égoïsme réciproque. »

« Es ist der Handelsgeist, der mit dem Kriege nicht zusammen bestehen kann, und der früher oder später sich jedes Volks bemächtigt. Weil nämlich unter allen, der Staatsmacht untergeordneten, Mächten (Mitteln), die Geldmacht wohl die zuverlässigste seyn möchte, so sehen sich Staaten (freylich wohl nicht eben durch Triebfedern der Moralität) gedrungen, den edlen Frieden zu befördern, und, wo auch immer in der Welt Krieg auszubrechen droht, ihn durch Vermittelungen abzuwehren, gleich als ob sie deshalb im beständigen Bündnisse ständen; denn grosse Vereinigungen zum Kriege können, der Natur der Sache nach, sich nur höchst selten zutragen, und noch seltener glücken. »

Kant ne préconise donc pas une garantie matérielle sous forme de sanction. C'est là un problème de l'internationalisme qui n'a pas encore trouvé une solution définitive; le Pacte de la Société des Nations en a posé le principe dans son art. 16.

Dans la même annexe nous trouvons aussi une thèse qui est décidément pacifiste (Cf. *Introduction*, plus haut, p. 183) :

« Der Krieg ist darin schlimm, dasz er mehr böse Leute macht, als er deren wegnimmt. »

Sans aucun doute, l'ouvrage de Kant marque l'étape la plus importante dans l'histoire de la doctrine pacifique. Il a relevé l'erreur de Saint-Pierre et de presque tous ses autres prédécesseurs, qui croyaient que les dynasties pourraient créer la fédération internationale. Ainsi il a établi le lien intime qui existe entre l'internationalisme et la démocratie. Le militarisme est l'ennemi le plus dangereux de la liberté des peuples; par un progrès lent mais fatal, les nations se délivreront de cette entrave, et se développeront librement.

L'ouvrage de Kant provoqua une vive discussion. *Embser* (V. cidessus p. 302) et plusieurs autres auteurs répondirent en faisant l'apologie de la guerre. Les pacifistes ne gardèrent pas le silence.

D'une manière générale, les circonstances furent telles que le problème de la guerre se posa à tous les esprits pensants; les guerres de la Révolution et surtout celles de Napoléon embrasèrent l'Europe pendant vingt ans et plus. Nous trouvons à la fin du siècle et au début du XIXe, une abondante littérature pacifiste et internationaliste. *Vicesimus Knox*, whig anglais bien connu, publia en 1794 une traduction de plusieurs ouvrages d'Érasme sous le titre « Antipolemus. » En Angleterre et en Amérique, les écrits pacifistes furent au demeurant surtout de caractère religieux, fruits mûris de l'esprit sectaire. En France et en Allemagne, ils avaient plutôt un caractère moral et politique. Nous n'analyserons pas ici cette littérature; il faut bien dire qu'elle n'apporte guère de nouveaux éléments au débat.

Nous nous arrêterons un instant à un ouvrage publié par le fondateur du socialisme moderne, *Saint-Simon* (1760-1825). Il avait traité le problème dans plusieurs ouvrages, lorsqu'en 1814 il publia un petit livre intitulé : *De la réorganisation de la Société européenne ou de la nécessité et des moyens de rassembler les peuples de l'Europe en un seul corps politique, en conservant à chacun son indépendance nationale*, par M. le comte de Saint-Simon, et par A. Thierry, son élève.

L'opuscule parut au milieu des travaux laborieux du nouveau règlement européen : « Cet ouvrage, dit l'Avertissement, a été hâté par les circonstances; il ne devait paraître que plus tard et avec de plus grands développements. »

Il est surtout intéressant de constater la manière dont Saint-Simon envisage l'histoire :

« Les progrès de l'esprit humain, les révolutions qui s'opèrent dans la marche de nos connaissances, impriment à chaque siècle son caractère.... »

« Avant la fin du XVe siècle toutes les Nations de l'Europe formaient un seul corps politique, paisible au-dedans de lui-même, armé contre les ennemis de sa constitution et de son indépendance. Luther désorganisa l'Europe. Le traité de Westphalie établit un nouvel ordre de choses par une opération politique qu'on appela équilibre des puissances. L'Europe fut partagée en deux confédérations qu'on s'efforçait de maintenir égales; c'était créer la guerre et l'entretenir constitutionnellement, car deux ligues d'égale force sont nécessairement rivales, et il n'y a pas de rivalité sans guerre. »

La conséquence de cet état de choses n'a été que trop évident : « Accroissement des forces militaires, armées formidables toujours actives, toujours sur pied; depuis le traité de Westphalie, la guerre a été l'état habituel de l'Europe. » C'est sur ce désordre, que « l'Angleterre éleva sa grandeur ». « Un tel état de choses est trop monstrueux pour qu'il puisse durer encore. Il est de l'intérêt de l'Europe de s'affranchir d'une tyrannie qui la gêne, il est de l'intérêt de l'Angleterre de ne pas attendre que l'Europe armée vienne se délivrer elle-même.... Il n'y a point de repos ni de bonheur possible pour l'Europe tant qu'un lien politique ne ralliera pas l'Angleterre au continent dont elle est séparée.... Une constitution forte par elle-même, appuyée sur des principes puisés dans la nature des choses et indépendante des croyances qui passent et des opinions qui n'ont qu'un temps : voilà ce qui convient à l'Europe, voilà ce que je propose aujourd'hui. »

Dans le premier livre, l'auteur démontre que la forme parlementaire est la meilleure forme d'État : « Vouloir que l'Europe soit en paix par des traités et des congrès c'est vouloir qu'un corps social subsiste par des conventions et des accords; des deux côtés il faut une force co-active qui unisse les volontés, concerte les mouvements, rende les intérêts communs et les engagements solides. »

Puis Saint-Simon fait la critique des projets de paix perpétuelle, notamment de celui de l'abbé de Saint-Pierre, et voici comment il expose les principes fondamentaux d'une organisation vraiment durable, et qui furent, d'après lui, ceux sur lesquels se fonda la puissance papale, au Moyen âge :

« I. — Toute organisation politique instituée pour lier ensemble plusieurs peuples, en conservant à chacun d'eux son indépendance nationale, doit être systématiquement homogène, c'est-à-dire que toutes les constitutions doivent y être des conséquences d'une conception unique, et que par conséquent le Gouvernement à tous ses degrés doit avoir une forme semblable

II. — Le gouvernement général doit être entièrement indépendant des gouvernements nationaux.

III. — Ceux qui composent le gouvernement général doivent être portés par leur position à avoir des vues générales, à s'occuper spécialement des intérêts généraux.

IV. — Ils doivent être forts d'une puissance qui réside en eux, et qui ne doive rien à aucune force étrangère; cette puissance est l'opinion publique. »

La constitution anglaise offre un exemple à suivre et le deuxième livre fait la proposition expresse, « que toutes les nations de l'Europe doivent être gouvernées par un parlement national, et concourir à la formation d'un parlement général qui décide des intérêts communs de la Société européenne. L'Europe aurait la meilleure organisation possible, dit Saint-Simon, si toutes les nations qu'elle renferme, étant gouvernées chacune par un parlement, reconnaissaient la suprématie d'un parlement général placé au-dessus de tous les gouvernements nationaux et investi du pouvoir de juger leurs différens. »

Nous ne pouvons nous arrêter aux détails prévus pour l'organisation de Saint-Simon; seuls quelques principes doivent être retenus. Le parlement européen serait seul juge des contestations qui pourront s'élever entre les Gouvernements.

« Si, dit-il, une portion quelconque de la population européenne, soumise à un gouvernement quelconque, voulait former une nation à part, ou entrer sous la juridiction d'un gouvernement étranger, c'est le parlement européen qui en décidera. Or il n'en décidera point dans l'intérêt des gouvernements, mais dans celui des peuples, et en se proposant toujours pour but la meilleure organisation possible de la confédération européenne.... »

Toutes les entreprises d'une utilité générale pour la Société européenne seront dirigées par le grand parlement; ainsi par exemple il joindra par des canaux le Danube au Rhin, le Rhin à la Baltique, etc. « Sans activité au dehors il n'y a point de tranquillité possible au dedans.... Peupler le globe de la race européenne, qui est supérieure à toutes les races d'hommes, le rendre voyageable et habitable comme l'Europe, voilà l'entreprise par laquelle le parlement européen devra continuellement exercer l'activité de l'Europe, et a tenir toujours en haleine. »

Pas plus que Kant, Saint-Simon ne croit prochaine la réalisation de ses idées : « ... Le temps où tous les peuples européens seront gouvernés par des parlements nationaux est sans contredit le temps où le parlement général pourra s'établir sans obstacle....

Mais cette époque est loin de nous encore, et des guerres affreuses, des révolutions multipliées doivent affliger l'Europe dans l'intervalle qui nous en sépare. »

Toutefois un jalon pourra être posé sur la route de l'avenir par une coopération suivie entre les Parlements anglais et français, et l'auteur termine en disant :

« Il viendra sans doute un temps où tous les peuples de l'Europe sentiront qu'il faut régler les points d'intérêt général, avant de descendre aux intérêts nationaux; alors les maux commenceront à devenir moindres, les troubles à s'apaiser, les guerres à s'éteindre; c'est là que nous tendons sans cesse, c'est là que le cours de l'esprit humain nous emporte! Mais lequel est le plus digne de la prudence de l'homme, ou de s'y traîner, ou d'y courir?

« L'imagination des poètes a placé l'âge d'or au berceau de l'espèce humaine parmi l'ignorance et la grossièreté des premiers temps; c'était bien plus l'âge de fer qu'il fallait y reléguer. L'âge d'or du genre humain n'est point derrière nous, il est au devant, il est dans la perfection de l'ordre social; nos pères ne l'ont point vu, nos enfants y arriveront un jour; c'est à nous de leur en frayer la route. »

On constate chez Saint-Simon une compréhension très nette du problème; il l'envisage à un point de vue que nous appellerons « sociologique. » Il voit mieux que ses prédécesseurs où résident les difficultés, car l'organisation internationale sera sans doute l'aboutissement d'un long et pénible effort souvent coupé par des guerres et des révolutions. D'autre part, la vision de Saint-Simon est toujours limitée à l'horizon européen; or, le règlement qu'il a voulu, sans l'obtenir, influencer, avait un aspect qui devait devenir de plus en plus dominant, au cours du siècle suivant. Le système européen qui avait absorbé l'attention jusque-là devait lentement céder la place à un système mondial.

Le règlement de 1814-15 ne marque pas seulement la fin du régime de conquêtes de Napoléon. Les guerres de la Révolution et de Napoléon forment le dernier acte de la longue lutte engagée dès le XVIIe siècle entre l'Angleterre et la France, autour de la domination des colonies et de l'empire des mers. En même temps, d'autres éléments entrent en jeu que nous étudierons de plus près au chapitre suivant.

CHAPITRE XIII

LE RÈGLEMENT DE 1814-1815. SYSTÈME EUROPÉEN ET SYSTÈME MONDIAL

La défaite de Napoléon avait été provoquée par ses propres excès. Il avait soulevé, successivement, contre lui les peuples de Grande-Bretagne, d'Espagne, d'Allemagne, en dernier lieu même le peuple de France. Les dynasties européennes avaient pris la direction du mouvement contre lui, et, en vue d'être suivies des peuples, elles avaient été très larges en promesses. Aux Allemands on avait promis « la liberté et l'unité, » aux Espagnols on avait même donné une constitution. Toutefois lorsque finit la guerre, les promesses furent oubliées et la constitution espagnole fut abolie. La fatigue compréhensible après une lutte si dure, explique la soumission des peuples à la domination des dynasties; celles-ci profitèrent de l'occasion.

On aurait pu attendre une consécration au moins partielle du principe des nationalités, si ardemment invoqué pendant la lutte. Il n'en fut rien. Le principe fondamental du règlement devint au contraire celui de la légitimité; on ne tint compte que des intérêts dynastiques. Il ne fut pas toujours possible de rétablir les anciennes frontières en Europe; c'est pourquoi on eut recours, au congrès de Vienne, à un système de compensations en calculant le nombre d' « âmes » qui reviendrait à chacune des dynasties. C'est ce principe qui domine le quatrième partage de la Pologne, qui eut lieu alors.

Si on ne tint pas compte du principe des nationalités, on négligea davantage encore celui d'une organisation internationale. Au fond ce principe n'est pas moins opposé aux intérêts dynastiques. On consacra le principe de l'équilibre au cours des négociations de 1813-15. Dans le traité de Toeplitz du 9 septembre 1813, les deux empereurs et le roi de Prusse affirment le même désir « de mettre un terme aux souffrances de l'Europe et d'assurer son repos futur par le rétablissement d'un juste équilibre des puissances. » Dans la déclaration de Francfort, signée le 1er décembre de la même année, on lit : « Les puissances veulent un état de paix, qui, par une sage répartition des forces, par un juste équilibre, préserve désormais les peuples des calamités sans nombre qui depuis vingt ans ont pesé sur l'Europe. »

Or l'équilibre qui provoque un jeu de bascule sans cesse ni repos, ne pouvait pas garantir une paix durable. Il y eut parmi les vainqueurs un souverain qui avait une autre vision; le jeune Empereur de Russie, Alexandre Ier, avait eu comme précepteur un Suisse, César de la Harpe (qu'il ne faut pas confondre avec le littérateur français Jean-François de la Harpe, qui en 1766 avait remporté le prix de l'Académie Française; V. ci-dessus, p. 301). Disciple ardent de Rousseau, César de la Harpe avait inculqué à son élève certains principes de libéralisme et d'internationalisme. Alexandre connut, grâce à lui, l' « Extrait » de Rousseau du projet de Saint-Pierre. En 1804, il avait adressé une note à l'Angleterre, dans laquelle il préconisait une association entre États qui assurerait les « Droits positifs des Nations, » et stipulerait entre autre l'engagement de ne jamais ouvrir la guerre qu'après une tentative de médiation.

« Nothing would prevent at the conclusion of peace a treaty being arranged which would become the bases of the reciprocal relations of the European States. It is no question of realizing the dream of perpetual peace, but one could attain at least to some of its results if, at the conclusion of the general War, one could establish on clear, precise principles the prescriptions of the rights of Nations. Why could one not submit to it the positive rights of nations, assure the privilege of neutrality, insert the obligation of never beginning war until all the resources which the mediation of a third party could offer have been exhausted, until the grievances have by this means been brought to light, and an effort to remove them has been made? On principles such as these one could proceed to a general pacification and give birth to a league of which the stipulations would form, so to speak, a new code of the law of nations, which, sanctioned by the greater part of the nations of Europe would, without difficulty, become the immutable rule of the Cabinets while those who should try to infringe it would risk bringing upon themselves the forces of the new union[1]. »

On voit combien le czar s'inspira des idées internationalistes. Pitt, dans sa réponse, avait considérablement adouci les termes de la note russe, sans toutefois la repousser ouvertement. Après avoir défini le but de l'Alliance, qui était de créer des garanties contre l'ambition française, il ajouta :

« It appears necessary that there should be concluded at the period of a general pacification, a general treaty, by which the European Powers should mutually guarantee each other's possessions. Such a treaty would lay the foundation in Europe of a system of public right, and would contribute as much as seems possible to repress future enterprises directed against the general tranquillity; and, above all, to render abortive every project of aggrandizement similar to those which have produced all the disasters of Europe since the calamitous era of the French Revolution » (Philips, *Confederation of Europe*).

On voit qu'il ne reste guère ici des idées d'une organisation internationale; Pitt se contente du système de l'équilibre.

Le revirement de la politique russe en 1807 et l'alliance d'Alexandre avec Napoléon avaient mis fin à l'exécution de ces projets. Toutefois Alexandre n'oublia pas complètement ses idées de jeunesse. En 1815 il crut que le temps était venu pour les réaliser; il se trouvait alors sous l'influence d'une femme exaltée, Mme de Krüdener, auteur de quelques romans, qui, après une vie mondaine agitée, avait été saisie d'une exaltation religieuse, caractéristique fréquente des périodes mouvementées. Elle croyait, et Alexandre partageait sa croyance, qu'il était appelé à instituer le millénaire.

Ainsi prit forme la déclaration de la *Sainte-Alliance*. Alexandre avait soumis son projet aux hommes d'État représentant les Alliés; Castlereagh et Metternich le repoussèrent comme trop vague, et le czar fut au fond bien aise d'exprimer ses sentiments — on ne peut plus parler d'idées ou de projets — dans un document personnel.

Le 26 septembre 1815 fut promulguée la proclamation, signée

1. Instructions à l'ambassadeur russe à Londres, Novolitsov, du 11 sept. 1804; Czartoryski, *Mémoires et correspondance avec l'Empereur Alexandre*, 2 vol., Paris, 1887. — Cité ici d'après Philips, *Confederation of Europe*, p. 32 et suiv. (London 1914).

par déférence pour Alexandre par François II et Frédéric-Guillaume III. Les souverains déclarent solennellement « que le présent acte n'a pour objet que de manifester à la face de l'Univers leur détermination inébranlable, de ne prendre pour règle de leur conduite, soit dans l'administration de leurs États respectifs, soit dans leurs relations politiques avec tout autre gouvernement, que les préceptes de cette religion sainte, préceptes de justice, de charité et de paix, qui loin d'être uniquement applicables à la vie privée, doivent au contraire influer directement sur les résolutions des princes, et guider toutes leurs démarches, comme étant le seul moyen de consolider les constitutions humaines et de remédier à leurs imperfections [1]. »

Metternich qualifia l'instrument de « rien sonore. » Tous les souverains adhérèrent, excepté le roi d'Angleterre et le Pape, mais au fond la Sainte-Alliance n'eut aucune importance politique. Sa place fut prise par un accord beaucoup plus restreint entre les Grandes Puissances seules qui avaient triomphé de Napoléon : Grande-Bretagne, Russie, Autriche, Prusse. Cet accord fut conclu pendant la lutte même, au congrès de Châtillon, le 5 février 1814 : « Les plénipotentiaires des cours alliées déclarent qu'ils ne se présentent point aux conférences comme uniquement envoyés par les quatre cours de la part desquelles ils sont munis de pleins pouvoirs, mais comme se trouvant chargés de traiter de la paix avec la France au nom de l'Europe ne formant qu'un seul tout [2]. » On constate ici un embryon d'organisation, car les plénipotentiaires parlent de « l'Europe. » L'idée directrice est celle de créer un Directoire européen. Cette pensée reçut sa consécration définitive pendant la lutte qui devint plus dure que les Alliés ne l'avaient cru; et le 20 novembre 1815, le jour même où fut signé le traité de Paris, certaines stipulations organiques furent rédigées dans un traité entre les Grandes Puissances. On y lit : « Pour assurer et faciliter l'exécution du présent traité, et consolider les rapports intimes qui unissent aujourd'hui les quatre Souverains pour le bonheur du monde, les hautes parties contractantes sont convenues de renouveler, à des époques déterminées, soit sous les auspices immédiats des souve-

1. Cité en particulier dans Strupp, *Urkunden zur Geschichte des Völkerrechts*, I, p. 161 (Gotha, 1911).
2. Textes dans Martens, *Nouveau Recueil de Traités*, I, p. 688-693.

rains, soit par leurs ministres respectifs, des réunions consacrées aux grands intérêts communs et à l'examen des mesures qui, dans chacune de ces époques, seront jugées les plus salutaires pour le repos et la prospérité des peuples et pour le maintien de la paix de l'Europe. »

C'est une oligarchie qui fut ainsi fondée. Au début quatre puissances seulement en font partie; dès le congrès d'Aix-la-Chapelle, en 1818, la France est admise parce qu'elle s'était montrée sage. Le but du « Concert » fut de maintenir le système du Congrès de Vienne. On y réussit pendant quarante ans, et avec des interruptions, le concert fonctionna pendant tout un siècle; il ne s'appliqua qu'aux affaires d'Europe.

Mais nous avons vu que le règlement de 1814-15, avait un autre aspect plus large, un aspect mondial. Il n'y a pas seulement l'établissement de l'hégémonie britannique sur les mers, il y a en outre le fait très important que des nations à civilisation européenne se formèrent au delà des mers. Les pays d'outre-mer, qui n'avaient joué jusque-là qu'un rôle passif, objets de rivalité et de convoitise, réclamèrent le droit d'être considérés comme des nations indépendantes; d'abord les États-Unis d'Amérique, puis les colonies espagnoles de l'Amérique latine, où germèrent les idées de la Révolution Française et celles de la religion espagnole, curieusement mélangées.

Ce fait crée des données nouvelles pour l'organisation internationale. Il est naturel que ces nouveaux États se méfient de l'Europe. Le « Concert » fut opposé à la libération de l'Amérique latine. Une intervention fut envisagée à plusieurs reprises; ce fut contre ces velléités d'intervention que le Président américain *Monroe* proclama en 1823 la solidarité américaine. Dans un message devenu célèbre, il pose d'abord en principe qu'aucune colonie nouvelle ne peut être établie sur le continent américain : « ...The occasion has been judged proper for asserting as a principle in which the right and interests of the United States are involved, that the American continents, by the free and independent condition which they have assumed and maintain, are henceforth not to be considered as subjects for future colonization by any European powers.... »

Puis il continue : « In the wars of the European powers in matters

1. Cf. Dupuis, *Le principe de l'Equilibre et le Concert européen*, Paris, 1904, et Lange, *Den europeiske Konsert* (Nordisk Tidskrift, Stockholm, 1920, p. 33-56).

relating to themselves, we have never taken any part, nor does it comport with our policy so to do. It is only when our rights are invaded or seriously menaced that we resent injuries or make preparation for our defense. With the movements in this hemisphere we are of necessity more immediately connected, and by causes which must be obvious to all enlightened and impartial observers.

« We owe it, therefore, to candor and to the amicable relations existing between the United States and those powers to declare that we should consider any attempt on their part to extend their system to any portion of this hemisphere as dangerous to our peace and safety. With the existing colonies or dependencies of any European power we have not interfered and shall not interfere. But with the governments who have declared their independence and maintained it, and whose independence we have, on great consideration and on just principles, acknowledged, we could not view any interposition for the purpose of oppressing them, or controlling in any other manner their destiny, by any European power in any other light than as the manifestation of an unfriendly disposition toward the United States[1]. »

Ainsi une ligne de démarcation fut tirée entre les deux hémisphères. Mais, d'autre part et dès avant 1823, des faits importants avaient jeté la base d'un accord pacifique entre les deux pays anglo-saxons, représentant chacun la puissance la plus considérable des deux côtés de la mer.

Pendant les guerres napoléoniennes, les deux pays avaient eu des démêlés graves. Une guerre avait été provoquée en 1812 par l'attitude arrogante de la Grande-Bretagne dans le traitement des navires américains. Une paix conclue à Gand la veille de Noël 1814 avait mis fin aux hostilités. Elle ne trancha pas les difficultés, mais elle stipula que plusieurs litiges d'ordre territorial seraient soumis à l'arbitrage; ainsi une pratique fut inaugurée, qui fut maintenue dans les relations de ces deux puissances pendant le siècle suivant. On aurait fêté le centenaire de la paix anglo-américaine en 1914, si la guerre mondiale n'avait pas éclaté. L'explication de ce fait important dans l'histoire, ne se trouve pas exclusivement, comme

1. Strupp, *op. cit.*, I, p. 175-177.

on pourrait le croire, dans l'éloignement géographique. Car les deux États ont une longue frontière commune; l'explication se trouve plutôt dans le fait que cette frontière fut désarmée quelques années après le traité de Gand, par une convention dite d'après les plénipotentiaires « Rush-Bagot[1]. » Ce traité limite le nombre des navires de guerre sur les lacs canadiens; il est toujours en vigueur, et en fait il reçut une application plus large; la frontière terrestre à l'ouest des lacs est également désarmée; pas une seule fortification ne s'y trouve.

Le traité a prouvé la vérité d'une thèse des pacifistes, à savoir que le désarmement est une des conditions de la paix. Les deux pays eurent au XIXe siècle des conflits sérieux; il suffit de citer le cas de l'*Alabama*, dont nous aurons à reparler. Les passions furent souvent très violentes, et s'il y avait eu des matières combustibles sous forme d'armements le long de la frontière, sans doute y aurait-il eu des hostilités et des combats.

1. Texte chez Wehberg, *Beschärnkung der Rüstungen*, p. 261 et suiv.

CHAPITRE XIV

PACIFISME ET INTERNATIONALISME, 1815-1856

Toute guerre longue a provoqué une réaction sous forme d'un renouvellement de pacifisme et d'internationalisme, et ce fut surtout le cas pour les guerres napoléoniennes. Après celles-ci, nous voyons surgir le mouvement organisé de la paix. Ce sont les représentants des sectes qui en prirent l'initiative, notamment les « Quakers. » C'est pourquoi le mouvement organisé de la paix a commencé dans les deux pays anglo-saxons : États-Unis et Angleterre. Dans ces deux pays, il existait aussi une liberté d'association inconnue dans la plupart des autres. Comme ce sont les Amis qui ont la direction du mouvement, ce mouvement a une caractère religieux et moral très prononcé.

Un marchand de New-York, *David L. Dodge*, avait publié dès 1808 des ouvrages pacifistes à base religieuse [1]. Depuis la même année, il exista une association « Christian Friendly Society », et en 1815, Dodge fonda la « New-York Peace Society, » la première société de la paix connue. La même année une société de paix fut fondée en Ohio, qui toutefois n'eut qu'une existence éphémère, alors que la « Massachusetts Peace Society », fondée par *Noah Worcester* et le pasteur unitarien *W. E. Channing*, vécut d'une vie prolongée et joua un rôle important. Il est intéressant de constater que ces différentes sociétés américaines furent créées simultanément sans qu'on puisse constater une connexion entre elles. Il y avait une certaine divergence quant à leur doctrine; alors que Dodge et sa société de New-York se déclarèrent contre toute guerre, même défensive, la société de Massachusetts admit cette dernière. Noah Worcester avait publié en 1815 une petite brochure intitulée : *Solemn Review*

1. 1808 : « Mediator's Kingsdom not of this world »; 1812 : « War inconsistent with the Religion of Jésus-Christ. »

of the custom of War. Il est intéressant d'en tirer certains passages, afin d'étudier l'état d'esprit qui détermina la création des premières sociétés de la paix.

L'auteur débute en insistant sur l'horreur qu'éveille naturellement les sacrifices d'enfants des païens et il se demande pourquoi la guerre ne provoque pas des sentiments analogues. Il se propose d'examiner les causes de cette indifférence. « War has been so long fashionable among all nations, that its enormity is but little regarded, or when thought of at all, it is usually considered as an evil necessary and unavoidable. Perhaps it is really so in the present state of society, and the present views of mankind. But the question to be considered is this : cannot the state of society and the views of civilized men be so changed as to abolish a barbarous custom, and render wars unnecessary and avoidable?

« If this question may be answered in the affirmative, then we may hope « the sword will not devour forever. »

« Some may be ready to exclaim, none but God can produce such an effect as the abolition of war; and we must wait for the millennial day. We admit that God only can produce the necessary change in the state of society, and the views of men; but God works by human agency and human means. God only could have overthrown the empire of Napoleon; but this he did by granting success to the efforts of the allied powers. He only could have produced such a change in the views of the British nation as to abolish the slave trade; yet the event was brought about by a long course of persevering and honourable exertions of benevolent men.

« When the thing was first proposed, it probably appeared to the majority of the people, as an unavailing and chimerical project. But God raised up powerful advocates, gave them the spirit of perseverance, and finally crowned their efforts with glorious success. Now, it is probable, thousands of people are wondering how such an abominable traffic ever had existence in a nation which had the least pretensions to Christianity or civilization. In a similar manner God can put an end to war, and fill the world with astonishment that rational beings ever thought of such a mode of settling controversies » (p. 4-5).

... « It is not the present object to prove, that a nation may not defend their lives, their liberties and their property against an invading foe; but to inquire whether it is not possible to effect such a change in the views of men, that there shall be no occasion for « defensive » war. That such a state of things is desirable, no enlightened Christian can deny. That it can be produced without expensive and persevering efforts is not imagined. But are not such efforts to exclude the miseries of war from the world, as laudable as those which have for their object the support of such a malignant and desolationg custom? » (p. 5-6).

Il se demande si « le glaive doit toujours dévorer », et après avoir exposé tous les arguments contre la guerre, il passe dans la dernière partie à un examen des méthodes qui pourraient amener une suppression des guerres. Voici ce qu'il dit : « An important question now occurs. By what means is it possible to produce such a change in the state of society, and the views of Christian nations, that every ruler shall feel that his own honour, safety and hapiness, depend on his displaying a pacific spirit, and forbearing to engage in offensive wars? Is it not possible to form powerful peace societies, in every nation of Christendom, whose object shall be, to support government and secure the nation from war?

« In such societies we may hope to engage every true minister of the Prince of Peace, and every Christian who possesses the temper of his Master. In the number would be included a large portion of important civil characters » (p. 26).

Le chef du mouvement de la paix en Amérique fut bientôt *William Ladd* (1778-1841), qui avait été gagné à la cause de la paix par la brochure de Worcester. Ladd, qui avait débuté comme marin, se révéla orateur et propagandiste infatigable. C'est un écrivain clair et vigoureux. Plusieurs autres sociétés locales avaient été fondées à côté des trois que nous venons de citer, et, en 1828, Ladd en provoqua la fusion, créant de cette manière « The American Peace Society », qui existe encore aujourd'hui et qui dans deux ans, fêtera son centenaire. Les sociétés locales avaient publié des revues plus ou moins éphémères; en 1834, Ladd commença à imprimer *The Advocate of Peace* qui vit encore.

Le mouvement anglais poursuivit un développement analogue. *William Allen*, un quaker érudit et savant — il avait publié sur la chimie des ouvrages remarquables — forma un petit cercle des amis de la paix à Londres, et dès 1814 on discuta la possibilité de former une société de la paix. La décision formelle, inspirée par la création de la « Massachusetts Peace Society », fut prise en 1816. La société reçut le nom tout court de « Peace Society, » donc sans limitation nationale, et pendant les quarante premières années de son existence, elle exerça aussi une influence en dehors de l'Angleterre. Elle avait des succursales en Irlande et en Écosse; elle envoya souvent des émissaires sur le Continent européen. On peut dire que, jusque vers le milieu du siècle, la « Peace Society » fut le centre de l'action pacifiste en Europe.

Allen avait publié depuis 1811 une revue nommée : *The Philanthropist*. Plusieurs réformes d'ordre humanitaire y furent préconisées : lutte contre l'esclavage, abolition des exécutions capitales. De plus en plus, le pacifisme y prend la première place, et en 1819, lorsque la « Peace Society » lança la revue *The Herald of Peace, The Philanthropist* cessa de vivre. Le *Philanthropist* avait eu bien des articles intéressants et avait compté parmi ses collaborateurs le philosophe James Mill, le père de Stuart Mill. A côté du *Herald of Peace*, qui paraît encore, et qui est ainsi la doyenne des revues pacifistes, la société anglaise poursuivait sa propagande d'une manière très active par d'autres moyens. Elle publia pendant les premières années de son existence une série de brochures, tant en français qu'en anglais; on y trouve entre autres des extraits des écrits pacifistes d'Érasme et une publication de la *Solemn Review* de Noah Worcester. Mais l'ouvrage le plus caractéristique des débuts du mouvement anglais est certainement le livre anonyme intitulé *An Enquiry into the accordancy of War with the principles of Christianity, and an examination of the Philosophical Reasoning by which it is defended*, et qui parut en 1823. L'auteur, découvert plus tard, s'appelait *Jonathan Dymond;* c'était un marchand drapier de très faible constitution qui mourut de tuberculose encore jeune en 1828. Son livre est un ouvrage très remarquable. C'est, sur la base de la confession quakérienne, l'exposé le plus clair et précis que nous connaissions des thèses antimilitaristes.

Dymond discute d'abord les causes de la guerre. Il en constate plusieurs; il parle de l'esprit nationaliste (« national irritability »), de l'équilibre et même des intérêts pécuniaires. Les emplois militaires offrent aux classes supérieures de la société des situations profitables et bien considérées. Puis notre auteur parle de l'ambition, de la gloire militaire, et de l'influence de la littérature militariste. La partie la plus importante du livre est formée par le second chapitre, environ une centaine de pages, qui présentent un examen des arguments pour ou contre la guerre. Il s'étonne que le problème ait été si peu examiné : « It may properly be a subject of wonder, that the arguments which are brought to justify a custom such as war, receive so little investigation. It must be a studious ingenuity of mischief, which could devise a practice more calamitous or horrible; and yet it is a practice of which it rarely occurs to us to enquire into the necessity, or to ask whether it cannot be, or ought not to be avoided. In one truth, however, all will acquiesce, — that the argument in favor of such a practice should be unanswerably strong[1] » (p. 41).

Voici comment il résume lui-même (p. 145) les conclusions auxquelles il avait été amené par son examen : « The positions then, which we have endeavored to establish, are these :

I. That the general Character of Christianity is wholly incongruous with war, and that its General Duties are incompatible with it.

II. That some of the express precepts and declarations of Jesus-Christ virtually forbid it.

III. That his Practice is not reconciliable with the supposition of its lawfulness.

IV. That the precepts and Practice of the apostles correspond with those of our Lord.

V. That the primitive Christians believed that Christ had forbidden War; and that some of them suffered death in affirmance of this belief.

VI. That God has declared in Prophecy, that it is His will that war should eventually be eradicated from the earth; and that this eradication will be effected by Christianity, by the influence of its *present* Principles.

VII. That those who have refused to engage in War, in consequence of their belief of its inconsistency with Christianity, have found that Providence has protected them.

Now we think that the establishment of any considerable number

1. Citations d'après « Second Edition corrected and enlarged », London, 1824.

of these positions is sufficient for our Argument. The establishment of the whole, forms a body of Evidence, to which I am not able to believe that an inquirer, to whom the subject was new, would be able to withhold his assent. But since such an inquirer cannot be found, I would invite the reader to lay prepossession aside, to suppose himself to have now first heard of battles and slaughter, and dispassionately to examine whether the evidence in favor of Peace be not very great, and whether the objections to it bear any proportion to the evidence itself. But whatever may be the determination upon this question, surely it is reasonable to try the experiment whether security cannot be maintained without slaughter. Whatever be the reasons for war, it is certain that it produces enormous mischief. Even waving the obligations of christianity, we have to choose between evils that are certain, and evils that are doubtful; between the actual endurance of a great calamity, and the possibility of a less. It certainly cannot be proved that Peace would not be the best policy; and since we know that the present system is bad, it were reasonable and wise to try whether the other is not better. »

Dans un troisième chapitre, l'auteur parle des conséquences de la guerre et il pose enfin la question : Qu'est-ce que doit faire un citoyen convaincu que toute guerre est incompatible avec la foi chrétienne? Voici sa réponse :

« It will perhaps be asked, what then are the duties of a subject who believes that all is incompatible with his religion, but whose governors engage in a war and demand his service? We answer explicitly, it is his duty, mildly and temperately, yet firmly, to refuse to serve (p. 183).

... « If any one should ask the meaning of the words « whoso resisteth the power resisteth the ordinance of God » — we answer, that it refers to active resistance; passive resistance, or non-compliance, the apostles themselves practised. On this point we should be distinctly understood. We are not so inconsistent as to recommend a civil war, in order to avoid a foreign one. Refusal to obey is the final duty of christians » (p. 185).

Nous voyons que c'est l'attitude qui fut toujours prise par la société des « Amis. »

Bientôt, le jeune mouvement s'étend : en France, des hommes à tendance chrétienne et libérale forment en 1821 la « Société de la morale chrétienne. » Ce fut le *duc de la Rochefoucauld-Liancourt* qui en fut le fondateur. C'était lui, qui, dans sa jeunesse, avait dû annoncer à Louis XVI la destruction de la Bastille. Lorsque le roi lui dit : « Mais c'est une révolte, » il lui répondit les paroles fameuses : « Non, Sire, c'est une révolution.... » *The Herald of Peace* parle dès 1820 de cette société et mentionne, à côté du marquis de la Rochefoucauld, le jeune historien Guizot et d'autres personnalités du monde savant et politicien. Au fond, cette société fut le centre du mouvement libéral qui aboutit à la révolution de 1830; nous y trouvons réuni pour ainsi dire tout le personnel politique de la monarchie de Juillet. Le programme ne fut pas exclusivement pacifiste; il visait à une politique pénétrée généralement d'humanitarisme. Dans une large mesure, on peut le mettre en parallèle avec la revue de W. Allen, mais bientôt la Société mit la cause de la paix à la tête de son programme; elle se déclare aussi pour le principe des nationalités. De 1822 à 1845, elle publia une revue intitulée « Journal de la société de la morale chrétienne. »

En 1830, la première société de la paix proprement dite fut fondée sur le continent européen par le *comte de Sellon* (1782-1839) à Genève. Le comte de Sellon fut une personnalité très active, mais très empreinte de sentimentalité. Ses idées sont au fond les mêmes que celles de la « Société de morale chrétienne. » Depuis 1831, il publia *Les archives de la société de Genève*; une ou deux fois par an, il recevait la visite d'un de ses neveux qui porta l'illustre nom de Camillo Cavour, plus tard appelé à de grandes destinées sans avoir subi l'influence des idées sentimentales de son oncle.

Dans ces premières revues pacifistes, on trouve surtout des articles d'ordre édifiant, entremêlés de temps à autre par des commentaires sur les faits contemporains. Les pacifistes saluent la création de la Sainte-Alliance, dont la tendance religieuse leur agrée. Ils recommandent le recours à l'arbitrage, et citent avec satisfaction les quelques exemples qu'en offre l'histoire moderne; ils parlent de l'existence sur les îles du Pacifique de peuplades qui n'ont jamais connu la guerre. Mais ils abondent surtout en exemples de sauvetages merveilleux de personnes qui appliquèrent les principes de la non-résistance au mal.

La propagande est très active et se poursuit non seulement par des brochures ou des voyages d'émissaires, mais encore par la création de quelques concours. Le comte de Sellon annonce un prix pour le meilleur ouvrage, en l'année 1834, sur le sujet suivant : « Éclairer l'opinion sur les maux de la guerre, et sur les meilleurs moyens de procurer une paix générale et permanente. » Le prix fut accordé à un professeur de Zürich, *Sartorius*, qui publia en 1837 : *Organon des vollkommenen Friedens.* La société de la morale chrétienne, à Paris, avait reçu par le testament du vieux Grégoire, l'ancien constitutionnel, un legs de 1 000 francs destiné à couronner le meilleur ouvrage sur « les devoirs civiques et militaires. » Toutefois, il ne paraît pas que ce prix ait été distribué. En 1840, le sujet suivant fut annoncé par la même société : « Exposer les moyens d'avancer et d'obtenir le bienfait d'une paix universelle et permanente;

« Démontrer que toute guerre, non seulement fait violence au sentiment de l'humanité, mais est complètement opposée à la vraie prospérité des peuples et au bonheur de l'homme considéré dans ses rapports physiques, moraux et intellectuels; qu'elle est, de plus, entièrement en contradiction avec l'esprit et les préceptes du christianisme;

« Indiquer aussi les meilleurs moyens de concilier les différends entre les nations et d'établir une paix universelle sans avoir recours aux armes. »

Le prix fut remporté par *Constantin Pecqueur*, qui publia en 1842 son ouvrage *De la paix, de son principe et de sa réalisation*[1]. Toutefois, le plus important des concours institués fut le concours américain, dû à W. Ladd et qui portait sur le problème fondamental d'une organisation internationale : « A Congress of Nations. » Plusieurs des ouvrages soumis furent réunis en volume et précédés d'une introduction remarquable de W. Ladd, résumant et comparant les différentes idées émises. Dans le volume qui parut en 1840, sous ce titre *Prize essays on a congress of nations for the adjustement of international disputes and for the promotion of universal peace without resort to arms*, le mouvement pacifiste débutant reçut son programme sous une forme nette et pratique; il s'agissait d'instituer

1. Cf. sur l'ouvrage de Pecqueur et le mouvement internationaliste en France à cette époque : Puech, *La Tradition socialiste en France et la Société des Nations*, Paris, 1921.

un congrès entre les nations, chargé de la codification du droit international, et de créer une Cour qui aurait pour tâche de résoudre les conflits qui surgiraient sur la base du Code ainsi créé.

Parallèlement à ce mouvement, surtout inspiré par un sentiment religieux, nous pouvons trouver un courant pacifiste prononcé dans les débuts du socialisme français, également inspiré d'un large sentiment de religiosité. Ce sont Saint-Simon et ses élèves[1], surtout *Enfantin*, qui insistent sur l'aspect positif du pacifisme, comme l'avait fait Émeric Crucé; la paix est nécessaire pour que les hommes puissent travailler utilement. Ce sont *Fourier* et *Considérant*, ainsi que Constantin Pecqueur qui appartiennent à cette école.

Le cosmopolitisme, caractéristique de ces premières écoles socialistes, exerce aussi son influence sur les premiers socialistes allemands comme Marx et Engels qui passent leur jeunesse à Paris. C'est là qu'ils préparent leur manifeste communiste de 1847, qui se termine sur une note de cosmopolitisme prononcé : « Prolétaires de tous les pays, unissez-vous. »

Le plus important affluent du mouvement pacifiste au début du XIXe siècle fut sans doute l'apport formé par les éléments religieux et moraux. Nous l'avons vu depuis le moyen âge; c'est la foi religieuse sur la base d'un Christianisme intégral qui forme, pour ainsi dire, le fond même de l'opposition contre la guerre.

Un autre affluent, et d'un caractère assez différent, est formé vers 1830 par le mouvement « libre-échangiste, » expression des aspirations et des convictions du Tiers-État, maintenant arrivé au pouvoir dans les deux grands États de l'Europe occidentale : Grande-Bretagne, France. Nous trouvons les origines de ce mouvement dans les conceptions libérales du XVIIIe siècle. Au fond les principes du libre-échange sont une nouvelle expression de la doctrine des Physiocrates : « Laissez faire, laissez passer. » Le grand économiste Adam Smith, dans son grand ouvrage de 1776, *Inquiry into the nature and causes of the wealth of Nations,* avait plaidé contre les restrictions commerciales et le mercantilisme en général. Au début du XIXe siècle, la révolution dans les moyens de

1. Cf. ouvrage de Puech, cité à la page précédente.

communication avait ouvert de nouveaux horizons; il ne suffisait plus d'établir la liberté commerciale dans le domaine national. Le problème qui se posait désormais, c'était de créer la possibilité d'une division de travail sur le terrain international. Comme disaient les avocats du libre-échange, il fallait acheter sur le marché au plus bas prix pour vendre au plus cher. Une campagne énergique et menée avec le plus grand talent fut ouverte d'abord en Grande-Bretagne, puis en France. L'avocat scientifique le plus éminent pour ces théories nouvelles fut le Français *Frédéric Bastiat* (1801-1850), qui développa la théorie du libre-échange dans une série d'ouvrages étincelants d'esprit et de logique pénétrante. Mais le chef politique du mouvement fut l'Anglais *Richard Cobden* (1804-1865) qui dès le début posa le problème dans le domaine politique, et qui gagna à sa cause le quaker *John Bright* (1811-1889)[1].

Les circonstances furent particulièrement favorables pour la cause des libre-échangistes en Angleterre. Les droits exorbitants d'entrée sur le blé étaient impopulaires non seulement auprès des masses, mais encore aux yeux des grands industriels, qui y voyaient une entrave pour le développement de leurs affaires. Aussi la lutte fut courte; en 1838, Cobden avait fondé son « Anti-Corn-Law-League. » La première victoire fut remportée en 1846 par l'abolition des droits sur le blé; trois ans après le « Navigation Act » fut aboli, autre succès des libre-échangistes. Entre ces deux victoires, Cobden étendit sa campagne aux autres pays d'Europe. Il entreprit une tournée en France, Espagne, Italie, Autriche, Allemagne, Russie, se qualifiant « d'ambassadeur des libre-échangistes anglais aux gouvernements du Continent européen. » Son succès fut immense; partout des grands meetings ou des banquets réunirent des auditeurs autour de lui. Nous trouvons dans ses discours bien des témoignages de l'esprit internationaliste qui était au fond de sa doctrine du libre-échange. Voici, par exemple, comment il parla à Madrid : « I know that there are individuals to be found in every country who say, « we will produce everything we require within our own boundaries; we will be independent of foreigners. » If Nature had intended that there should be such a national isolation, she should

1. Voir Cunningham, *Rise and Decline of the Free Trade Movement*, Cambridge, 1904. Helen Bosanquet, *Free Trade and Peace in the Nineteenth Century*, Kristiania (Institut Nobel), 1924

have formed the earth upon a very different plan, and given to each country every advantage of soil and climate. My country, for example, would have possessed the wines, oils, fruits and silks, which have been denied to it, and other countries would have been endowed with the abundance of coal and iron with which we are compensated for the want of a warmer soil. No, Providence has wisely given to each latitude its peculiar products, in order that different nations may supply each other with the conveniences and comforts of life and that thus they may be united together in the bounds of peace and brotherhood. »

Nous voyons ici comment sa pensée économiste se rapproche des thèses du pacifisme et de l'internationalisme. Il précise encore davantage sa conception dans un discours tenu à une autre occasion : « Je vois dans le principe du libre-échange une force qui agira dans le monde, comme la gravitation agit dans l'espace, pour lier les hommes, pour effacer les contrastes, entre les peuples, entre les confessions religieuses, en nous réunissant fraternellement dans la chaîne de la paix permanente. Je vois plus loin encore; je me suis imaginé, et probablement j'ai rêvé quels devaient être les effets du libre-échange. Je crois que le désir et le motif de grands empires puissants, d'armées gigantesques et de grandes flottes, que le désir de ces moyens de gaspiller les vies et les fruits du travail disparaîtra. Je crois que de telles choses cesseront d'être nécessaires et employées, lorsque les hommes formeront une famille et échangeront librement le fruit de leur travail avec leurs frères. »

Nous voyons ici Cobden se déclarer clairement politicien de la paix et, dans une lettre écrite dès 1842, il parle expressément d'une liaison à créer entre le mouvement du libre-échange et celui de la paix. « It has struck me that it would be well to try to engraft our Free Trade agitation upon the Peace movement. They are one and the same cause. It has often been to me a matter of the greatest surprise that the Friends have not taken up the question of Free Trade, as the means — and I believe the only human means — of effecting universal and permanent peace. The efforts of the Peace Societies, however laudable, can never be successful so long as the nations maintain their present system of isolation. The colonial system, with all its dazzling appeal to the passions of the people, can never be got rid of except by the indirect process of Free Trade, which will gradually and imperceptibly loose the bonds which unite the colonies to us by a mistaken notion of self-interest. Yet the colonial policy of Europe has been the chief source of wars for the last hundred and fifty years. Again, Free Trade, by perfecting the intercourse and securing the dependence of countries one upon another, must inevitably snatch the power from the governments to plunge their people into wars. What do you think of changing your plan of a prize essay, from the Corn Law to « Free Trade as the best human means for securing universal and permanent peace »[1].

On peut aussi constater dans les années suivantes une alliance au moins officieuse entre les pacifistes et les libre-échangistes. Elle se montre aux congrès internationaux réunis de 1843 à 1853. Le premier de ces congrès eut lieu à Londres en 1843. Il fut purement anglo-américain et composé exclusivement de Quakers. On y parla déjà de la possibilité d'une réunion d'un caractère plus large et une nouvelle personnalité, « le forgeron érudit » *Elihu Burrit* (1810-79) se voua spécialement à cette tâche. Burrit, qui avait obtenu son renom d'érudition par sa remarquable connaissance des langues, fut l'avocat de quelques idées pratiques, réalisées depuis; tel l'établissement d'un « Ocean Postage. » Il publia de petites feuilles volantes pour propager ses idées : *Olive Leaves, Sparks from the Anvil*, le dernier titre faisant allusion à son métier de forgeron. Burrit partagea les idées de Cobden sur l'harmonie préétablie entre les pays et par conséquent sur la nécessité d'établir le libre-échange. Il développa dans une conférence, « The Higher Law and Mission of Commerce », cette notion que le libre-échange complet est la seule base économique prévue dans la constitution de la nature.

Ce fut cet homme qui prit l'initiative de renouveler les congrès internationaux de la paix. On avait espéré pouvoir en organiser un à Paris en 1848. Mais la révolution de Février empêcha la réalisation de ce projet, et le Congrès eut lieu à Bruxelles. Il réunit des pacifistes américains, anglais, français, belges et allemands. L'année suivante, on put convoquer le Congrès à Paris, sous la présidence de Victor Hugo. Celui-ci l'ouvrit par un discours très caractéristique et devenu célèbre. Il y dit entre autres choses[2] :

1. Morley, *Life of Cobden*, I, 230.
2. Congrès des Amis de la Paix Universelle, réuni à Paris en 1849 (Paris, 1850), p. 3-4.

« Messieurs, si quelqu'un, il y a quatre siècles, où la guerre existait de commune à commune, de ville à ville, de province à province, si quelqu'un eût dit à la Lorraine, à la Picardie, à la Normandie, à la Bretagne, à l'Auvergne, à la Provence, au Dauphiné, à la Bourgogne : un jour viendra où vous ne vous ferez plus la guerre, un jour viendra où vous ne leverez plus d'hommes d'armes les uns contre les autres, un jour viendra où l'on ne dira plus : les Normands ont attaqué les Picards, les Lorrains ont repoussé les Bourguignons; vous aurez bien encore des différends à régler, des intérêts à débattre, des contestations à résoudre, mais savez-vous ce que vous mettrez à la place des hommes d'armes, savez-vous ce que vous mettrez à la place des gens de pied et de cheval, des canons, des fauconneaux, des lances, des piques, des épées? Vous mettrez une petite boîte de sapin que vous appellerez l'urne du scrutin, et de cette boîte il sortira, quoi? une assemblée! une assemblée en laquelle vous vous sentirez tous vivre, une assemblée qui sera comme votre âme à tous, un concile souverain et populaire, qui décidera, qui jugera, qui résoudra tout en loi, qui fera tomber le glaive de toutes les mains, et surgir la justice dans tous les cœurs; qui dira à chacun : Là finit ton droit, ici commence ton devoir; bas les armes! vivez en paix! Et ce jour-là vous vous sentirez une pensée commune, des intérêts communs, une destinée commune; vous vous embrasserez, vous vous reconnaîtrez fils du même sang et de la même race; ce jour-là vous ne serez plus des peuplades ennemies, vous serez un peuple; vous ne serez plus la Bourgogne, la Normandie, la Bretagne, la Provence, vous serez la France; vous ne vous appellerez plus la guerre, vous vous appellerez la civilisation!

« Si quelqu'un eût dit cela à cette époque, messieurs, tous les hommes sérieux et positifs, tous les gens sages, tous les grands politiques d'alors se fussent écriés : « Oh! le songeur! Oh! le rêve-creux! Comme cet homme connaît peu l'humanité! Que voilà une étrange folie et une absurde chimère! » Messieurs, le temps a marché, et il se trouve que ce rêve, cette folie, cette chimère, c'est la réalité.

« Et, j'insiste sur ceci, l'homme qui eût fait cette prophétie sublime eût été déclaré fou par les sages, pour avoir entrevu les desseins de Dieu.

« Eh! bien, vous dites aujourd'hui, et je suis de ceux qui disent avec vous tous, nous qui sommes ici nous disons à la France, à l'Angleterre, à la Prusse, à l'Autriche, à l'Espagne, à l'Italie, à la Russie, nous leur disons :

« Un jour viendra où les armes vous tomberont des mains, à vous aussi; un jour viendra où la guerre paraîtra aussi absurde et sera aussi impossible entre Paris et Londres, entre Pétersbourg et Berlin, qu'elle serait impossible et qu'elle paraîtrait absurde aujourd'hui entre Rouen et Amiens, entre Boston et Philadelphie. Un jour viendra où, vous France, vous Russie, vous Italie, vous Angleterre, vous Allemagne, vous toutes nations du continent, sans perdre vos qualités distinctes et votre glorieuse individualité, vous vous joindrez étroitement dans une unité supérieure, et vous constituerez la fraternité européenne, absolument comme la Normandie, la Bretagne, la Bourgogne, la Lorraine, l'Alsace, toutes nos provinces se sont fondues dans la France. Un jour viendra où il n'y aura plus d'autres champs de bataille que les marchés s'ouvrant au commerce et les esprits s'ouvrant aux idées. Un jour viendra où les boulets et les bombes seront remplacés par les votes, par le suffrage universel des peuples, par le vénérable arbitrage d'un grand sénat souverain, qui sera à l'Europe ce que le Parlement est à l'Angleterre, ce que la Diète est à l'Allemagne, ce que l'Assemblée législative est à la France. Un jour viendra où l'on montrera un canon dans les musées comme on y montre aujourd'hui un instrument de torture, en s'étonnant que cela ait pu être. Un jour viendra où l'on verra ces deux groupes immenses, les États-Unis d'Amérique, les États-Unis d'Europe, placés en face l'un de l'autre, se tendant la main par-dessus les mers, échangeant leurs produits, leur commerce, leur industrie, leurs arts, leurs génies, défrichant le globe, colonisant les déserts, améliorant la création sous le regard du Créateur, et combinant ensemble, pour en tirer le bien-être de tous, ces deux forces infinies, la fraternité des hommes et la puissance de Dieu. »

L'année suivante, un congrès eut lieu à Francfort, et en 1851 à Londres. Ce fut l'année de la première Exposition universelle. Aussi les espérances furent-elles illimitées. On voyait déjà le millénaire très proche. Tennyson « dip't into the future far as human eye could see. » Il vit le monde « lap't in universal Law, »

till the war drum throbbed no longer, and the battle-flags were furled

In the Parliament of Man the Federation of the World. »

Encore deux autres congrès se réunirent, tous les deux en Angleterre pendant les années suivantes, mais sans avoir l'importance de ceux dont nous venons de parler. Au cours de tous ces congrès de 1843 à 1853 on voit se dessiner sous forme de résolutions un programme pratique d'action et de propagande. On préconise la formation de Sociétés de la Paix, la propagande par la presse. Des buts d'action politique sont indiqués sous la forme de traités d'arbitrage, de la prohibition d'emprunts de guerre. Tel est le programme immédiat; mais on vise aussi plus loin en recommandant une réduction des armements et la codification du droit international, qui doit servir de base aux sentences d'une Cour internationale. Dès 1842, un auteur américain, qui fut un juriste distingué et un juge estimé dans son pays, *William Jay*, avait publié une petite brochure *War and Peace, the Evils of the First and a Plan for preserving the Last.* Le plan que développa Mr. Jay fut celui de faire entrer dans tous les traités entre les nations la clause dite « compromissoire, » et qui prévoit que toute controverse sur l'interprétation ou l'application d'une disposition du traité serait soumise à un arbitrage. Ce fut la première réforme envisagée, modeste dans sa portée, et dont on pouvait prévoir l'acceptation par les hommes d'État. Un des compatriotes de W. Jay, *Charles Sumner* (1811-1874), qui devint plus tard un homme d'État influent de son pays[1], prononça deux grandes conférences qui eurent un retentissement important, et qui restent encore des morceaux classiques de la littérature pacifiste. Dans « The true Grandeur of Nation » (1845), il développa la thèse fondamentale du pacifisme : la noblesse du travail fécond et pacifique opposé aux principes destructeurs de la guerre. Dans « The War System of the Commonwealth of Nations » (1849), il fit un exposé admirable de l'anarchie internationale se traduisant sous forme d'armements et de rivalités des Puissances.

On voit donc que, parallèlement au mouvement des congrès, la littérature pacifiste se développe, notamment dans les pays anglo-saxons. Entre temps, une organisation permanente s'était créée à la suite du mouvement des congrès. Ce fut le « Peace Congress Commitee. » Elle avait été fondée après le congrès de Bruxelles; les

1. Sénateur américain 1852-1874, et président de l'important « Committee on Foreign Relations ».

secrétaires en furent E. Burrit et Henry Richard (1812-1888), le dernier secrétaire de la « Peace Society » de 48 à 88. Cette nouvelle personnalité exerça une grande influence dans le mouvement de la paix; Richard en fut en réalité l'esprit dirigeant en Europe pendant plus de trente ans et lui donna un caractère plus politique, moins sentimental qu'auparavant. Richard fut l'ami de Cobden[1] et de Bright, tous les deux membres du Parlement, et c'est à leur collaboration qu'est due la série des initiatives parlementaires d'ordre pacifiste, qui caractérisent les années suivantes. Il est vrai que quelques initiatives parlementaires avaient été prises en Amérique dès 1835; elles avaient débuté dans les législatures des États-Unis, comme dans celle du Massachusetts, par exemple, et il y en avait eu aussi au Congrès Fédéral, notamment en 1837[2]. Mais l'impression créée n'avait pas été très grande. Il en fut autrement de la motion faite par Cobden à la Chambre des Communes en 1849. L'opinion publique avait été travaillée par des meetings organisés par la « Peace Congress Comitee, » et à la chambre même plusieurs orateurs appuyèrent la motion, qui invitait le gouvernement à proposer aux gouvernements étrangers la conclusion de traités d'arbitrage. Le courant en faveur de la motion fut si fort que le ministre des Affaires étrangères lui-même, Lord Palmerston, exprima sa sympathie, son respect pour l'idée, tout en ajoutant qu'il craignait e voir l'impression créée que « l'esprit mâle des Anglais fût mort. » Il proposa de passer à l'ordre du jour sans repousser directement la motion, ce qui fut voté à une grande majorité. La même année une motion analogue avait un sort identique à l'Assemblée Nationale française. Elle avait été présentée par *Francisque Bouvet,* et visait la convocation d'un congrès international qui serait appelé à discuter le problème du désarmement et de l'arbitrage.

Un an plus tard, Cobden présenta une nouvelle motion à la Chambre des Communes en faveur d'une réduction réciproque des armements navals. De nouveau, Lord Palmerston exprima sa sympathie en faveur de cette idée. Mais il pria Cobden de ne pas insister sur un vote. Et celui-ci consentit à retirer sa motion.

Un nouveau ferment fut jeté dans le mouvement qui nous inté-

1. Cf. surtout Hobson, *Richard Cobden, the International Man,* London, 1918.
2. Voir l'édition de Ladd, *A Congress of Nations,* pub. par J. B. Scott (Carnegie Endowment).

resse : le *nationalisme* posa un nouveau problème. L'idée des nationalités est en réalité beaucoup plus récente qu'on ne se l'imagine. Elle fut portée à l'état conscient par la Révolution Française, et joua un rôle décisif dans sa lutte contre les « tyrans. » Elle inspira les Allemands et les Espagnols dans les guerres contre Napoléon et appuya les Norvégiens dans leur soulèvement de 1814. Plus tard, elle joua un rôle de plus en plus important dans l'histoire européenne. Sa force se révèle dans la lutte d'indépendance des Hellènes, dans la révolution des Belges et dans le soulèvement tragique des Polonais. Au milieu du siècle, elle est, pour ainsi dire, le ferment décisif des mouvements révolutionnaires de 1848.

Pendant la première moitié du siècle encore, le mouvement nationaliste est, dans une très grande mesure, théorique et idéaliste. Une personnalité exceptionnelle le représente d'une manière frappante : *Giuseppe Mazzini* (1805-1872)[1]. Né à Gênes, à la hauteur de la culture de son époque et riche de grands dons de penseur et d'écrivain, Mazzini avait été enflammé déjà dans sa jeunesse de l'idée de délivrer sa patrie de la domination étrangère. Il devint le fondateur de la « Jeune Italie. » Mazzini n'était pas toutefois étroitement nationaliste : il s'éleva à une conception tout européenne. Il voulait fonder à côté de la « Jeune Italie » des associations sœurs parmi les autres nationalités européennes : « la Jeune Italie », la « Jeune Pologne », la « Jeune Suisse », etc., formeraient la « Jeune Europe », « le champ de bataille de la liberté au XIXe siècle », dit-il déjà en 1831. « L'Italie plantera son drapeau sur ce champ de bataille commun. La légion italienne se placera dans les rangs, aux côtés des légions française, belge, polonaise. »

Mazzini fut le martyr et l'apôtre de l'idée de nationalité, qui à ses yeux est un principe de liberté et de délivrance. « La Jeune Europe n'a pas seulement pour but de détruire, mais, ce qui est beaucoup plus important, aussi de construire. Elle ne veut pas seulement propager une idée politique, elle veut éveiller la foi dans un principe de rénovation qui s'étendra à tous les domaines de l'activité des hommes.... Sur le drapeau de la Jeune Europe, on lira : Liberté, Égalité, Humanité. » Par cette dernière déclaration, Mazzini se proclame internationaliste. Il n'y a à ses yeux aucune contradiction

1. Cf. Mazzini, *Life and Writings*, London, 1864-1870 (en partie autobiographique).

entre le nationalisme et le cosmopolitisme; l'idée de la fraternité des peuples les concilie. « Chaque peuple a une mission particulière par laquelle il paie sa contribution à l'accomplissement de la mission générale de l'humanité. C'est cette mission qui constitue sa nationalité. *E sacra la nazionalità.* »

Ces dernières paroles révèlent la base religieuse de la personnalité de Mazzini. Il fut prophète plutôt que politicien. C'est dans le mouvement des idées qu'il a joué un rôle : ses excursions dans le domaine de la politique furent fréquemment désastreuses et mal réussies. Il eut pendant sa longue vie d'exilé des relations superficielles avec le mouvement de la Paix, mais il n'y prit jamais une part active, ni aux congrès, ni à l'œuvre des associations, ce qui fut pourtant le cas de certains de ses adhérents. Il fallait toutefois signaler dans le mouvement des idées qui nous intéresse la contribution apportée par le nationalisme.

Ce courant d'idées présente au demeurant d'autres aspects que celui que représente Mazzini, et nous aurons à en reparler.

CHAPITRE XV

PROGRÈS DU DROIT INTERNATIONAL

Le congrès de Vienne avait profité de l'occasion qui était offerte par la réunion des représentants diplomatiques de tous les États européens pour régler des problèmes de droit international d'ordre général. Il a fixé le rang des envoyés diplomatiques, il a formulé des règles pour la navigation des cours d'eau internationaux, il a proclamé la prohibition de la traite des Noirs. Ce fut un commencement modeste de codification générale du droit des gens.

La première question n'est pas d'une importance très grande. Mais les problèmes de préséance ont toujours intéressé les diplomates, et c'est depuis le Congrès de Vienne que le rang des ambassadeurs, ministres, chargés d'affaires a été réglé, à la satisfaction plus ou moins grande des chefs du protocole.

La deuxième question a déjà un intérêt plus grand. Ce fut la reconnaissance de l'existence d'intérêts communs qu'il s'agissait de concilier avec le principe de la souveraineté nationale, et, en même temps, les débuts d'un droit des communications qui prit un grand développement au cours du siècle.

A plusieurs égards, la troisième question, interdiction de la traite, fut sans doute celle qui intéressait le plus les esprits et surtout les internationalistes. Le mouvement contre l'esclavage avait commencé au XVIIIe siècle. Le Danemark avait interdit la traite dès 1792. La Convention Française abolit l'esclavage deux ans plus tard, mais le Consulat le rétablit en 1802. Ce fut cependant le mouvement qui se produisit en Angleterre qui attira le plus l'attention publique. Ce mouvement fut dirigé par le quaker Thomas Clarkson et par le méthodiste William Wilberforce. Ils eurent gain de cause en 1807, lorsque le Parlement vota une loi contre la traite des nègres, et dès ce moment, la politique anglaise s'est efforcée d'internationaliser cette interdiction. Les adversaires idéalistes de l'esclavage et les commerçants tombèrent d'accord à ce sujet : la traite ne devait pas rester un profit pour les autres pays. La décision du Congrès de Vienne représente donc une étape importante dans la lutte contre l'esclavage et l'œuvre fut continuée au congrès d'Aix-la-Chapelle en 1818 et à Vérone en 1822. Bientôt, il devint nécessaire de créer un contrôle, et des accords sur la visite des navires sur l'Atlantique furent conclus au cours de la première moitié du siècle. Ce fut en quelque sorte le commencement d'une police internationale de la mer. L'interdiction de la traite est la première réforme d'ordre humanitaire qui fut réalisée par voie internationale; elle a toujours servi de suprême argument aux amis de la Paix, pendant la période qui nous occupe, lorsqu'on leur reprochait de verser dans l'utopie, en faisant des motions en faveur de l'arbitrage ou du désarmement.

L'arbitrage international fait des progrès importants pendant la génération qui suit le Congrès de Vienne. Il avait réapparu en 1794, dans des accords conclus entre l'Empire Britannique et les États-Unis, et en 1802, entre l'Espagne et les États-Unis. Après une période de trois cents ans, depuis la fin du Moyen âge, l'arbitrage devient de nouveau une méthode de plus en plus usitée pour régler les litiges.

C'est le nouveau continent américain qui montre le chemin. Nous avons déjà vu que par le traité de Gand de 1814, les États-Unis et la Grande-Bretagne avaient soumis des litiges de frontière à l'arbitrage. A côté des États-Unis, les colonies espagnoles délivrées ont joué un rôle de premier plan dans l'histoire de l'arbitrage. Il y avait sans doute chez elles un grand besoin de s'unir contre l'ennemi commun, mais en même temps, on y trouve des visées d'ordre général. « El liberador » Simon Bolivar (1783-1830) a formulé à plusieurs reprises des déclarations intéressantes dans cet ordre d'idées. Déjà en 1815, il avait lancé l'idée de réunir un congrès des nouveaux États américains sur l'isthme de Panama. « Comme il serait beau que l'isthme de Panama fût pour nous ce que celui de Corinthe fut pour les Grecs. Puissions-nous avoir la fortune de fonder ici un auguste congrès des représentants des Républiques, Royaumes et Empires, pour traiter et discuter sur la Paix et sur la

Guerre avec les nations des autres parties du monde[1]. » Quelques années plus tard, en 1822, lorsqu'il eut affranchi d'abord la Colombie (ce qui voulait dire alors la Colombie actuelle avec le Vénézuela), puis le Pérou, Bolivar fit conclure un traité entre ces deux États, qui prévoyait le règlement de conflits éventuels par l'entremise d'un congrès hispano-américain. Ce congrès ne fut jamais créé, et lorsqu'en 1826 Bolivar convoqua à Panama un premier congrès dit, « Pan-américain, » quatre États seulement — Colombie, Pérou, Mexique, Amérique centrale, alors unifiée — s'y firent représenter. Toutefois un observateur britannique y assista, mais le délégué des États-Unis n'arriva qu'après la fin des travaux. L'acte final prévoit la création d'une assemblée générale des États fédérés, qui serait chargée, entre autre, de régler les conflits et d'élaborer un code de droit international. Le congrès n'eut pas de conséquences pratiques. Il en fut de même d'un nouveau congrès qui se réunit à Lima, au Pérou, en 1847, et qui vota des décisions similaires.

Les historiens voient dans ces congrès les débuts du mouvement pan-américain, mais le lien est tout à fait superficiel. Ce sont plutôt des congrès précurseurs, tout à fait isolés, et leurs auteurs ont eu des visées différentes de celles qui ont inspiré le mouvement pan-américain proprement dit, qui ne commence qu'en 1889.

Plus importante est la série des traités d'arbitrage et de clauses compromissoires, qui caractérisent la vie internationale du nouveau continent[2]. Il est vrai que ces engagements ne furent pas toujours observés : nous trouvons ici le même phénomène que nous avons déjà constaté dans l'histoire de l'Europe au moyen âge. L'arbitrage est employé comme un moyen de faire la paix après une guerre; il est souvent proclamé comme étant de durée permanente, mais dans beaucoup de cas, on oublie son existence. Toujours est-il que certains de ces engagements ont existé jusqu'à nos jours. Telle une clause d'arbitrage entre la Colombie et le Pérou, de 1829. Cette clause institue le recours à l'arbitrage pour les différends, soit pour cause de plainte ou de dommage, soit au sujet de l'interprétation d'articles des traités. C'est la plus ancienne des dispositions d'arbitrage toujours en vigueur.

1. Parra-Pérez, *L'œuvre de Bolivar*, Genève, 1926. Cf. en outre Fried, *Pan-Amerika*, 2te Aufl., Zürich, 1918.
2. Voir Gaston Moch, *Histoire sommaire de l'Arbitrage permanent*, Monaco, 1910.

A partir de 1839, la tradition de l'arbitrage s'étend à d'autres pays : nous trouvons les traités d'arbitrage « d'Outre-Mer[1]. » Le premier fut conclu, cette année-là, entre la Belgique et le Mexique. La Belgique en a en outre signé sept autres, la Suisse six, etc. Dans ces traités se trouve toujours insérée une clause compromissoire générale, prévoyant le recours à l'arbitrage, soit pour toutes sortes de litiges, soit pour les divergences concernant l'application ou l'interprétation du traité en question. Ce fut la consécration de la suggestion faite par William Jay.

Le Concert européen, qui avait fait fonction de Directoire européen pendant la période des congrès (1815-1822), sur la base du principe de l'intervention, avait fait faillite devant les révolutions de 1830. Il avait même dû consentir à reconnaître comme légitimes les résultats de la révolution belge. C'était bien dur pour Metternich. Au lieu de servir de principe de conservation, le Concert servait les buts des trouble-paix. Quelques années plus tard, on constate que le Concert, au fond, n'existe plus. Les souverains des puissances de l'est, la Russie, la Prusse, l'Autriche, déclarèrent en 1833, — protocole secret de Berlin du 15 octobre[2] — « qu'ils étaient unanimement résolus de raffermir le système de conservation qui constitue la base immuable de leur politique, et intimement convaincus que l'appui mutuel des gouvernements entre eux est nécessaire au maintien de l'indépendance des États et des droits qui en dérivent, dans l'intérêt de la paix générale en Europe. » Les deux pays occidentaux restaient en dehors de cet accord, qui consacra l'entente entre les trois puissances dont le suprême intérêt était de conserver le butin polonais. Au demeurant, le Concert se spécialise de plus en plus dans le problème oriental. Il faut notamment signaler la Convention des Détroits du 13 juillet 1841 où l'on lit : « Les cinq puissances, convaincues que leur union et leur accord donnent à l'Europe le gage le plus sûr pour le maintien de la paix générale, objet de leurs soins constants... », etc.

Cette convention règle un problème d'intérêt général : il faut constater qu'ici, sur le terrain de la question orientale, l'organisme oligarchique du Concert faisait ses preuves.

1. Gaston Moch, *ouvr. cité*, p. 44.
2. Martens (Fr. de), *Traités de Russie*, IV (St-Pétersbourg, 1878), p. 460.

Toutefois, douze ans plus tard, la guerre de Crimée divisa les puissances du Concert. Mais, lorsqu'il s'agit de faire la paix, en 1856, on voit de nouveau le Concert fonctionner[1]. La Turquie se trouvait entourée de trois grandes puissances amies, la Grande-Bretagne, la France et l'Autriche, qui comme on le sait « avait volé au secours des vainqueurs. » La Turquie voulut profiter de cette occasion. Elle fut, dans une certaine mesure, admise au Concert européen qui fut regardé comme une sorte d'organisme de la communauté européenne de droit international. On trouve dans le Protocole de Paris, du 30 mars 1856, la formule suivante : « La Turquie est admise à participer aux avantages du droit public et du Concert européen. » On dirait que les diplomates, en employant cette formule, ont oublié la distinction entre la politique et le droit.

L'existence du Concert fut cependant prouvée par le fait que la Prusse fut admise au congrès de la Paix de Paris, bien qu'elle n'eût pas été belligérante. Tous les représentants du Concert sont donc réunis à Paris. On y institue une innovation qui est au fond hardie et intéressante, à savoir une discussion sur quelques problèmes d'ordre général qui caractérisent l'état actuel de l'Europe. C'est là, il faut bien le reconnaître, une pensée internationaliste et même pacifiste.

Il s'agissait de prévenir à temps les conflits. C'est sous l'égide du Concert européen que Cavour, premier ministre de Sardaigne, peut formuler devant l'Europe, « le cri de douleur de l'Italie », malgré les protestations des représentants de l'Autriche. La question italienne fut mise à l'ordre du jour de l'Europe. Provisoirement, cette initiative n'eut pas de conséquences pratiques, mais dans un autre domaine, celui du droit international, le congrès de Paris procéda à des réformes importantes. Il a codifié certaines règles du droit maritime de la guerre, en consacrant les principes pour lesquels avait lutté la ligue des neutres au XVIIIe siècle. La course fut déclarée abolie, on reconnut qu'en temps de guerre maritime, le drapeau couvre la cargaison, et seuls les blocus efficaces furent reconnus comme légitimes.

Au point de vue de notre étude, le Protocole du 14 avril 1856 (n° 23)[2] présente encore un intérêt particulier. Le *Peace Congress*

1. Voir Lange, *Den europeiske Konsert*, cité plus haut.
2. Voir les Protocoles du Congrès, dans Martens, *Nouveau Recueil Général*, XV.

Comittee, dont nous avons parlé plus haut, avait décidé d'élaborer un mémoire et de le soumettre par députation aux plénipotentiaires de Paris, malgré les hésitations de Cobden et d'autres hommes politiques, qui considérèrent l'initiative comme étant sans espoir. Le mémoire plaidait la cause de l'arbitrage et de la médiation. Il fut porté à Paris par le quaker Joseph Sturge et par Henry Richard. Ils trouvèrent un accueil bienveillant, surtout auprès de Lord Clarendon, ministre des Affaires étrangères de Grande-Bretagne et sur sa proposition, après un échange de vue au sein du congrès, le texte suivant fut voté :

« MM. les Plénipotentiaires n'hésitent pas à exprimer, au nom de leurs Gouvernements, le vœu que les États, entre lesquels s'élèverait un dissentiment sérieux, avant d'en appeler aux armes, eussent recours, en tant que les circonstances l'admettraient, aux bons offices d'une Puissance amie.

« MM. les Plénipotentiaires espèrent que les Gouvernementsn on représentés au congrès s'associeront à la pensée qui a inspiré le vœu consigné au présent Protocole. »

On ne peut nier que ce Protocole ne soit bien tâtonnant, très modéré, et cependant, il représente une victoire réelle des idées des pacifistes. Il n'est pas resté sans application. En 1869, on y eut recours pour régler un des conflits qui se produisaient continuellement entre la Grèce et la Turquie, et l'année suivante, il fut invoqué, mais sans succès, par la Grande-Bretagne, dans le conflit franco-prussien. Ce protocole était évidemment trop anodin, pour pouvoir être d'une grande utilité.

Le développement pris par le Congrès de Paris est dû en partie à l'influence de *Napoléon III*. Ce conspirateur et rêveur était, dans une certaine mesure, internationaliste aussi. Ses idées présentent un mélange très curieux. Nationaliste, il prit part au mouvement des « Carbonari » italiens et il eut des relations avec Mazzini. A l'intérieur, il professa des idées démocratiques, par la base plébiscitaire qu'il donna à son régime. Il se posa comme homme de confiance de son peuple. Il voyait les facteurs d'ordre mondial qui devaient influencer la politique européenne, à preuve, entre autres, son intérêt pour la construction du canal de Suez, son appui à de Lesseps.

Son grand but fut de détruire le système du Congrès de Vienne, qui avait été dirigé contre son « oncle », contre le danger que présentait le retour de Napoléon Ier. Ce fut donc une idée ingénieuse et malicieuse que de se servir du Congrès pour saper les fondements de ce système que le Congrès avait pour mission de sauvegarder. Mais, rêveur comme il l'était, il fut toujours déchiré par des contradictions inconciliables. Cet ami de l'Italie nationaliste s'appuyait en France et en Italie sur l'Église catholique anti-italienne et supranationale. Cet ami de la paix et du désarmement s'aventurait continuellement dans une politique guerrière. Nous allons voir qu'à un moment donné, il poussa, contre le gré de son peuple, à la conclusion d'un traité de commerce avec la Grande-Bretagne, sur la base des principes du libre-échange.

Il se posa toujours en avocat des Congrès européens, dans les grandes crises en 1863, 1864, 1866, mais il arriva toujours trop tard, berné par Bismark, qui fut un joueur bien supérieur à lui. Il fut aussi l'avocat du désarmement; en 1863 il démontra l'exagération des armements européens, et il tint le même langage à la veille de la guerre qui devait mettre aux prises son pays avec l'Allemagne.

CHAPITRE XVI

CONSOLIDATION DE L'ÉTAT NATIONAL PROBLÈME DE L'INTERNATIONALISME

La guerre de Crimée représente un tournant décisif dans l'histoire du mouvement internationaliste. Cette guerre est la première des guerres dites « nationales, » qui ont duré de 1853 à 1878. Pendant ces vingt-cinq années, l'Europe vit une série de guerres qui aboutirent à la création de nouveaux États, sinon sur une véritable base nationale, en tout cas sous l'invocation d'un idéal national. La guerre de Crimée aboutit à la création de la Roumanie, puis ont suivi l'Italie et l'Allemagne unifiées; la guerre russo-turque provoqua la création de la Serbie et de la Bulgarie.

Ce mouvement fut favorisé par la bourgeoisie, et dans la plupart des nouveaux États à base nationale, le régime politique qui caractérise la prédominance de la bourgeoisie, le parlementarisme, fut institué.

En même temps, on voit se développer les conséquences des nouveaux moyens de communication; l'histoire et la politique deviennent vraiment mondiales. Nous parlons facilement d' « Histoire universelle, » « Weltgeschichte; » ce que nous appelons ainsi n'est au fond que l'histoire de la civilisation européenne ou occidentale. Les pays d'outre-mer entrent dans « l'histoire » lorsque la civilisation européenne les a atteints. Cette manière de voir est aussi myope qu'orgueilleuse. Mais à partir du milieu du XIXe siècle, on peut vraiment parler d'une histoire mondiale, d'une histoire de l'humanité. Les émigrations, qui furent toujours un trait distinctif dans l'histoire des peuples, prennent à partir de cette époque une importance plus grande que jamais, justement par suite du développement des moyens de communication. Jusqu'alors les migrations avaient été continentales ou transcontinentales : elles deviennent dès lors surtout transocéaniques. En même temps, la civilisation européenne se transplante définitivement dans d'autres continents, et il s'ensuit une internationalisation des intérêts et rapports économiques et intellectuels. De nouveaux facteurs se font sentir dans la politique; l' « Impérialisme » naît. En 1876, Disraeli fait proclamer la reine Victoria « Empress of India. » De 1880 à 1885 se fait un partage de l'Afrique entre les grandes puissances européennes. L'Italie et l'Allemagne deviennent des puissances coloniales. Le roi brasseur d'affaires, Léopold II de Belgique, fonde l'État du Congo, qui devient plus tard une colonie belge. En 1885 a lieu aussi une sorte de partage de l'Asie entre la Russie, l'Empire Britannique et la France.

Quelques années plus tard, deux grandes puissances extra-européennes se présentent et sont reconnues comme telles : les États-Unis, après la guerre de Cuba en 1898, le Japon après la guerre sino-japonaise en 1895. Fait significatif, c'est grâce à des victoires dans la guerre que ces pays sont consacrés grandes puissances.

Parallèlement à ce développement, à cette extension des relations internationales, l'État se consolide à l'intérieur; on assiste au développement de ce qu'on a appelé l'Étatisme. Dans ce domaine aussi, la nouvelle technique représente le facteur décisif. L'État moderne domine la vie de ses sujets ou « citoyens » à un degré inconnu auparavant. L'État, de nos jours, a des bras plus longs, ses mains ont une prise plus efficace sur les individus qu'à n'importe quelle époque antérieure. Les dernières traces du brigandage disparaissent. Plus personne n'échappe soit à l'impôt, soit au service militaire. L'État est devenu le vrai « Leviathan » que Hobbes avait prévu.

Les conséquences de ce fait, qui est le trait dominant de la vie politique de notre époque, se révèlent dans les domaines les plus divers. Nous avons déjà dit que c'est la bourgeoisie qui est la classe représentative et dirigeante de ce développement. Tant que cette classe lutta pour obtenir la direction de la société, c'est-à-dire au cours des siècles précédents, et notamment au cours du XVIIIe siècle, elle avait été humanitaire et même internationaliste. Encore pendant la première moitié du XIXe, elle est libre-échangiste et cosmopolite. Au cours de la seconde moitié, elle devient de plus en plus pénétrée de nationalisme. Elle avait conquis le pouvoir dans la plupart des États dirigeants; elle sentait plus ou moins confusément que ses propres intérêts étaient intimement liés au maintien de l'organisation étatique et nationale, qu'ils étaient servis par la consolidation de l'État.

Cette nouvelle mentalité se révèle d'abord dans le développement des idées qu'on pourrait appeler celles du *nationalisme économique*. Il est vrai qu'au début de cette période, la poussée vers le libre-échange se continue encore, et ce mouvement remporte quelques victoires d'ailleurs éphémères. Des hommes d'État comme Napoléon III et Bismarck favorisent le libre-échange. En 1860, sous l'inspiration de Cobden et de son ami Michel Chevalier, Napoléon III consent à conclure le fameux traité de commerce franco-anglais. Mais il le fait au fond contre le gré de son peuple. Deux ans plus tard, un traité analogue est conclu entre la France et le Zollverein allemand, et successivement tous les pays d'Europe, excepté la Russie, suivent l'exemple des États occidentaux. Les États-Unis, par contre, se tiennent absolument à l'écart et maintiennent leur protectionnisme traditionnel.

En 1878, à la fin des guerres nationales, il y a un brusque changement : le nationalisme économique remporte des victoires de plus en plus décisives, le protectionnisme s'installe dans presque tous les pays.

Le nationalisme économique se distingue absolument du nationalisme humanitaire de Mazzini, dont nous avons parlé. Il ne vise pas comme celui-ci à la libération des nationalités, mais au contraire, à la constitution d'États forts, sur une base économique. Ces idées ont leur origine en Amérique. *Alexandre Hamilton* (1757-1804), l'un des fondateurs de la nouvelle nation d'outre-mer, avait prêché la nécessité pour elle de se rendre indépendante des autres nations dans le domaine économique, en établissant des droits d'entrée pour les produits industriels venant du dehors. Ainsi les industries débutantes, et par conséquent encore faibles, seraient protégées contre la concurrence de l'étranger. Cette doctrine, on le voit, s'intéresse davantage à la production qu'aux intérêts du consommateur. L'économiste *Carey* (1793-1879) développe et approfondit les idées de Hamilton. Carey était fils d'un émigré irlandais, et il y avait chez lui un élément d'animosité à l'égard de l'Angleterre, qui représentait surtout la concurrence étrangère. L'Allemand *Friedrich List* (1789-1846) a puisé ses théories chez ces penseurs américains.

Il avait quitté son pays pendant la période de la réaction, car il ne pouvait y vivre avec ses idées libérales. Il arriva libre-échangiste aux États-Unis, mais ce qu'il vit dans ce pays le convertit, et, il développa ses nouvelles théories dans un grand ouvrage *Das Nationale System der politischen Œconomie* (1841). L'ouvrage est resté inachevé, mais le titre en est significatif. List aurait pu du reste invoquer *Fichte*, qui dès 1800 avait publié *Der geschlossene Handelsstaat*, dans lequel il préconisait même l'exclusion des marchandises étrangères.

List tire des conclusions hardies, même sur le terrain politique. Il ne veut pas seulement l'unité de l'Allemagne, idéal de sa jeunesse, il voudrait encore y incorporer les Pays-Bas et le Danemark qui appartiennent, d'après lui, au « Système national et économique allemand. » Il parle de frontières « naturelles » pour l'Allemagne, comme les Conventionnels et Napoléon avaient parlé des frontières « naturelles » de la France. Alors que les Français se plaçaient sur le terrain géographique — les Alpes et le Rhin — List se place sur le terrain économique. Il fit école, non seulement en Allemagne, mais encore en Hongrie : les chefs des nationalistes magyars, tel *Lajos Kossuth*, sont fortement influencés par ces théories. En son temps, List ne fut pas un prophète : le libre-échange triomphait alors. Plus tard, il eut sa réhabilitation, lorsque se produisit le revirement dans le sens du protectionnisme.

Plusieurs circonstances ont contribué à ce revirement à partir de 1878. Il eut lieu d'abord en Allemagne, où la concurrence des blés d'outre-mer rendait périlleuse la situation de l'agriculture prussienne. Bismarck, jusqu'alors libre-échangiste, se décida pour le protectionnisme, sur la base d'un raisonnement politique : il s'agissait pour lui d'assurer des recettes régulières au Reich et d'augmenter l'armée, indépendamment des partis du Reichstag.

La France, où le libre-échangisme de Napoléon III n'avait jamais été populaire, suivit presque aussitôt l'exemple allemand. Quant aux autres pays européens, ils emboîtèrent le pas l'un après l'autre. Seuls, la Grande-Bretagne, la Belgique, les Pays-Bas et le Danemark restèrent fidèles au principe du libre-échange.

Les États poursuivent aussi une politique d'isolement : derrière les hommes politiques, on voit de plus en plus les intérêts économiques et financiers qui tirent les ficelles. Les grandes puissances prennent fait et cause pour les intérêts commerciaux et financiers de leurs ressortissants, surtout dans les pays encore peu développés. C'est ainsi que l'Égypte et le Maroc, la Chine et la Perse, l'un ou l'autre des États de l'Amérique latine deviennent des foyers de conflit entre les puissances d'Europe; ce sont en quelque sorte les enjeux sur l'échiquier diplomatique. Les vrais rois de notre temps sont les brasseurs d'affaires et les grands financiers.

Pour pouvoir appuyer efficacement les revendications de leurs représentants et de leurs nationaux, les États s'arment et deviennent de plus en plus militaristes. Leur politique est inspirée par des considérations stratégiques et militaires. C'est ainsi que naît la « Paix armée, » qui caractérise les rapports internationaux à la fin du XIXe et au début du XXe siècle. Comme toujours, une théorie sort des faits : la guerre est considérée comme la fonction suprême de l'État. Celui-ci est divinisé, considéré comme l'expression la plus élevée de l'association entre humains. Le « Darwinisme social » se constitue : la guerre doit prouver, dans la lutte pour l'existence, la survivance des États les mieux adaptés. C'est la thèse de l'historien allemand *Treitschke*, mais nous la retrouvons aussi chez des auteurs français, anglais, hollandais et autres. (Entre autres Steinmetz : *Der Krieg als soziologisches Problem*, Amsterdam 1899 [1].)

Une conséquence fatale de cet état de choses devait être la création d'*alliances permanentes* entre les États. C'est une sorte de prolongement et d'extension des préparatifs pour la guerre. A cet égard surtout, comme créateur de la première alliance permanente, la « Triple-Alliance, » entre l'Allemagne, l'Autriche-Hongrie et l'Italie (1879-1881), Bismarck est devenu pour l'Europe contempo raine l'homme fatal. Il était obsédé du « cauchemar des coalitions, » et ne voyait pas d'autre remède au régime de la force qu'un régime de « surforce : » à diable, diable et demi. La création de la Triple-Alliance fut suivie de contre-alliances, alliance franco-russe, plus tard alliance anglo-japonaise, etc. Cette évolution se produit en même temps que les débuts de l'Impérialisme.

Ainsi s'établit dans le domaine politique un état de choses qui s'écarte de plus en plus des conditions réelles existant dans le domaine des affaires, de l'économie et même dans le domaine intellectuel.

1. Cf. plus haut, *Introduction*, p. 176.

Les nouveaux moyens de communication, la technique industrielle et le commerce avaient créé une *interdépendance* de plus en plus prononcée entre les peuples et même entre les États, alors que l'organisation politique, reposant toujours sur le principe de la souveraineté des États, ne s'y était pas encore adapté. Ainsi se pose au cours de la seconde moitié du XIXe siècle, le *problème de l'Internationalisme.* Les rapports internationaux s'étaient modifiés, mais la politique internationale demeurait telle qu'elle avait été pendant des siècles.

Ce n'est que lentement que cette contradiction se révèle aux esprits. Une crise se développe, d'abord latente, puis de plus en plus évidente pour ceux qui savent voir le fond des choses. Elle éclate aux yeux de tous dans la grande crise de la guerre mondiale de 1914 à 1918.

CHAPITRE XVII

PACIFISME ET INTERNATIONALISME DANS LA SECONDE MOITIÉ DU XIXe SIÈCLE ET AUX DÉBUTS DU XXe

C'ÉTAIT la tâche des pacifistes et des internationalistes de démontrer l'urgence d'une solution du problème de l'internationalisme. Ils étaient seuls à le voir, et il faut bien reconnaître que leurs forces furent très faibles en comparaison de celles dont disposaient les grands acteurs de la scène mondiale, les États et leurs dirigeants. Il n'est pas surprenant que le mouvement internationaliste ait eu la vie difficile pendant cette période.

La guerre de Crimée avait, pour ainsi dire, tué le mouvement pacifiste sur le continent européen. Aucun congrès de la paix ne se réunit avant 1867. Seules, les sociétés de la Paix des pays anglo-saxons survécurent à cette guerre. La « Peace Society » de Londres avait trouvé quelques années plus tôt un chef, dans la personne de *Henry Richard*, pasteur dissident du Pays de Galles, qui se révéla bientôt comme un esprit politique avisé et comme un journaliste puissant. Il entra plus tard à la Chambre des Communes, dont il resta membre pendant vingt ans, de 1868 à 1888. Il avait des relations très intimes avec Cobden et il représenta, dans le mouvement pacifiste, le point de vue économique et politique, non plus seulement moral et religieux, qui avait caractérisé la « Peace Society » à ses débuts.

Le mouvement pacifiste poursuit pendant ces années deux buts précis : d'une part, la réduction des armements et d'autre part la reconnaissance de l'arbitrage. D'ailleurs, d'une manière générale on peut dire que c'est la caractéristique du mouvement du XIXe siècle de poursuivre des efforts avisés, pratiques et immédiats. Nous ne trouvons plus les plans grandioses et d'ensemble que nous avons rencontrés au cours des siècles précédents, surtout pendant la période des philosophes. En 1863, Richard Cobden publie une de ses brochures les plus remarquables : *The Three Panics,* dans laquelle il démontre que des augmentations considérables des armements britanniques avaient été provoquées à trois reprises par des paniques, suscitées plus ou moins artificiellement par la presse, et il signale ainsi la « peur armée » comme un des traits caractéristiques du temps. Ce fut dans la même année que Napoléon III proposa la réunion d'un congrès de désarmement. Quelques années plus tard, en 1867, une initiative parlementaire se produit à la Diète de l'Allemagne du Nord, en faveur d'une réduction des armements, et, en 1869, le fameux naturaliste Virchow renouvelle cette proposition : elles furent repoussées toutes les deux, mais contre des minorités importantes.

Vers cette même époque, le mouvement pacifiste organisé renaît sur le continent, notamment en France, où deux sociétés furent fondées en 1867. *Frédéric Passy* (1822-1912) fonda la « Ligue internationale et permanente de la Paix » qui s'appela plus tard « Société française d'arbitrage international. »

Passy fut un économiste de l'école du libre-échange. Auteur fécond et grand orateur, il est le dernier représentant remarquable de l'école de Cobden et de Bastiat. Cette société déploya une grande activité pendant les vingt premières années de son existence. L'autre société fut fondée par *Charles Lemonnier* (1806-1891), ami de Victor Hugo, et qui représentait la tradition du socialisme de Saint-Simon. Sa société s'appelait « Ligue de la paix et de la liberté » et visait surtout à la création des « États-Unis d'Europe, » formule qu'elle employait aussi comme titre de sa revue. Cette Ligue déploya une certaine activité internationale, en organisant des congrès notamment, en Suisse, par exemple à Genève en 1867. Garibaldi y prit part; ce congrès de 1867 provoqua même un certain scandale.

Entre temps, les guerres nationales, à commencer par la guerre de Crimée, avaient provoqué un mouvement d'ordre humanitaire, dont il faut bien dire quelques mots. Les ravages de la guerre, et surtout les souffrances des blessés, révoltèrent les esprits. *Léon Tolstoï* dépeint dans son premier livre, *Souvenirs de Sébastopol,* la guerre sous ses aspects de misère et de souffrance. Pendant la guerre de Crimée, *Florence Nightingale* — The Lady with the Lamp —

se rend sur les champs de bataille de l'Orient, pour secourir les blessés, et en 1860 *Henry Dunant* publie son célèbre *Souvenir de Solférino* qui provoqua trois ans plus tard la fondation des sociétés de la Croix-Rouge. En 1864, une conférence se réunit à Genève, avec l'appui chaleureux de Napoléon III et l'adhésion de la plupart des États, pour élaborer une convention internationale consacrant l'inviolabilité, pendant la guerre, des blessés et des services sanitaires.

C'est le premier exemple d'un congrès des États, ayant pour objet exclusif une question non politique et humanitaire. Le vieil adage « Inter arma silent leges » est remplacé par la devise de la Croix-Rouge « Inter arma caritas. » Cette œuvre n'est certainement pas pacifiste : elle ne combat nullement la guerre, mais elle est internationaliste; d'une part parce qu'elle crée une nouvelle législation internationale, d'autre part parce qu'elle établit des liens moraux, une responsabilité humanitaire entre les peuples.

Pendant les années suivantes et sur l'initiative du gouvernement russe, quelques congrès se réunirent pour aborder le problème d'une législation sur les coutumes de guerre (Saint-Pétersbourg, 1868; Bruxelles, 1874). Mais ces efforts restèrent provisoirement sans résultat.

L'événement le plus important dans le domaine international pendant ces années fut sans doute l'*Arbitrage de l'Alabama* (1872). Cet arbitrage a réglé un des conflits des plus graves entre les deux grandes puissances anglo-saxonnes. Ce conflit avait son origine dans des événements survenus au cours de la guerre de sécession aux États-Unis. De longues négociations avaient précédé la négociation du compromis, établi en 1871. Le tribunal d'arbitrage, qui siégea à Genève, rendit sa sentence l'année suivante. La Grande-Bretagne fut condamnée à payer une somme de 15 millions et demi de dollars. Ce fut une pilule amère à avaler, mais elle était cependant bien préférable à la guerre. Il aurait sans doute été impossible d'arriver à un règlement pacifique sans la tradition, déjà établie, d'arrangements pacifiques entre les deux pays et sans le désarmement réalisé dans la région des Lacs canadiens, seule frontière immédiate entre les deux puissances.

On peut constater les suites importantes de cet événement dans plusieurs domaines. Il y a d'abord une série d'initiatives parlementaires, en faveur de l'arbitrage international[1]. Le sénateur américain Charles Sumner (voir plus haut, p. 378) proposa en 1872, au Sénat américain la création d'un tribunal international, « investi, dit-il, d'une si grande autorité que la guerre ne serait plus considérée comme un moyen légitime de vider les conflits entre les Nations. » Le Sénat adopta la résolution proposée, en 1874.

En 1873, Henry Richard renouvela, à la Chambre des Communes, la motion de Cobden, en faveur de l'arbitrage. Cette fois, le premier ministre, qui était Gladstone, recommanda la résolution, qui fut adoptée à la Chambre. En Italie, *Mancini* fit adopter une motion analogue, et lorsque, quelques années plus tard, il devint ministre de la Justice, il fit insérer la clause compromissoire dans les traités italiens avec d'autres puissances. Des initiatives similaires se produisirent en même temps au sein du Riksdag suédois, des États Généraux des Pays-Bas, de la Chambre belge. Ce fut un mouvement général et plein de succès. On discuta même la possibilité de créer une association interparlementaire.

En second lieu, deux institutions d'ordre scientifique furent créées, toutes les deux sur le sol belge, en 1873. Elles existent encore aujourd'hui. L'*Institut de droit international* a un caractère scientifique prononcé : il est composé d'un nombre restreint de jurisconsultes et s'est voué à un travail strictement scientifique, en étudiant des problèmes comme l'organisation d'une procédure d'arbitrage et la préparation d'une codification du droit des gens. « L'Association pour la réforme et la codification du droit des gens », qui s'appela plus tard *The International Law Association* a un caractère plus populaire, accomplit même une œuvre de propagande. Elle a concentré ses efforts sur l'extension du principe de l'arbitrage et, plus tard, elle étudia surtout des problèmes de droit commercial et maritime. Ainsi se créèrent des relations continuelles entre les internationalistes; on en voit l'effet dans l'extension que prend, par exemple, le recours à l'arbitrage. De 1820 à 1870, il y a 48 cas d'arbitrage, donc moins d'un par an. De 1870 à 1900, il y a 113 cas d'arbitrage, donc presque 4 par an[2]. En même temps, les congrès internationaux d'ordre scientifique et technique de-

1. Cf. Fried, *Handbuch der Friedensbewegung*, II (Berlin-Leipzig, 1913), p. 84 et suiv., livre qu'il ne faut consulter cependant qu'avec certaines précautions.
2. Cf. La Fontaine, *Pasicrisie internationale* (Berne, 1902).

viennent de plus en plus fréquents. On en compte, de 1840 à 1860, 28, de 1861 à 1870, 69, de 1871 à 1880, 150. Les États eux-mêmes instituent une coopération en faveur de buts précis. La nouvelle institution des postes à bon marché réclama impérieusement une organisation internationale. C'est dans ce sens que, pendant les années, 60, des efforts furent accomplis, et en 1874 l'Union Postale Universelle fut fondée, avec un bureau central à Berne. Déjà en 1868, un bureau international des télégraphes avait été créé dans la même ville, et en 1875 l'Union Télégraphique internationale fut définitivement organisée. Ce sont là seulement deux exemples des débuts d'une organisation internationale, dans le domaine administratif.

La première *Internationale socialiste*, qui fut fondée par Karl Marx en 1864, reposait sur une conscience nette de l'internationalisme, indispensable aux classes ouvrières. L'internationale, qui eut une existence assez éphémère et qui disparut à partir de 1872, fut l'épouvantail de la bourgeoisie, dont elle troubla le tranquille sommeil. Au fond, elle fut sans influence et sans importance réelle. Enfin, il ne faut pas oublier que l'Église catholique a recouvré au XIXe siècle la situation d'une puissance supra-nationale qu'elle avait possédée au Moyen âge. La perte de la puissance temporelle du Pape, la démocratisation de l'Église ont eu ce résultat. De plus en plus, on voit le Pape jouer le rôle d'une autorité internationale. Il fut souvent désigné comme arbitre pour des litiges importants. Cependant, le caractère de l'Église Romaine, représentant l'autorité dans la vie sociale et intellectuelle, l'empêcha de se joindre aux autres efforts internationalistes, tous inspirés par des principes libéraux et démocratiques.

L'année 1889 marque une étape importante dans le mouvement internationaliste; il s'organise alors sur des bases internationales. Cet événement avait été, en partie, préparé par la formation de nouvelles sociétés de la Paix, dans différents pays, sous l'inspiration d'un anglais *Hodgson Pratt* (1824-1907). Pratt était un fonctionnaire revenu des Indes qui voua la dernière partie d'une vie longue et active à la cause de la Paix. En 1880, il fonda à Londres « The International Arbitration and Peace Association, » qui se distingua de l'ancienne « Peace Society » par son caractère laïque. Elle était ainsi à même de rallier des adhésions nouvelles qui n'aimaient guère le caractère religieux accentué de la « Peace Society. » Hodgson Pratt était un grand voyageur, et il créa, pendant les années suivantes, des filiales de sa société dans plusieurs pays, en Belgique, aux Pays-Bas, en Suisse, en Italie, dans les pays scandinaves et en Autriche. Les personnalités qu'il gagna à sa cause allaient prendre la direction du mouvement pacifiste pendant la génération suivante.

C'est pourquoi, à partir de 1889, la série des Congrès Internationaux de la Paix fut reprise, série qui ne devait être interrompue que par la guerre mondiale.

Quelques années plus tard, en 1891, le mouvement se crée un centre international, le *Bureau de la Paix*, dans la ville de Berne. Depuis 1925, ce Bureau a son siège à Genève. Aux Congrès Universels, les personnalités dirigeantes du mouvement se rencontrent et peuvent échanger leurs idées, formuler leurs doctrines[1]. La doctrine pacifiste est formulée par les résolutions des Congrès. Le mouvement n'est plus aussi exclusivement religieux qu'auparavant, entre '43 et '53 par exemple. De nouvelles personnalités se joignent aux doyens Frédéric Passy et Hodgson Pratt. Le Suisse *Élie Ducommun*, qui est un organisateur, devient secrétaire général du Bureau de la Paix. Le Belge *Henri La Fontaine*, qui vit encore, est le juriste du mouvement. *Bertha von Suttner* (« die Friedens-Bertha ») publie en 1889 un roman qui devait devenir célèbre : « Die Waffen nieder », dans lequel elle expose, sous une forme littéraire, les thèses pacifistes. On peut encore citer l'Italien *E. T. Moneta*, nationaliste et internationaliste en même temps, élève de Mazzini, le Danois *Fredrik Bajer*, qui fut le véritable créateur du Bureau de la Paix. Toutes ces personnalités de valeur avaient été gagnées au mouvement par Hodgson Pratt.

En même temps, plusieurs revues nouvelles se fondent : *La Paix par le Droit*, créée par un groupe de jeunes étudiants à Nîmes, en France, et qui existe encore, dirigée par *Théodore Ruyssen; Die Waffen nieder* dirigée par Mme von Suttner. Cette revue vécut pendant neuf ans et fut suivie de *Die Friedenswarte*, dans laquelle un israélite autrichien, *Alfred Fried*, qui avait été le collaborateur

1. *Résolutions textuelles des Congrès universels de la Paix, tenus de* 1843 *à* 1910. Berne, 1912.

de Mme von Suttner, développa et vulgarisa pendant près de trente ans les doctrines du pacifisme.

C'est en 1889 aussi, pendant l'Exposition Universelle de Paris, que se fonda l'*Union Interparlementaire*. Un Anglais *Randal Cremer* (1829-1908) en prit l'initiative. Cremer avait été, pendant près de vingt ans, secrétaire d'une société de la Paix des ouvriers de Londres, qui, quelques années plus tard, s'appela « The International Arbitration League. » Cremer avait le don de concentrer ses forces sur le point de moindre résistance de l'adversaire, et pendant plusieurs années il travailla pour l'adoption d'un traité d'arbitrage entre les deux puissances anglo-saxonnes. En 1887, il porta à travers l'Atlantique une adresse, signée par plus de 200 députés britanniques, en faveur d'un semblable traité. Il la soumit, à la tête d'une députation, au président des États-Unis. C'était pour appuyer ces efforts qu'il engagea des relations avec Frédéric Passy, alors membre de la Chambre des Députés, au sein de laquelle il avait également travaillé pour un traité d'arbitrage franco-américain. Une réunion parlementaire avait eu lieu à Paris en 1888, à laquelle n'assistèrent que des Français, des Anglais et des Américains. On y décida, entre autres choses, de profiter de l'exposition de l'année suivante pour convoquer une Conférence Interparlementaire, d'ordre général.

Elle eut lieu effectivement en juin 1889, sous la présidence de Frédéric Passy et ce fut là le commencement de l'œuvre interparlementaire.

Cette œuvre a un caractère constructif et politique. Elle s'est consacrée, au début surtout, au principe de l'arbitrage. Elle a organisé, pendant les premières années, une campagne dans les Parlements, qui rappelle celle qui avait suivi l'affaire de l'Alabama. Ce qui est important, c'est que l'Union élabora un projet de statut d'une Cour d'Arbitrage en 1895, et un mémoire scientifique, rédigé par le président de la Conférence de cette année-là, le Belge *Chevalier Descamps*, fut soumis aux différents ministères des Affaires étrangères. L'Union, qui se créa à partir de 1892 un Bureau Interparlementaire à Berne, transféré plus tard à Bruxelles, puis à Genève, poursuivit une politique de paix et de compréhension mutuelle dans les milieux parlementaires[1].

1. Lange, *Résolutions des Conférences*, Bruxelles, 1911.

En troisième lieu, également à Paris, en 1889, fut créée la *Deuxième Internationale* des ouvriers. Elle organisa des congrès socialistes, institua les manifestations du 1er mai, pour la journée de huit heures, fit en même temps, dans les milieux ouvriers, une propagande contre les armements et les dangers de la guerre, la guerre étant, aux yeux du socialisme, l'expression du capitalisme et du régime de la bourgeoisie.

En effet, pendant ces années-là, la surenchère des armements prit un développement formidable, qui effraya non seulement les pacifistes, mais encore les milieux intellectuels en général. Les dangers qui devaient en découler furent exposés, entre autres, par l'économiste russe *Jean de Bloch*, dans un ouvrage considérable : *La guerre future*, qui fut publié et traduit en plusieurs langues[1].

L'œuvre pacifiste, et surtout celle de l'Union Interparlementaire, révéla son importance, lorsqu'au mois d'août 1898, le gouvernement du tsar lança, devant un monde stupéfait, un manifeste invitant les gouvernements à une Conférence Internationale, qui se chargerait de l'étude du problème des armements. On y lisait : « Au cours des vingt dernières années, les aspirations à un apaisement général se sont particulièrement affirmées dans la conscience des nations civilisées. La conservation de la paix a été posée comme but de la politique internationale; c'est en son nom que les grands États ont conclu entre eux de puissantes alliances; c'est pour mieux garantir la paix qu'ils ont développé dans des proportions inconnues jusqu'ici leurs forces militaires et qu'ils continuent encore à les accroître, sans reculer devant aucun sacrifice.

« Tous ces efforts, pourtant, n'ont pu aboutir aux résultats bienfaisants de la pacification souhaitée.

« Les charges financières suivant une marche ascendante, atteignent la prospérité publique dans sa source; les forces intellectuelles et physiques des peuples, le travail et le capital sont en majeure partie détournés de leur application naturelle et consommés improductivement. Des centaines de millions sont employés à acquérir des engins de destruction effroyables qui, considérés aujourd'hui comme le dernier mot de la science, sont destinés demain à perdre toute valeur à la suite de quelque nouvelle découverte dans ce

1. Éditions russe, française, allemande, etc.

domaine. La culture nationale, le progrès économique, la production des richesses se trouvent paralysés ou faussés dans leur développement.

« Aussi, à mesure que s'accroissent les armements de chaque Puissance, répondent-ils de moins en moins au but que les Gouvernements s'étaient proposé. Les crises économiques, dues en grande partie au régime des armements à outrance, et le danger continuel qui gît dans cet amoncellement du matériel de guerre, transforment la paix armée de nos jours en un fardeau écrasant que les peuples ont de plus en plus de peine à porter. Il paraît évident, dès lors, que, si cette situation se prolongeait, elle conduirait fatalement à ce cataclysme même qu'on tient à écarter et dont les horreurs font frémir à l'avance toute pensée humaine.

« Mettre un terme à ces armements incessants, et rechercher les moyens de prévenir les calamités qui menacent le monde entier, tel est le devoir suprême qui s'impose aujourd'hui à tous les États.

« Pénétré de ce sentiment, Sa Majesté l'Empereur a daigné m'ordonner de proposer à tous les Gouvernements dont les Représentants sont accrédités près la Cour Impériale, la réunion d'une Conférence qui aurait à s'occuper de ce grave problème[1]. »

Comment expliquer, de la part d'un Gouvernement autocrate et certainement militariste, cette acceptation expresse des thèses du pacifisme? Voici quelles sont les origines du manifeste. En 1898, le ministre de la Guerre de Russie avait été informé d'une commande très importante de la part du Gouvernement autrichien au sujet d'une nouvelle artillerie. Ce ministre exigea, pour la Russie, des canons du même genre, ce qui aurait coûté plusieurs millions. Le ministre des Finances, qui était alors M. Witte, s'opposa énergiquement à cette proposition. L'œuvre de reconstruction financière, à laquelle il s'était voué, en aurait été compromise. Il suggéra l'idée d'ouvrir des négociations avec le Gouvernement autrichien, pour que les deux pays s'abstiennent d'augmenter leur artillerie. Mais une telle démarche fut considérée, par le Cabinet russe, comme une confession de faiblesse et aucune décision ne fut prise. C'est alors qu'un jeune attaché au Ministère des Affaires étrangères, *Priklonsky*, attira l'attention de ses supérieurs sur le

1. Voir entre autres Louis Renault, *Les deux conférences de la Paix*, 1899 et 1907. Paris, 1909.

mouvement contre la surenchère des armements et pour la paix, notamment sur l'œuvre interparlementaire. Il avait assisté avec son chef d'alors, qui était Consul général à Buda-Pest, à la septième conférence interparlementaire, qui avait eu lieu en 1896, dans la capitale hongroise. Il avait écrit, à ce moment, un rapport au ministère sur cette conférence et sur l'importance de l'œuvre de la paix en général. Il proposait maintenant de lancer un appel aux Gouvernements, sur la base de ces idées qui semblaient gagner des adhésions de plus en plus importantes. Sa proposition fut acceptée par le comte Mouravieff; le Tsar cependant repoussa, tout d'abord, cette idée. Un jour, pourtant, avec un de ces brusques revirements qui caractérisent souvent les natures faibles, Nicolas II informa son ministre des Affaires étrangères, que, sur les instances de la Tsarine, il s'était rallié à la suggestion. Et, le 24 août, le comte Mouravieff remit le manifeste aux ministres des États étrangers accrédités à la Cour de Russie.

Le manifeste fit sensation. Bon gré, mal gré, les Gouvernements reçurent l'invitation du tsar. Toutefois, de grandes difficultés s'élevèrent lorsqu'il fut question d'élaborer l'ordre du jour détaillé de la Conférence que l'on avait projetée. La deuxième circulaire, qui contenait l'ordre du jour, fut remise aux Puissances le 11 janvier de l'année suivante. Cette circulaire[1] n'exposait pas seulement l'idée d'une limitation des armements, mais encore une autre idée, voisine de celle-ci : l'idée de l'arbitrage international. La circulaire suggéra que la question suivante serait inscrite à l'ordre du jour : « Acceptation en principe de l'usage des bons offices, de la médiation et de l'arbitrage facultatif, pour des cas qui s'y prêtent, dans le but de prévenir des conflits armés entre nations; entente au sujet de leur mode d'application et établissement d'une pratique uniforme dans leur emploi. »

Il est certain que cette acceptation du principe de l'arbitrage était surtout dû aux interparlementaires. Le Conseil de l'Union s'était réuni en automne, en 1898, à Bruxelles. Il avait appelé de nouveau l'attention des Gouvernements sur l'arbitrage[2].

Le 18 mai 1899 se réunit à la Haye la « Conférence de la Paix. » Elle donna des résultats négatifs quant au problème des armements,

1. Voir texte chez Renault, *ouvr. cité*.
2. Lange, *Résolutions des Conférences*, p. 63.

car il régnait à ce sujet une indifférence générale et surtout une opposition irréductible de la part du Gouvernement allemand. La Conférence codifia certains chapitres du droit de la guerre. La partie la plus importante de son œuvre fut, sans contredit, l'organisation de l'arbitrage. Ce fut la grande question de la Conférence, celle qui remua les esprits.

Sur la base du projet de l'Union Interparlementaire, elle créa la « Cour Permanente d'arbitrage. » La direction des travaux fut assumée par les délégations américaine, anglaise, française et belge. Du côté allemand, le professeur Zorn fut un adhérent sincère : c'est lui qui devait, à un moment donné, vaincre les résistances du Gouvernement du Reich. Une crise très grave éclata en effet et la Cour ne fut sauvée que par un compromis : il n'y aurait aucune obligation d'y avoir recours, elle serait entièrement facultative.

La première conférence de la Haye fut une victoire importante pour le mouvement pacifiste. Victoire, même si l'on constate que les progrès ne furent pas si décisifs qu'on l'avait espéré. D'une part, l'établissement de la nouvelle Cour consacra l'une des thèses du mouvement. D'autre part, on avait vu qu'il était possible d'obliger par des délibérations internationales, la puissance, même la plus militariste parmi celles du monde, à accepter certains progrès, en faisant appel à l'opinion publique.

Le devoir des pacifistes était de poursuivre leurs succès et c'est dans ce sens qu'ils dirigent dorénavant leurs efforts. La conférence de la Haye, comme dit l'un de ses chefs, avait donné à l'œuvre pacifiste « de la ligne et de la perspective [1]. »

La première tâche fut de faire fonctionner la nouvelle Cour d'arbitrage. Pendant quelques années, les États eurent l'air de la dédaigner. C'est alors que l'un des membres de la Conférence, le baron *d'Estournelles de Constant* (1851-1924) réussit à persuader au Président des États-Unis, Théodore Roosevelt, de chercher dans les archives du Département d'État, à Washington, un litige sempiternel avec le Mexique, et de le soumettre à la Cour (1902). C'est ainsi que la glace fut brisée, et pendant les années suivantes une série d'affaires fut réglée devant la Cour. L'une d'elles, dite l'affaire de Casablanca, entre l'Allemagne et la France, avait menacé

1. M. Tydeman, *Discours d'ouverture de la Conférence interparlementaire de* 1913 (La Haye).

de provoquer un conflit très dangereux. Une autre, relative aux pêcheries de Terre-Neuve, entre les États-Unis et la Grande-Bretagne, était particulièrement importante au point devue économique.

Ces affaires furent réglées par l'arbitrage. Une autre procédure, organisée aussi par la Convention de la Haye, fut employée pour régler un conflit qui avait eu l'air, un moment, de compromettre la paix. Ce fut l'incident du Doggerbank (1904), entre l'Angleterre et la Russie. L'incident avait eu lieu pendant la guerre russo-japonaise. La flotte russe, sortant de la Baltique et se dirigeant vers l'Extrême-Orient, avait tiré sur quelques bateaux de pêche anglais, rencontrés dans les brouillards de Doggerbank, parce qu'elle se croyait attaquée par des navires de guerre japonais. La presse de Londres protesta violemment. La situation semblait devoir s'aggraver, à cause de l'alliance que l'Empire Britannique avait conclue, quelques années auparavant, avec le Japon. La France proposa alors l'institution d'une Commission d'enquête, conformément à la Convention de la Haye, qui aurait pour tâche de constater les faits. Elle se réunit au quai d'Orsay et lorsqu'elle eut constaté que la canonnade avait été due à une méprise, la Russie consentit à payer des indemnités aux pêcheurs et à leurs familles. L'Empire russe trouva, malgré le caractère peu flatteur des faits pour les officiers de la marine russe, qu'il valait mieux éviter d'avoir l'Angleterre pour ennemie. Ainsi fut démontrée l'utilité de ces nouvelles institutions.

D'autre part, la Conférence de 1899 donna une forte impulsion à la conclusion de traités d'arbitrage obligatoire. En octobre 1903, la France et la Grande-Bretagne signèrent un traité d'après lequel certains litiges entre elles seraient soumis à la nouvelle Cour. L'engagement fut entouré de bien des réserves, exceptant de l'obligation les litiges qui, d'après l'avis de l'un ou l'autre des États, « toucheraient à l'honneur ou aux intérêts vitaux. » Ce traité, cependant, avait une certaine importance comme déclaration de bonne volonté, et l'exemple fut suivi par d'autres pays. Au cours des dix années suivantes, 162 traités d'arbitrage furent conclus entre différents États, tous prévoyant un recours plus ou moins obligatoire aux nouvelles institutions de la Haye [1].

1. Lange, *L'arbitrage obligatoire en* 1913. *Relevé des stipulations en vigueur* Bruxelles, 1914.

Pendant la même période, des clauses compromissoires furent insérées dans plus de 140 traités d'ordre général. Les traités d'arbitrage proprement dits étaient de caractère très divergent : la plupart n'allèrent pas plus loin que le traité franco-britannique, mais certains, notamment trois traités, conclus par le Danemark avec les Pays-Bas, l'Italie et le Portugal respectivement, prévoyaient que tout litige, de n'importe quelle nature, entre ces États, serait réglé par l'arbitrage.

En troisième lieu, les pacifistes devaient travailler à la continuation de l'œuvre de la Haye, pour que ce commencement d'une organisation des rapports pacifiques et juridiques entre les États fût poursuivi au moyen de nouvelles conférences et par une organisation permanente de cette institution internationale. La première de ces Conférences avait déjà, par certaines de ses résolutions, prévu la possibilité d'une continuation de l'œuvre. Ce fut surtout l'Union Interparlementaire qui se voua à cette tâche. A une conférence, réunie en Amérique, en 1904, elle présenta une invitation dans ce sens au Président Roosevelt, qui promit de faire les démarches nécessaires, en vue d'une nouvelle conférence. Le gouvernement russe, en effet, sur l'initiative du Président des États-Unis, convoqua une nouvelle Conférence à la Haye, en 1907. Avant celle-ci, les Interparlementaires élaborèrent, aux deux conférences organisées en 1905 et 1906, différents projets, en vue de la réunion des diplomates. Le plus important fut celui d'un « Traité modèle d'arbitrage, » voté à Londres en 1906. D'accord avec le nouveau gouvernement libéral anglais, l'Union Interparlementaire vota aussi un vœu énergique, visant une réduction sérieuse des armements.

La Conférence se réunit à la Haye, en juin 1907, et siégea jusqu'au mois d'octobre, donc pendant quatre mois. Quarante-quatre États y prirent part, alors que la première conférence n'en avait compté que vingt-six. Toute l'Amérique latine y fut cette fois représentée.

A côté d'une série de questions visant surtout une codification du droit de la guerre et du droit des neutres pendant la guerre, la Conférence discuta le problème de la création d'une véritable Cour de justice internationale, d'une Cour d'appel internationale des prises maritimes, et enfin, ce qui fut la principale question, le projet d'un traité d'arbitrage sur la base du modèle élaboré par l'Union Interparlementaire. Le gouvernement anglais n'avait pu obtenir que la question du désarmement fût mise à l'ordre du jour. Le gouvernement de Berlin s'y opposa absolument et alla même jusqu'à menacer de s'abstenir. Dans ce domaine donc, la Conférence devait dès l'abord désappointer les pacifistes. Sous d'autres rapports également, les internationalistes durent enregistrer plusieurs échecs. La Conférence n'arriva pas à se mettre d'accord sur la création d'une Cour de Justice : elle échoua sur le problème de sa composition. Elle institua une Cour d'appel des prises maritimes, Cour qui n'a jamais été appelée à fonctionner, malgré les efforts déployés les années suivantes. Même les délibérations concernant le traité modèle d'arbitrage furent infructueuses. Les oppositions entre les grandes puissances se révélèrent irréductibles : de nouveau l'Allemagne refusa tout engagement obligatoire d'un recours à l'arbitrage, et s'opposa notamment au caractère mondial du projet présenté. Elle avait à son côté et dès le début, certaines petites puissances européennes (Belgique, Suisse, Grèce, Roumanie). Bientôt l'Autriche-Hongrie se joignit à son alliée, suivie enfin par l'Italie. Il ne servit donc à rien que la grande majorité des membres de la Conférence fût favorable à un traité mondial d'arbitrage. Au vote final, 32 États votèrent pour, 9 contre, et 3 s'abstinrent. A cause du principe de l'unanimité qui domine les conférences diplomatiques, le projet fut repoussé. Il fallut se contenter d'une déclaration toute platonique en faveur du recours à l'arbitrage.

Après tout, le résultat le plus important de la Conférence fut une déclaration en faveur de la continuation de l'œuvre que l'on avait commencée. Elle vota un vœu pour une troisième conférence, qui aurait dû se réunir huit années plus tard. Un Comité international devait être créé pour préparer son travail. Ainsi, un pas important fut fait vers une organisation réelle des rapports juridiques entre États.

En même temps, et parallèlement à l'œuvre de la Haye, en partie sous son impulsion, la vie nternationale se développait d'une manière puissante. Les réunions internationales devenaient de plus en plus nombreuses. Les délégués des États étaient convoqués en vue des objets les plus différents. Une série de Congrès, tenus à la Haye, ont voté des conventions sur le droit international privé.

A Bruxelles ont siégé des Conférences de droit maritime. Les problèmes de l'hygiène et du travail ont été mis à l'étude. Il va sans dire que l'activité privée fut encore plus intense. Elle se manifesta dans le domaine intellectuel, social et matériel, en partie pour préparer le travail des gouvernements, mais aussi sans connexion avec l'activité officielle des États.

Ainsi, des liens de plus en plus puissants se créèrent entre les peuples et la coopération intellectuelle devint plus riche. Entre 1880 et 1890, 295 congrès internationaux se réunirent; entre 1890 et 1900, 645, et entre 1900 et 1910, 790.

C'est ainsi que l'œuvre de la paix, qui au début avait eu le caractère moral d'une protestation contre la guerre, est devenue une œuvre positive pour une nouvelle organisation internationale, de caractère social : elle est devenue *internationaliste*, et ce mot indique son programme. Elle ne veut pas supprimer les Nations, ni même les États, elle veut organiser la vie et la coopération des peuples et des États sous des formes pacifiques et juridiques, préparer une société entre eux. La première conférence de la Haye avait déjà reconnu « la solidarité des membres de la Société des Nations. »

Aussi voyons-nous la doctrine pacifiste et internationaliste s'approfondir et se développer pendant ces années, premièrement dans le domaine économique. La formule « interdépendance internationale » est créée. Elle paraît chez *Gaston Moch*, chez le sociologue russe *Novicow*, mais elle jouit de sa plus grande vogue par l'ouvrage du publiciste anglais *Norman Angell* : « The great Illusion » (1901). La guerre ne paie pas : elle est un suicide.

Dans le domaine juridique, on voit un courant se dessiner, en opposition avec le scepticisme d'autrefois, créé par l'école historique du droit international. Il faut surtout signaler comme représentant de cette nouvelle tendance *Max Huber*, avec son ouvrage : *Die soziologischen Grundlagen der internazionalen Gesellschaft* (1910) et surtout *Schücking*, avec *Der Staatenverband der Haagerkonferenzen* (1910). Dans cet ouvrage, le jurisconsulte allemand montre les nouveaux germes d'une organisation internationale, qui caractérisent l'œuvre de la Haye, et en préconise un développement logique et conscient. Le grand jurisconsulte autrichien *Lammasch*, qui avait pris part aux deux Conférences de la Haye et qui avait présidé, pendant ces années, plusieurs tribunaux d'arbitrage, étudia dans des ouvrages remarquables les différents aspects de la juridiction internationale.

Enfin, dans le domaine sociologique, nous trouvons l'ouvrage si remarquable du prince Krapotkine, *Mutual Aid* (1902), dans lequel il combat le Darwinisme social et démontre l'importance primordiale de la coopération au point de vue biologique et au point de vue social. Il faut signaler aussi l'activité débordante d'Alfred Fried (voir plus haut, p. 400) qui, dans les articles de sa revue et dans de nombreux ouvrages de vulgarisation, expose l'évolution historique qui est caractérisée par l'internationalisation des intérêts, et qui préconise la coopération entre les peuples, seule base solide d'une paix assurée et organisée.

Des ressources financières sont mises à la disposition du mouvement internationaliste. Plusieurs États subventionnent les œuvres, surtout l'Union interparlementaire, mais aussi le Bureau de la Paix, et d'autres entreprises. Des fondations sont créées en faveur de l'œuvre de la Paix. Le grand inventeur suédois *Alfred Nobel*, qui avait connu Mme von Suttner et qui partageait ses idées, légua sa grande fortune à une dotation, dont une partie fut consacrée à couronner l'activité pacifiste. Un éditeur de Boston, *Edward Ginn*, fonda dans sa ville « The World Peace Foundation » et l'industriel *Andrew Carnegie* créa la « Dotation Carnegie pour la Paix internationale », avec un capital de 5 millions de dollars.

Nous voyons donc que les positions sont prises : d'une part, nous trouvons la pratique des États, puissances de ce bas monde, et leur préparation fiévreuse à la guerre, et d'autre part, le mouvement pour la paix et l'internationalisme, qui, il est vrai, devient de plus en plus conscient, mais qui ne représente encore qu'une toute petite église militante : antimilitaristes, poussés par des convictions religieuses ou morales, économistes et philosophes, juristes et parlementaires avancés, et par-ci, par-là, des hommes d'État d'inspiration pacifique. Leur thèse fondamentale, c'est la nécessité d'adapter la politique aux faits réels, à l'interdépendance des peuples, qui se révèle dans le domaine économique par l'existence d'un marché mondial, dans le domaine spirituel par le fait du « pouls commun, » échange rapide de nouvelles et de découvertes entre les Nations, simultanéité dans tous les pays des phénomènes intellectuels et moraux.

Les internationalistes ne furent guère écoutés. La politique continuait à s'embourber dans les mêmes ornières. L'état de déséquilibre dans les relations internationales, conséquence inévitable de l'instabilité inhérente au système toujours en honneur de « l'Équilibre européen, » se révélait à qui voulait voir dans les premières années du xxe siècle. Ces années furent ponctuées de crises internationales. Ces crises se présentent maintenant, lorsque nous les embrassons d'un coup d'œil rétrospectif, comme des présages du cataclysme de juillet 1914. Il ne s'agit pas ici d'en faire l'histoire; il suffit de rappeler que si la guerre fut constamment évitée, ce résultat ne fut obtenu que grâce à un jeu de *bluff*, à des menaces de guerre devant lesquelles l'une ou l'autre des parties s'est vue forcée de céder. Semblables menaces ont été proférées tantôt au nom de l'un, tantôt au nom de l'autre des deux groupes entre lesquels se sont réparties les grandes Puissances européennes : par l'Allemagne en 1905, au sujet du Maroc, par la même puissance, trois ans plus tard, à cause de la Bosnie, en 1911, par l'Empire Britannique, de nouveau au sujet du Maroc. Dans cette même année, l'Italie descend en Tripolitaine. En 1912, éclate la guerre des Balkans, et la paix est encore péniblement maintenue entre les grandes Puissances; mais c'est une paix précaire, maintenue par des méthodes de guerre. Le poing armé a si souvent frappé la table verte des négociations que celle-ci est réduite à la fin en éclats, et seuls les poings armés sont en présence : c'est ce qui arriva en juillet 1914.

CHAPITRE XVIII

LES IDÉES INTERNATIONALISTES PENDANT LA GUERRE. — LA SOCIÉTÉ DES NATIONS

Lorsque la guerre mondiale éclata, le nationalisme prit le dessus dans tous les pays. Les pacifistes devinrent partout suspects : on les qualifia de « défaitistes. » La plupart des organisations internationalistes furent réduites à l'impuissance : les membres qui les composaient étaient des ennemis et ils ne pouvaient se réunir. Ni l'Institut de droit international, ni l'Union interparlementaire, ni le Bureau de la Paix ou l'Internationale ouvrière ne purent exercer une activité suivie. Il s'agissait avant tout pour eux de survivre à la guerre.

Toutefois, beaucoup de leurs membres ont participé, pendant la guerre, aux tentatives faites en vue de créer des bases soigneusement préparées pour la paix qui devait, après tout, terminer la guerre. Ce mouvement se dessine dès l'automne de 1914. Un personnel existe, de nouvelles recrues s'y rallient. Il existe un corps de doctrine, mais il faut créer de nouvelles organisations dans ce but particulier[1]. En octobre 1914, se fonda à Londres « The Union of Democratic Control. » Trois membres de la Chambre des Communes, parmi lesquels le futur Premier ministre Ramsay Macdonald, et deux publicistes, E. D. Morel et Norman Angell, en prirent l'initiative. L'Union formula pour son activité future le programme suivant :

I. « Aucune province ne sera transférée d'un gouvernement à un autre sans le consentement par plébiscite de la population de semblable province;

1. Voir Lange, *Préparation de la Société des Nations pendant la guerre* (Munch, *L'origine et l'Œuvre de la Société des Nations*, Copenhague, 1923-1924, p. 1-61). On y trouvera des références bibliographiques détaillées.

II. « Aucun traité, accord ou engagement ne sera conclu au nom de la Grande-Bretagne sans la sanction du Parlement. Une organisation appropriée sera créée afin d'assurer le contrôle démocratique de la politique étrangère;

III. « La politique étrangère de la Grande-Bretagne ne visera pas la création d'alliances afin de maintenir l' « équilibre des puissances », mais au contraire l'institution d'un concert européen et celle d'un Conseil international dont les décisions seront publiques;

IV. « La Grande-Bretagne imposera comme élément du traité de paix un projet pour la réduction radicale des armements à teneur du consentement de toutes les puissances belligérantes; afin de faciliter cette réduction, elle tâchera d'assurer la nationalisation de la manufacture des munitions de guerre et la prohibition d'exporter ces munitions d'un pays à un autre. »

Ultérieurement (en 1917) un nouveau point fut ajouté au programme, sous la forme suivante :

V. « Le conflit européen ne sera pas continué par une guerre économique après la cessation des opérations militaires. La politique britannique visera le développement d'un trafic libre commercial entre les nations, et le maintien et l'extension du principe de la porte ouverte. »

Ce fut là un programme de caractère nettement national. D'autres organisations analogues ont été créées, soit en Grande-Bretagne, soit dans d'autres pays. Les plus connues furent : « Bund Neues Vaterland » à Berlin, et « League to enforce Peace » en Amérique. Voici le programme de cette dernière organisation :

« Il est désirable que les États-Unis adhèrent à une Ligue des Nations engageant les puissances signataires à ce qui suit :

I. « Toute question comportant un règlement judiciaire qui ne sera pas vidée par des négociations directes, sera soumise, sous réserve des stipulations conventionnelles, à un tribunal judiciaire, tant pour le fond de la question que par rapport à toute divergence de vues quant à la compétence du tribunal de régler la question;

II. « Toute autre question divisant les puissances signataires qui n'a pu être réglée par des négociations directes entre les parties, sera soumise à un Conseil de conciliation pour enquête, étude et recommandation;

III. « Les puissances signataires utiliseront d'un commun accord leurs forces tant économiques que militaires contre celle d'entre elles qui aura recours à la guerre, ou qui commet des actes d'hostilités contre une autre puissance signataire, avant qu'une divergence n'ait été soumise à l'une des procédures prévues plus haut;

IV. « Des conférences entre les puissances signataires seront tenues périodiquement, en vue de formuler et de codifier les règles du droit international. Ces règles formeront les bases des décisions du tribunal judiciaire visé à l'article premier, à moins qu'une puissance signataire ne notifie son désaccord avant un délai à déterminer. »

Aux Pays-Bas avait été fondé, également en automne 1914, « l'Anti-Oorlog-Raad » (Conseil contre la guerre). Alors que les organisations dont nous venons de parler se bornaient exclusivement à la préparation des bases de la paix future, l'association néerlandaise avait aussi pour but « d'étudier les moyens par lesquels la fin de la présente guerre pourrait être provoquée. »

Toutefois, l'aspect le plus important de son activité était le même que celui des autres organisations. Elle prit, en 1915, l'initiative d'une réunion internationale qui eut lieu à la Haye en avril, où furent représentés des pacifistes qui venaient des deux côtés des tranchées, ainsi que des pays neutres. A cette réunion, un programme, dit « Programme minimum d'une paix durable » fut élaboré. Il était ainsi conçu :

I. « Il n'y aura ni annexion, ni transfert de territoire contraire aux intérêts et aux vœux de la population; le consentement de celle-ci sera obtenu, si possible, par plébiscite ou autrement.

« Les États garantiront aux nationalités comprises dans leur territoire l'égalité civile, la liberté religieuse et le libre usage de leur langue.

II. « Les États conviendront d'introduire dans leurs colonies, protectorats et sphères d'influence, la liberté commerciale, ou tout au moins l'égalité de traitement pour toutes les nations.

III. « L'œuvre des Conférences de la Paix tendant à l'organisation pacifique de la Société des Nations sera développée.

« La Conférence de la Paix sera dotée d'une organisation permanente et aura des sessions périodiques.

« Les États conviendront de soumettre tous leurs différends à une procédure pacifique. Dans ce but, à côté de la Cour d'arbitrage de la Haye, seront créés :

a) Une Cour permanente de justice internationale;

b) Un Conseil international d'Enquête et de Conciliation.

« Les États seront tenus de prendre de concert des mesures diplomatiques, économiques et militaires dans le cas où un État agirait militairement, au lieu de soumettre le différend à une décision judiciaire ou de recourir à la médiation du Conseil d'Enquête et de Conciliation.

IV. « Les États conviendront de réduire leurs armements. Pour faciliter la réduction des armements navals, le droit de capture sera aboli et la liberté des mers assurée.

V. « La politique étrangère sera soumise à un contrôle efficace des parlements.

« Les traités secrets seront nuls de plein droit. »

La nouvelle organisation mit en œuvre et développa une propagande active dans bien des pays. Elle publia un commentaire du programme, qui fut traduit en plusieurs langues. Elle institua des commissions d'études, composées des représentants des différents pays qui développèrent les thèses, en étudièrent les moyens de réalisation et publièrent des rapports.

Les pacifistes luttèrent, pour ainsi dire, sur les lignes intérieures : ils avaient au moins, quel que fût leur pays, un programme commun. Les nationalistes, par contre, étaient irrémédiablement opposés les uns aux autres : leurs programmes étaient irréconciliables.

Le mouvement gagna à la longue même des hommes d'État. Le premier d'entre eux qui se prononça dans le sens des internationalistes fut M. *Asquith*, Premier ministre de Grande-Bretagne, qui, dans un grand discours prononcé à Dublin, en septembre 1914, déclara ceci :

« Je désire, avec votre permission, sortir pour un moment des cadres de cette enquête des causes et des motifs de la guerre, et attirer votre attention, et celle de mes compatriotes en général, sur le but que nous devons envisager pour cette guerre. Il y a quarante-quatre ans, lors de la guerre de 1870, M. Gladstone s'est exprimé comme suit : « Le triomphe le plus grand de notre époque sera la consécration de l'idée d'un droit public comme principe fondamental de la politique européenne. » Près de cinquante ans se sont passés depuis, et il semble que l'on n'a fait que peu de progrès vers cette réforme profonde et bienfaisante. Et cependant cette formule me paraît à présent la définition la plus heureuse que nous puissions trouver de notre politique à l'égard de l'Europe. L'idée d'un droit public, qu'est-ce qu'elle veut dire, formulée en termes concrets?

« Cela veut dire, en premier lieu, le déblaiement du terrain par la répudiation définitive du militarisme comme l'élément déterminant des rapports entre États et du développement ultérieur des relations européennes. Cela veut dire, en second lieu, qu'une place doit être trouvée et préservée pour l'existence indépendante et le libre développement des petites nationalités, chacune possédant une conscience nationale séparée. La Belgique, la Hollande, la Suisse et les Pays scandinaves, la Grèce et les États balkaniques doivent être reconnus comme ayant un droit aussi légitime que leurs voisins puissants — plus puissants en force et en richesse — un droit tout aussi légitime à une place au soleil.

« Et cela veut dire, enfin, ou cela devrait dire, par une évolution lente et graduelle, la substitution pour la force, pour le conflit des ambitions rivales, des groupements et des alliances en vue d'un équilibre précaire — la substitution pour tout cela d'une vraie Communauté européenne (« European Partnership »), basée sur la reconnaissance d'un droit égal, et établie et sanctionnée par une volonté commune. Il y a une année, cela aurait eu l'air d'une idée utopique. Probablement, elle ne sera réalisée ni aujourd'hui, ni même demain. Si cette guerre se termine par la victoire des Alliés, alors elle sera à la portée de vue, avant longtemps à la portée de main, de l'art politique européen. »

Mais c'est surtout le développement des idées de *Woodrow Wilson*, président des États-Unis, qui est intéressant. La « League to enforce Peace » avait organisé, à la fin du mois de mai 1916, une conférence à Washington, et au banquet de clôture de cette réunion, le président des États-Unis avait tenu un discours, dans lequel pour la première fois, il avait exprimé ses idées sur l'organisation des rapports entre États après la fin de la guerre. Il ne faut pas oublier qu'à ce moment les États-Unis étaient encore neutres.

C'est justement de cette idée que part M. Wilson. Être neutre dans la guerre, cela ne voulait pas dire se désintéresser des problèmes de paix. Il dit au début de son discours :

« Une inondation si immense qui s'est répandue de long en

large sur toutes les parties du monde, a nécessairement envahi bien des domaines de droit qui nous sont très proches. Lorsque la guerre aura fini, ce sera notre intérêt, non moins que celui des nations belligérantes, de voir la paix revêtir un caractère permanent, promettre des jours libérés de l'anxieuse incertitude, et apporter quelque assurance que les questions de la paix et de la guerre seront considérées dorénavant comme appartenant aux intérêts communs de l'humanité. »

Et M. Wilson continue, en parlant de l'explosion subite de la guerre : « La leçon qu'il faut tirer de la consternation qui s'est fait jour par le fait qu'on a été ainsi surpris à l'improviste, dans une affaire aussi profondément vitale pour toutes les nations du monde, est celle que la paix du monde doit désormais dépendre d'une diplomatie nouvelle et saine.

« Ce n'est que lorsque les grandes nations du monde seront arrivées à une sorte d'accord sur ce qu'elles considèrent comme étant d'ordre fondamental pour leur intérêt commun, et sur une méthode éventuelle quant à une action commune, que nous serons en droit de croire que la civilisation est enfin près de justifier son existence et d'être considérée comme définitivement établie.

« Nous croyons dans ces principes fondamentaux : d'abord que tout peuple a le droit de choisir le gouvernement (« Sovereignty ») sous lequel il doit vivre.

Ensuite, que les petits États du monde ont le droit de jouir du même respect pour leur souveraineté et pour leur intégrité territoriale que les grandes nations attendent et exigent, et, troisièmement, que le monde a le droit d'être libéré de toute perturbation de la paix causée par une agression et par le dédain des droits des peuples et des nations.

« Je suis convaincu d'exprimer l'avis et les vœux du peuple américain, en disant que les États-Unis sont prêts à entrer dans une association de nations formée en vue d'accomplir ces objets et de les garantir contre infraction. »

L'orateur définit ainsi le programme de la pacification, tel qu'il le conçoit :

« D'abord, un règlement des intérêts immédiats tel que le fixeront les belligérants entre eux. Nous n'avons rien d'ordre matériel à demander pour nous-mêmes, et nous savons très bien que nous ne sommes nullement parties au conflit actuel. Notre seul intérêt est la paix et ses garanties futures.

« Ensuite, une association universelle des nations, créée en vue de maintenir inviolable la sécurité des mers pour l'emploi commun et libre de toutes les nations du monde, et de prévenir toute guerre qui serait ouverte, soit contrairement aux traités, soit sans avertissement ou soumission complète du conflit à l'opinion publique du monde — une garantie virtuelle de l'intégrité territoriale et de l'indépendance politique. »

Il est surtout intéressant de constater que, sous plusieurs rapports, M. Wilson a exprimé des principes qui étaient étrangers au programme de la Ligue dont il était l'hôte. Nous avons vu que celle-ci s'était borné à l'aspect juridique du problème de la Ligue : formation d'une association de nations qui devrait garantir le monde contre une guerre ouverte sans un examen préalable du fond du conflit. M. Wilson s'abstient de discuter les détails de cette organisation. Mais il insiste pour que cette association soit universelle, une véritable *Société des Nations*. Et en développant ses postulats concernant les bases de la paix, il prouve qu'il voit clairement que, lorsque se posera le problème de la paix, il ne suffira pas de penser à la superstructure juridique, il faut penser aussi aux principes qui domineront les traités. Il dénonce les dangers de la diplomatie secrète; il insiste sur le principe des nationalités, il préconise même le droit des peuples de disposer d'eux-mêmes et il revendique le principe de la liberté des mers. Nous savons par ses déclarations ultérieures que par cette formule si contestée, il comprend la suppression de tout monopole de l'empire des mers.

Cette attitude du Président des États-Unis a eu sa répercussion de l'autre côté de l'Atlantique : les hommes d'État européens ont été amenés à déclarer leurs sentiments au sujet du problème d'une Société des Nations. D'abord Lord Grey, en octobre 1916, dans un discours tenu devant les représentants de la presse étrangère à Londres, puis le chancelier allemand, M. Bethmann Hollweg, devant le Reichstag, le 9 novembre. Lord Grey s'est expressément rallié au principe d'une ligue internationale pour garantir la paix, et il a notamment invité les neutres à étudier et à approfondir les problèmes que soulèverait la création de semblable Ligue. C'était une attitude toute conforme à la déclaration de

M. Asquith au début de la guerre, et qui a été citée plus haut.

M. Bethmann fut beaucoup moins explicite. Sa déclaration était plus ou moins provoquée par une interpellation de M. Conrad Haussmann, et on sent bien que le Chancelier était plutôt embarrassé. Il s'est borné à déclarer que l'Empire allemand était prêt à collaborer à la solution de ces problèmes, et il a exprimé la conviction qu'après cette guerre tragique les peuples meurtris insisteraient sur un résultat pratique et tangible dans cet ordre d'idées. Il a sensiblement gâté l'impression favorable qu'aurait pu faire cette déclaration, en disant que l'Allemagne serait même disposée à se placer « à la tête de semblable organisation ».

En termes généraux d'autres hommes d'État ont exprimé leur adhésion à ces idées, notamment M. Briand, Président du Conseil des ministres français, en septembre 1916. Le mouvement avait ainsi gagné les sphères de la haute politique; la création d'une Société des Nations était devenu l'un des buts de la guerre des États. Il ne faut pas oublier cependant que les conceptions du programme pacifiste n'étaient pas tout à fait identiques chez tous ces hommes d'État. On peut distinguer deux conceptions : d'une part, ce qu'on pourrait appeler un programme français et allemand : il avait pour but presque exclusif la création d'une organisation internationale destinée à assurer la paix, institution d'une police internationale, d'une sorte de brigade de pompiers chargée d'éteindre les incendies. D'autre part, il y avait le programme anglo-saxon, qui fut développé dans une remarquable petite brochure du général *Smuts*, premier Ministre de l'Afrique du Sud (*The League of Nations*, 1918). D'après cette conception, la nouvelle Société des Nations à créer serait surtout basée sur une coopération permanente au service des intérêts communs des nations.

C'est cette dernière idée qui prévalut à la fin, par suite de l'adhésion de Woodrow Wilson aux conceptions du général Smuts, conceptions, il faut bien le reconnaître, qui avaient été avancées par les pacifistes avant la guerre, notamment par A. H. Fried. C'est une conception d'ordre sociologique. Le *Pacte de la Société des Nations*, du 28 avril 1919, repose sur cette base.

Toutes les grandes œuvres humaines sont enfantées dans la douleur. Il n'en fut pas autrement de la Société des Nations. On se souvient du mot de Rousseau, dans son Jugement sur le projet de Saint-Pierre (Cf. plus haut, p. 314) :

« ... admirons un si beau plan, mais consolons-nous de ne pas le voir exécuter; car cela ne peut se faire que par des moyens violents et redoutables à l'humanité. »

L'expérience cruelle et tragique de la guerre démontra aux peuples et à leurs chefs qu'il fallait enfin abandonner le principe anarchique de la souveraineté illimitée de l'État, qu'il fallait démilitariser cet État et le subordonner à un régime social. Le progrès accompli en 1919 n'aurait jamais été possible sans les efforts patients, souvent ingrats, des pacifistes et des internationalistes, sans l'élaboration lente de la *doctrine pacifique.*

Il nous reste à soumettre les idées fondamentales du Pacte à un examen sommaire du point de vue de cette doctrine.

I. *Universalité.* — Le Pacte de la Société des Nations est franchement internationaliste, en posant l'universalité de la Société comme un des grands buts à atteindre. Quoique imparfaite à sa création, on a appelé cette institution *Société des Nations,* et cela dès le début. Elle est internationaliste encore, en soumettant les nationalismes et les nationalités à un certain contrôle. Les traités des minorités, conclus avec une série d'États d'Europe, en donnent l'expression juridique.

II. Le Pacte prévoit la *liquidation du système des armements.* Alors qu'on avait toujours considéré jusque-là que les armements constituaient une garantie de paix, l'article 8 du Pacte déclare expressément que les membres de la Société reconnaissent que le maintien de la paix « exige la réduction des armements nationaux. » C'est une déclaration révolutionnaire, toute conforme à la doctrine pacifique, qui avait signalé les armements comme une source de dangers et de conflits.

Le Pacte prévoit d'autre part une liquidation du système impérialiste colonial, d'une manière fort hésitante, il est vrai, et dans une mesure très modeste. Il a fondé cependant le système des *mandats coloniaux,* et, par un des articles du Pacte, les membres de la Société s'engagent à assurer « un équitable traitement du commerce de tous les membres de la Société. »

III. Le trait distinctif et le plus important de l'organisation de la Société des Nations, est le caractère *permanent* de son activité, au service des intérêts communs. Son secrétariat et les organismes qui s'y rattachent, notamment le *Bureau du travail*, tendent de plus en plus à devenir un « clearing house » pour des questions d'ordre international, dans les domaines les plus divers : organisation du travail, questions économiques et financières, service de l'hygiène, problèmes humanitaires, comme la lutte contre certaines grandes plaies de l'humanité, abus des drogues nocives, traite des blanches, etc. Par cette activité continue, la Société des Nations est devenue un trait d'union entre les milieux les plus divers, dans les différents pays : ouvriers, économistes, médecins, philanthropes.

IV. Ce caractère permanent permet à la Société d'être toujours présente à l'opinion publique, lorsqu'il y a danger de conflit dans l'une ou l'autre partie du monde. On sait, pour ainsi dire par cœur, le numéro de téléphone de la brigade des pompiers. Il est vrai que le Pacte n'impose que des obligations modestes, quant à une solution juridique des conflits. Le Pacte, en réalité, n'impose qu'un délai avant l'ouverture des hostilités, afin de donner l'occasion d'intervenir aux forces conciliatrices. C'est le principe du « cooling-time », qui avait été prévu par une série de traités dont les États-Unis avaient pris l'initiative, avant la guerre, en 1913 et 1914. L'État qui n'observe pas cet engagement quant à l'observation d'un délai déterminé, s'expose à se voir imposer un système de *sanctions*, d'ordre diplomatique, économique et financier, et si besoin en est, militaire.

La création d'une *Cour de Justice internationale* fut aussi prévue par le Pacte, et cette tâche fut la première à laquelle se voua la Société.

V. Le Pacte repose sur le principe de la *publicité des relations internationales*. Il prévoit l'enregistrement et la publication des traités, aussi bien qu'un échange d'informations « fait de la manière la plus franche et la plus complète » au sujet de « l'échelle des armements et des programmes militaires, navals et aériens. » Un fait nouveau dans la vie politique et dont on n'a encore vu que les tout premiers effets, c'est l'existence de cette tribune internationale qu'offre l'*Assemblée annuelle de la Société*, d'où l'on peut poser toutes les questions touchant aux problèmes en suspens entre les Nations.

VI. Enfin, le Pacte prévoit, par une disposition encore très discrète, la possibilité de modifier le *statu quo* territorial et légal des États.

Par tous ces traits, la Société des Nations se révèle comme une réalisation des vœux et des projets des internationalistes. Il y a encore beaucoup d'imperfections, et dans la manière dont elle est conçue, et dans sa pratique. Nous n'y insisterons pas : il est permis de constater qu'un grand instrument de bien a été mis au service des États, qu'une vaste expérience sociale a été engagée.

La doctrine pacifique et internationaliste se trouve donc, dès à présent, devant de grandes responsabilités. C'est aux États qu'on a confié le nouvel instrument, et ces États, dominés souvent par les préjugés, toujours par la psychologie des foules, ne sont point partout à la hauteur de leur nouvelle tâche; toutefois, une grande étape vient d'être franchie. A l'avenir, de nouveaux problèmes se poseront et les jeunes générations se trouveront devant une tâche ardue et difficile à accomplir.

C'est le problème fondamental de notre époque que de civiliser et de démilitariser l'État, afin que les hommes deviennent libres, vraiment maîtres de leur destinée.

TABLE DES MATIÈRES